a tutti gli italiani
che pensavano
di essere LORO
il problema

INSTANT ENGLISH
di John Peter Sloan

Testi: John Peter Sloan
Illustrazioni: Sara Pedroni
Correzione testi: Starleen K. Meyer
Progetto grafico e impaginazione: ORBIT - San Martino Buon Albergo (VR)

Si ringrazia Mafalda per aver fornito le fotografie di John Peter Sloan

Redazione Edizioni Gribaudo
Via Garofoli, 262 (VR)
37057 San Giovanni Lupatoto
tel. 045 6152479 - fax 045 6152440
e-mail: redazione@gribaudo.it

Responsabile editoriale: Franco Busti
Responsabile di redazione: Laura Rapelli
Redazione: Claudia Presotto
Responsabile grafico: Meri Salvadori
Fotolito e prestampa: Federico Cavallon, Fabio Compri
Segreteria di redazione: Daniela Albertini

Stampa e confezione: Grafiche Busti srl, Colognola ai Colli (VR)

Via Natale Battaglia, 12 - Milano
e-mail: info@gribaudo.it
www.gribaudo.it

Prima edizione: 2010 [5(E)]
Prima ristampa: 2010 [7(Q)]
Seconda ristampa: 2010 [9(CX)]
Terza ristampa: 2010 [10(Q)]
Quarta ristampa: 2010 [10(V)]
Quinta ristampa: 2010 [11(EX)]
Sesta ristampa: 2011 [3(CX)]
Settima ristampa: 2011 [6(CX)]
Ottava ristampa: 2011 [11(BX)]
Nona ristampa: 2012 [5(BX)]
Decima ristampa: 2012 [10(CX)] 978-88-580-0037-3

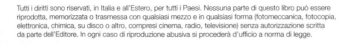

INSTANT ENGLISH

di **JOHN PETER SLOAN**

IL CORSO FACILE E VELOCE
PER CAVARSELA IN TUTTE LE SITUAZIONI

L'INGLESE ALLA PORTATA DI TUTTI:
PER PARLARE, VIAGGIARE, LAVORARE, DIVERTIRSI...

GRIBAUDO

SUMMARY

INSTRUCTIONS

L'ordine del libro rispecchia l'importanza dei concetti della lingua inglese, evidenziando tutte le cose più importanti, in modo tale da permettere a chiunque di parlare bene il prima possibile! Non tutte le frasi sono tradotte, alcuni esempi saranno in inglese e in italiano, altri solo in inglese: dovrai fidarti della mia esperienza, maturata con i miei studenti italiani in questi anni. Io ho "vuotato il mio cervello" in questo libro, inserendo tutto ciò che serve per comunicare bene in inglese. Quello che non riuscivo a esprimere con le parole l'ho messo sul sito: proprio qui potrai trovare tanti nuovi materiali, video, e soprattutto file audio con la pronuncia* corretta... e molto altro ancora.

* Questa è una cosa importantissima! Io ho cercato di aiutarti to improve your English fornendoti tra parentesi tonde la pronuncia di alcune parole, scrivendo esattamente ciò che si dice. Per non complicarti la vita non ho usato i simboli fonetici e, proprio per non confonderti, non ho usato le parentesi quadre per indicarla. Questi i simboli che troverai nel mio libro:

- Se una lettera è sottolineata vuol dire che è scritta, ma non si pronuncia, come could (cud).
- Se una lettera è raddoppiata, significa che il suo suono è allungato, come to sleep (ssliip).
- **th*** serve a indicare quel suono tipico dell'inglese, quello di thank (th*ank), e se vuoi vederlo e sentirlo pronunciato bene... ricorda il sito!
- **th-** serve a indicare un suono più simile a una "d", quello di then (th-en).
- **h*** serve a indicare l'"H" aspirata, quella di behind (bih*aind).

Sul sito potrai vedere i video in cui io stesso ripeto le parole e, ovviamente, ascoltare attentamente come si pronuncia l'inglese in modo perfetto: il sito, ricordalo bene, è www.instantenglish.it

INTRODUCTION

Dedicato a tutti gli italiani che pensavano di essere LORO il problema!

Come insegnante di un'importante scuola di inglese in Italia, mi sono subito reso conto che il metodo che veniva utilizzato era inefficace e difficile per gli studenti italiani. Tanti concetti che non esistono nella lingua italiana non potevano essere compresi nel modo corretto se spiegati in inglese, secondo il metodo di quella scuola. Mi sono, quindi, trovato a spiegarli in italiano, di nascosto, e questo per gli studenti ha significato **spiccare il volo...**

Davo loro qualche vocabolo e qualche verbo in modo che potessero formulare fin da subito delle frasi in inglese, grazie al metodo dei **BUILDING BLOCKS**, sempre scegliendo **esempi comici** per un motivo molto semplice: quando uno si diverte, impara più volentieri. Tutti i miei studenti si ricordano ancora, a distanza di anni, le pazze storielle scritte da me per insegnare loro le regole... e con le storielle si ricordano anche la **grammatica!**

Il mio metodo, basato fondamentalmente sulla **semplicità**, sulla **logica** e il buonsenso è diventato così popolare che ora ho deciso di mettere tutto in un libro, perché imparare l'inglese può essere davvero divertente se affronti ogni esercizio come un gioco o un puzzle! E poi, apprendere le regole fondamentali sarà ancora più entusiasmante dal momento che potrai direttamente applicarle al tuo **inglese in viaggio, al lavoro,** e utilizzarle per scoprire tutti i piccoli segreti di ogni inglese, come le frasi più tipiche e diffuse: gli **idioms**. Questo metodo ti darà sicuramente, in breve tempo, una grande soddisfazione, ma anche un grande vantaggio, perché come ben sappiamo tutti: l'inglese è il futuro!

Non scordarti che, in aggiunta al libro, c'è anche il sito www.instantenglish.it: andare a consultarlo è davvero importante, sarà come avere il tuo insegnante sempre a casa o in ufficio. In particolare, nella sezione "INSTANT ENGLISH BONUS" puoi trovare materiale audio e video...

E per ricevere notizie sugli aggiornamenti di Instant English, c'è anche il club "INSTANT ENGLISH NEWS" per gli utenti di facebook.

INSTANTENGLISH

GRAMMAR

STEP **1**

STEP **2**

STEP **3**

STEP **4**

STEP **5**

STEP 1

1.1.1 **Verbo ESSERE (*TO BE*)**
forma affermativa
forma negativa
forma interrogativa

1.1.2 **Articoli**

1.1.3 **Il plurale**

1.1.4 **Pronomi personali**

1.1.5 **Verbo AVERE (*TO HAVE*)**
forma affermativa
forma interrogativa
forma negativa

1.1.6 **Vocaboli base**
i colori
la famiglia e la casa
i numeri

1.1.7 **Aggettivi e pronomi possessivi**

1.1.8 ***Double object***

1.1.9 **Genitivo sassone**

1.1.10 **Preposizioni**

1.1.11 **Aggettivi e pronomi dimostrativi**

1.1.12 **Chi, come, cosa, quando e dove?**

1.1.13 ***There is/there are***

1.1.14 **I giorni della settimana e le parti del giorno**

1.1.15 **I mesi e le stagioni**

1.1.16 **L'ora**

VERBO **ESSERE** (*TO BE*) 1.1.1

PRIMA DI TUTTO VEDIAMO *(LET'S SEE)* I SOGGETTI.

I (ai)	io
you (iu)	tu
he (hi)	egli/lui
she (sci)	lei
it (it)	esso/essa (riferito a un oggetto)
we (ui)	noi
you (iu)	voi (tu e voi in inglese è sempre *you*)
they (th*ei)	essi/loro

Per cominciare bene bisogna imparare la fonetica della lettera "H" in inglese. Questo è molto importante, perché se non pronunci bene la lettera "H" rischi di dire un'altra parola rispetto a quella che intendevi.

I hate my teacher. Odio il mio insegnante.
I ate my teacher. Ho mangiato il mio insegnante.

Se sei in mezzo a qualche strana tribù in Africa, ti potrebbe anche andare bene la seconda ipotesi, ma in Gran Bretagna è assai difficile.

Come fai a sapere se hai pronunciato bene il suono della "H"?
Sai quando hai gli occhiali sporchi e aliti sulle lenti per poi pulirle?
Ecco, quella è la "H" inglese!

1. **FORMA AFFERMATIVA**

Vediamo il verbo essere coniugato al presente indicativo.

VERBO **ESSERE** (*TO BE*)

	FORMA ESTESA	FORMA CONTRATTA
io sono	I am	I'm
tu sei	you are	you're
egli/lei/esso è	he/she/it is	he's/she's/it's
noi siamo	we are	we're
voi siete	you are	you're
essi/loro sono	they are	they're

La FORMA AFFERMATIVA è così strutturata:

soggetto + verbo + complemento

I am John/I'm John. Io sono John.
You are Julie/You're Julie. Tu sei Julie.
He is nice/He's nice (nais). Lui è simpatico.
She is drunk/She's drunk. Lei è ubriaca.
It is beautiful/It's beautiful (biutiful). È bello.
We are young/We're young (iang). Noi siamo giovani.
You are old/You're old. Voi siete vecchi.
They are sad/They're sad. Loro sono tristi.

Adesso, per provare a fare qualche frase, ti fornisco alcuni termini che torneranno certamente utili... ricorda che quando una lettera appare sottolineata, vuol dire che è scritta ma non è pronunciata!

tired (taied)	stanco
ugly (agli)	brutto
generous (generus)	generoso
drunk (drank)	ubriaco
old (old)	vecchio
sad (sad)	triste
happy (h*eppi)	felice
slow (slou)	lento
fast (fast)	veloce
fat (fat)	grasso
thin (th*in)	magro

big (big)	grosso
small (smol)	piccolo
serious (sirius)	serio
elegant (elegant)	elegante
beautiful (biutiful)	bello
young (iang)	giovane
honest (onest)	onesto

NICE

È un aggettivo molto usato in inglese, perché è un termine positivo che può riferirsi a TUTTO...
Guarda questi esempi:
He is nice. Lui è simpatico.
The chicken is nice. Il pollo è buono.
The weather is nice. Il tempo è bello.
His car is nice. La sua macchina è carina.
John is nice. John è carino.

È importante sapere che gli aggettivi in inglese non vengono coniugati al maschile o al femminile, o al singolare o al plurale, a seconda del sostantivo che accompagnano (un altro problema evitato!).

Un'altra cosa molto importante è anche la posizione degli aggettivi nella frase inglese.
L'aggettivo viene **PRIMA** del sostantivo a cui si riferisce... in italiano di solito accade il contrario.

He is a nice man. Lui è un uomo carino.
(letteralmente tradotto sarebbe: «lui è un carino uomo».)

VERBO **ESSERE** (*TO BE*)

Ora facciamo i primi esempi. Usando le informazioni che ti ho dato, traduci le frasi che trovi di seguito; le risposte agli esercizi sono in fondo al libro... ma RESISTI: non guardare prima, dai!

Quando hai finito di fare l'esercizio (ma solo quando hai finito), vai a vedere in fondo al libro quante frasi hai azzeccato.
Non ti preoccupare se sbagli delle cose: sbagliando si impara. La cosa importante è capire il motivo dello sbaglio che hai fatto.

Un'altra cosa utile: quando leggi gli esempi, leggili sempre ad alta voce. La memoria non è localizzata in una singola parte del cervello! Tutte le parti del cervello contribuiscono alla memoria collettiva e ci sono diverse strade che portano informazioni alla memoria: leggendo ti arriva l'informazione attraverso gli occhi, ma se dici una frase, ripetendola a voce alta, l'informazione arriva anche attraverso le orecchie. Si tratta di un'altra strada ed è un modo più facile per ricordare. Questo è il motivo che spiega perché la gente dice di imparare molto meglio l'inglese parlando, proprio perché ascolta!
Sai quando hai un problema e nella tua testa ci pensi e ci ripensi per trovare la soluzione e non la trovi? Poi ne parli a un amico e, mentre parli, le cose ti appaiono più chiare: è, ancora una volta, merito del fatto che ti stai ascoltando.

ESERCIZIO n. 1

1. Io sono magro. ....
2. Noi siamo vecchi e stanchi. ....
3. Loro sono ubriachi. ....
4. Tu sei generoso. ....
5. Lei è grassa. ....
6. Noi siamo felici. ....
7. La macchina è veloce. ....
8. Lui è generoso. ....
9. Io sono grasso. ....
10. Noi siamo tristi. ....

2. **FORMA NEGATIVA**

Vediamo il verbo essere coniugato al presente indicativo nella forma negativa. Per farlo è necessario introdurre una parolina corta ma importante, che cambia completamente il senso della frase: *NOT*. Serve per rendere un verbo negativo e, per farlo, si posiziona proprio dopo il verbo all'interno della frase.

	FORMA ESTESA	FORMA CONTRATTA
io non sono	I am not	I'm not
tu non sei	you are not	you aren't
egli/lei/esso non è	he/she/it is not	he/she/it isn't
noi non siamo	we are not	we aren't
voi non siete	you are not	you aren't
essi/loro non sono	they are not	they aren't

La FORMA NEGATIVA è così strutturata:

soggetto + verbo + *not* + complemento

I am not John/I'm not John. Io non sono John.
You are not Julie/You're not Julie. Tu non sei Julie.
He is not nice/He's not nice (nais). Lui non è simpatico.
She is not drunk/She's not drunk. Lei non è ubriaca.
It is not beautiful/It's not beautiful (biutiful). Non è bello.
We are not young/We're not young (iang). Noi non siamo giovani.
You are not old/You're not old. Voi non siete vecchi.
They are not sad/They're not sad. Loro non sono tristi.

3. **FORMA INTERROGATIVA**

Ci manca solo la frase interrogativa per terminare il quadro della struttura della frase inglese, in questo caso vista con il verbo essere *to be*, ma che puoi applicare a qualsiasi verbo.

VERBO **ESSERE** (*TO BE*)

In italiano, per distinguere tra un'affermazione e una domanda, ci si affida al **tono** quando si parla, al **punto interrogativo** quando si scrive. In inglese, invece, la differenza tra un'affermazione e una domanda sta proprio nell'organizzazione della frase: per l'affermativa mettiamo prima il soggetto e poi verbo, mentre per l'interrogativa facciamo il contrario; prima mettiamo il verbo e poi il soggetto. È semplice, no?!

AFFERMATIVA	INTERROGATIVA
I am	am I?
you are	are you?
he/she/it is	is he/she/it?
we are	are we?
you are	are you?
they are	are they?

La FORMA INTERROGATIVA POSITIVA è così strutturata:

verbo + soggetto + complemento

AFFERMATIVA	INTERROGATIVA
She is beautiful.	Is she beautiful?
They are tired.	Are they tired?
I am drunk.	Am I drunk?
He is old.	Is he old?
We are young.	Are we young?
You are English.	Are you English?
You and Mary are happy.	Are you and Mary happy?
The man is fat.	Is the man fat?

SHORT ANSWER

La risposta a domande come quelle che ci sono sopra, si chiama *SHORT ANSWER* (risposta breve), e permette di evitare la ripetizione dell'aggettivo, quindi va strutturata come di seguito.

Positiva: ***YES*, SOGGETTO + VERBO** (Yes, she is/Yes, I am)
Negativa: ***NO*, SOGGETTO + VERBO + *NOT*** (No, they are not)

Lisa: John, are you drunk? John, sei ubriaco?
John: No, I am not, my little wife! No, non sono ubriaco, mogliettina mia!
Lisa: I am not your wife, I am your mother! Non sono tua moglie, sono tua madre!
John: Oh, sorry. Ok, yes! I am. Oh, scusa. Ok, sì! Sono ubriaco.
(... In realtà quando sono ubriaco non riesco a dire questa frase, solitamente cado a terra e basta...)

Dedico ora un brevissimo accenno alla forma interrogativa negativa, che è prevalentemente usata per chiedere la conferma su qualcosa in merito alla quale si ha già una certa idea.

La FORMA INTERROGATIVA NEGATIVA è così strutturata:

verbo + *not* + soggetto + complemento

Isn't she beautiful?	Non è bella?
Aren't you tired?	Non sei stanco?
Isn't he stupid?	Non è stupido?
Aren't they drunk?	Non sono ubriachi?

ARTICOLI 1.1.2

In inglese esiste un solo **articolo determinativo** che non si coniuga mai! Né al femminile, né al plurale!

Questa meraviglia è *THE*, che traduce «il», «lo», «la», «i», «gli», «le» e «l'». Non ci credi? Guarda un po':

il gatto	THE cat
i gatti	THE cats
la mano	THE hand
le mani	THE hands
lo scorpione	THE scorpion
gli scorpioni	THE scorpions

Anche l'**articolo indeterminativo** non è male!
«Un», «uno» e «una» si traducono tutti con *A* o *AN.*
A si usa prima dei sostantivi che iniziano per consonante, mentre *AN* si usa prima dei sostantivi che iniziano per vocale. Anche in questo caso, sbalorditi dalla semplicità? Provare per credere:

un cane	A dog
un gatto	A cat
una moto	A bike
una mela	AN apple
un arancio	AN orange

IL **PLURALE** 1.1.3

Come hai già potuto notare in tutti gli esempi che ti ho fatto fino a qui, è stata aggiunta una "-S" ai sostantivi per trasformarli dal singolare al plurale. E questa è la regola per la formazione del plurale in inglese.

Quando incontri dei sostantivi che, al singolare, terminano per -**S**, -**SS**, -**SH**, -**CH** o -**Z** devi invece aggiungere -**ES** per formare il plurale.

	INGLESE SINGOLARE	INGLESE PLURALE
autobus	bus (bas)	buses
classe	class (class)	classes
sopracciglio	lash	lashes
chiesa	church (ciorc)	churches

Quando incontri, invece, dei sostantivi che terminano per -**Y** devi aggiungere -**S**, se la **Y** è preceduta da una vocale, devi invece aggiungere -**ES** se la **Y** è preceduta da una consonante; ricorda che, in questo caso, la **Y** diventa **I**.

	INGLESE SINGOLARE	INGLESE PLURALE
ragazzo	boy (boi)	boys
giocattolo	toy (toi)	toys
signora	lady (ledi)	ladies
studio	study (stadi)	studies

Ma non sarebbe inglese senza qualche eccezione, vero? Eccone un paio:

	INGLESE SINGOLARE	INGLESE PLURALE
topo	mouse (maus)	mice (mais)
oca	goose (guus)	geese (ghiis)

BECAUSE, BUT, AND

Ti fornisco alcuni ELEMENTI FONDAMENTALI: due preziosi avverbi e la congiunzione più importante, per permetterti di esprimere qualche concetto in più, per formulare delle frasi con più significato e, soprattutto, per capire il senso dei miei esempi...

because (bicos) significa «perché»
(da non usare nelle frasi interrogative, dove per dire "perché?" usiamo *WHY*)

but (bat) significa «ma»

and (and) significa «e»

ESERCIZIO n. 2

1. Lei è generosa perché è ubriaca. ....
2. Lui è stanco perché è vecchio. ....
3. Loro sono veloci perché sono giovani. ....
4. Noi siamo lenti perché siamo grassi e ubriachi. ....
5. Io sono simpatico, ma lui è giovane e bello. ....
6. Lei è bella, ma non è elegante. ....
7. Noi siamo grassi, ma siamo veloci. ....
8. Tu sei magro e giovane, ma sei lento. ....
9. Loro sono onesti e generosi. ....
10. Noi siamo belli e simpatici, ma non siamo eleganti. ....

PRONOMI **PERSONALI** 1.1.4

I pronomi personali complemento ti saranno certamente utilissimi, perché così potrai, d'ora in avanti, riferirti alle persone non solo utilizzandole come soggetti delle tue frasi, ma anche come complementi oggetto dei verbi, per esempio… o insieme alle preposizioni che, piano piano, d'ora in avanti, continuerai a imparare.

SOGGETTO	PRONOME PERSONALE COMPLEMENTO
I	me (mi)
you	you (iu)
he	him (him)
she	her (her con la "e" è molto chiusa)
it	it (it)
we	us (as)
you	you (iu)
they	them (th*em)

WITH(OUT)

Per affrontare i prossimi esercizi, ti regalo due preposizioni:

WITH (uith*) che significa «con».
WITHOUT (uith*aut) che significa «senza».

Non puoi non conoscere la canzone With or Without you degli U2!
Il titolo non significa altro che «Con o senza di te».
Bono canta «Io non posso vivere, con o senza di te»; mia moglie me la cantava sempre al Karaoke, prima di sposarci, ora mi canta I will survive, cioè «sopravviverò».

Faccio subito qualche esempio in cui utilizzo i pronomi personali e anche le preposizioni che ti ho presentato nel box e che, grazie agli U2, certamente ti saranno rimaste bene impresse.

PRONOMI **PERSONALI**

AFFERMATIVA	NEGATIVA	INTERROGATIVA
Lei è con lui. She is with **him**.	Lei non è con lui. She is not (isn't) with **him**.	Lei è con lui? Is she with **him**?
Lui è con lei. He is with **her**.	Lui non è con lei. He is not (isn't) with **her**.	Lui è con lei? Is he with **her**?
Loro sono con me They are with **me**.	Loro non sono con me They are not (aren't) with **me**.	Loro sono con me? Are they with **me**?

Serve che te lo dica ancora che… c'è un nuovo esercizio e le soluzioni le devi guardare solo alla fine? Come dici? NO?! Bene, non ne avevo alcuna voglia…

ESERCIZIO n. 3

1. Noi siamo con te. We are with you
2. Sei con lui? Are you with him?
3. Lui e lei sono con me. He e she are with me
4. Lui e lei sono con me? Are he and she with me?
5. Siete con loro. You are with them
6. Non siete con lei. You aren't with her
7. Non sono con loro. They aren't with them
8. Sei con me? Are you with me?
9. Non sei con lui? Aren't you with him?
10. Noi non siamo con te. We aren't with you.

VERBO **AVERE** (*TO HAVE*) 1.1.5

Il verbo principale, il verbo ESSERE, *TO BE*, lo abbiamo già visto. Secondo in ordine d'importanza viene certamente il verbo AVERE, *TO HAVE* (h*av).

1. **FORMA AFFERMATIVA**

Vediamo il verbo avere coniugato al presente indicativo.

	FORMA ESTESA	FORMA CONTRATTA
io ho	I have	I've
tu hai	you have	you've
egli/lei/esso ha	he/she/it has	he's/she's/it's
noi abbiamo	we have	we've
voi avete	you have	you've
essi hanno	they have	they've

La FORMA AFFERMATIVA è così strutturata:

soggetto + verbo + complemento

Come vedi, il verbo *TO HAVE* si coniuga sempre *HAVE* in tutte le persone, tranne la terza persona singolare (*he/she/it*), per cui diventa *HAS*.

You have a nice house. Hai una casa carina.
They have a big house. Hanno una casa grande.
I have an ugly friend. Ho un amico brutto.
She has a small nose. Ha un naso piccolo.
We have an old dog. Abbiamo un cane vecchio.

garden	giardino
dog	cane
brother	fratello
mother	madre
wife	moglie
sister	sorella

VERBO **AVERE** (*TO HAVE*)

pool	piscina
car	automobile/macchina
boyfriend	fidanzato/ragazzo

Usando tutto ciò che abbiamo visto prima e con i vocaboli che ti ho dato qui sopra, traduci queste frasi, senza dimenticare mai che l'aggettivo deve venire prima del soggetto!

ESERCIZIO n. 4

1. Noi abbiamo un giardino piccolo. ....
2. Io ho un cane grasso. ....
3. Lei ha un fratello brutto. ....
4. Loro hanno una madre magra. ....
5. Lui ha una bella moglie. ....
6. Lui ha una sorella bella, ma triste. ....
7. Tu hai un fidanzato? ....
8. Io sono giovane, ma ho una macchina grossa. ....
9. Io non sono bella, ma ho un ragazzo bello. ....
10. Lei ha due fratelli e una sorella. ....

2. **FORMA INTERROGATIVA**

Normalmente, la forma interrogativa del verbo AVERE si fa con l'ausiliare *to do*, ma si utilizza spesso il passato prossimo di *to get* (HAVE GOT) per esprimere con maggiore forza il concetto di possesso. Come per il verbo ESSERE, in questo caso per la forma interrogativa si invertono il verbo e il soggetto e si aggiunge *GOT*.

AFFERMATIVA	INTERROGATIVA
I have	have I (got)?
you have	have you (got)?
he/she/it has	has he/she/it (got)?
we have	have we (got)?
you have	have you (got)?
they have	have they (got)?

La FORMA INTERROGATIVA POSITIVA è così strutturata:

verbo + soggetto + *got* + complemento

AFFERMATIVA	INTERROGATIVA
You have a car	Have you got a car?
They have time	Have they got time?
She has a big house	Has she got a big house?

3. **FORMA NEGATIVA**

Vediamo il verbo avere come ausiliare di *to get* nella forma negativa. Per coniugarlo, ancora una volta dovrai utilizzare la magica parolina *NOT*, posizionata dopo il verbo all'interno della frase.

	FORMA ESTESA	FORMA CONTRATTA
I have	I have not	I haven't
you have	you have not	you haven't
he/she/it has	he/she/it has not	he/she/it hasn't
we have	we have not	we haven't
you have	you have not	you haven't
they have	they have not	they haven't

La FORMA NEGATIVA è così strutturata:

soggetto + verbo + *not* + *got* + complemento

You have not got a car. Non hai una macchina.
They have not got time. Non hanno tempo.
She has not got a big house. Lei non ha una casa grossa.
I have not got an ugly brother. Non ho un fratello brutto.
He has not got an old bike. Lui non ha una moto vecchia.

SHORT ANSWER

Come vedi, anche per il verbo AVERE la struttura della frase non cambia.
Le risposte alle domande sono anch'esse ***SHORT ANSWERS***.

Positiva: ***YES*, SOGGETTO + VERBO** (Yes, I have/Yes, she has)
Negativa: ***NO*, SOGGETTO + VERBO + *NOT*** (No, they have not)

Tom: Have you got a dog?
Sally: Yes, I have/No, I haven't.

Wife: Have you got time for me?
John: No, I haven't.
Wife: Have you got time for The Simpsons?
John: Yes, I have.
Wife: Have you got time for the pub?
John: Always!

VOCABOLI **BASE** 1.1.6

Prima di andare avanti, sarebbe utile aggiungere dei vocaboli base, per permetterti di comporre delle frasi più complete. Per farlo, allo scopo di aiutarti a ricordare con più facilità le nuove parole, ho deciso di raggrupparle in aree semantiche (di significato), perché se sono inserite in un contesto forse ti verrà più naturale ricondurle al loro significato quando le incontri o quando le devi utilizzare.

1. I COLORI

Let's start with colours! I colori sono allegri e divertenti, chissà che non portino fortuna alla tua attività di ricordarli.

red (red)	rosso
green (griin)	verde
yellow (iellou)	giallo
blue (blu)	azzurro
pink (pink)	rosa
black (blak)	nero
white (uait)	bianco
grey (grei)	grigio
brown (braun)	marrone

car	automobile/macchina
house	casa
dog	cane
eye	occhio
hat	cappello
bike	bicicletta
television	televisione
pen	penna
money	soldi

Usando i nuovi vocaboli, traduci ora queste frasi, facendo attenzione all'aggettivo e sforzandoti di fare l'esercizio e poi consultare le soluzioni!

ESERCIZIO n. 5

1. Lui ha una veloce macchina rossa. ....
2. Io ho una grossa casa bianca. ....
3. Loro hanno un cane nero e lento. ....
4. Lui ha un occhio nero. ....
5. Lei ha un cappello arancione. ....
6. Noi abbiamo una bicicletta marrone. ....
7. Voi avete una televisione in bianco e nero? ....
8. Tu hai un gatto grigio? ....
9. Hai una penna nera? ....
10. Ho una mela verde. ....
11. Non ho tempo. ....
12. Lei non ha soldi per me. ....
13. Non abbiamo una bella casa. ....
14. Non abbiamo una bella macchina. ....
15. Voi non avete tempo per me! ....

2. LA FAMIGLIA E LA CASA

Partiamo dai sostantivi più importanti che si riferiscono alla famiglia e alla casa!

mother/mom	madre/mamma
father/dad	padre/papà
brother	fratello
sister	sorella
son	figlio
daughter	figlia
grandmother	nonna
grandfather	nonno
uncle	zio
aunt	zia

grandchild	nipote (di nonni)
nephew	nipote (di zii - maschile)
niece	nipote (di zii - femminile)
parents	genitori
relatives	parenti
cousin	cugino
friend	amico

room	stanza
living room	soggiorno
bedroom	camera da letto
bathroom	bagno
kitchen	cucina
cellar	cantina
garage	garage
attic	solaio
garden	giardino
roof	tetto
under	sotto
book	libro
cool	fresco
near	vicino

HOUSE or HOME

LA DIFFERENZA TRA *HOUSE* E *HOME*

HOUSE è la casa fisica, l'edificio vero e proprio mentre *HOME* è "una questione" di cuore. Se abiti in una casa dove non stai bene magari non la chiami home ma my house. È uguale anche per le nazioni... Italy is now my home.

VOCABOLI **BASE**

E ora, concentrati sulla tua famiglia e sulla tua casa, cerca di ricordarti tutti i vocaboli che hai appena imparato e fai questi esercizi, traducendo le frasi nel primo caso e completandole con l'inserimento dei verbi che mancano nel secondo.

ESERCIZIO n. 6

1. Mio padre è sotto la macchina in garage. ....
2. Mia nonna è in camera da letto con il suo libro. ....
3. Il gatto nero è nella cantina perché c'è fresco. ....
4. La camera da letto è vicino al bagno. ....
5. Mio fratello è nel soggiorno con un suo amico, ma senza il cane. ....
   ....
6. Mia sorella è in giardino. ....
7. Mia mamma è in cucina. ....
8. Mio nonno è nel letto e il gatto è sotto il letto. ....
9. Mio cugino è nella macchina in garage. ....
10. I miei genitori sono nella cantina. ....

ESERCIZIO n. 7

1. My mother ____ in the garden.
2. ____ my mother in the garden?
3. ____ the boys playing in the cellar?
4. ____ Tommy got a big garage?
5. He ____ got a fat, black cat.
6. She ____ from Germany.
7. ____ he from England?
8. ____ you got my yellow ball?
9. Joe ____ not in the house.
10. We ____ not got a car. I ____ sorry!
11. The apple ____ green.
12. The apples ____ green.
13. I ____ a brown bike.
14. David ____ a red bike.

15. We ____ in the garage with Michael.
16. Michael ____ in the garage with us.
17. They ____ with me and Tommy and the boys ____with their mother.
18. The black and white cat ____ green eyes.
19. The dogs ____ eating the cats.
20. You ____ not with me because you ____ not got a car!

3. **I NUMERI**

Approfondiamo ora il vocabolario aggiungendo altri esempi con i numeri: cominciamo con l'aiuto di questo specchietto esemplificativo.

I NUMERI CARDINALI		I NUMERI ORDINALI	
1	one (uon)	primo	first
2	two (tu)	secondo	second
3	three (th-ri)	terzo	third
4	four (for)	quarto	fourth
5	five (faiv)	quinto	fifth
6	six (six)	sesto	sixth
7	seven (seven)	settimo	seventh
8	eight (eit)	ottavo	eighth
9	nine (nain)	nono	ninth
10	ten (ten)	decimo	tenth
11	eleven (ileven)	undicesimo	eleventh
12	twelve (tuelv)	dodicesimo	twelfth
13	thirteen (th*ertiin)	tredicesimo	thirteenth
14	fourteen (fortiin)	quattordicesimo	fourteenth
15	fifteen (fiftiin)	quindicesimo	fifteenth
16	sixteen (sixtiin)	sedicesimo	sixteenth
17	seventeen (seventiin)	diciassettesimo	seventeenth
18	eighteen (eitiin)	diciottesimo	eighteenth
19	nineteen (naintiin)	diciannovesimo	nineteenth
20	twenty (tuenti)	ventesimo	twentieth
21	twenty one (tuentiuon)	ventunesimo	twenty first

… e via di seguito, aggiungendo i numeri singoli.

VOCABOLI **BASE**

Facciamo qualche esempio sull'uso dei numeri cardinali, che forse sono più difficili da usare rispetto agli ordinali.

Neil Armstrong was the first person to walk on the Moon. Neil Amstrong fu la prima persona a camminare sulla Luna.

I am drinking my second glass of wine. Sto bevendo il mio secondo bicchiere di vino.

Schumacher arrived third today. Schumacher è arrivato terzo oggi.

Italy won the World Cup for the fourth time. L'Italia ha vinto la Coppa del Mondo per la quarta volta.

This is my fifth day at University! Questo è il mio quinto giorno all'università!

E... visto che ci siamo divertiti arrivando fino al 21, proseguiamo con qualche altro numero, che ci porterà fino al 100!

30 thirty (therti)
40 forty (forti)
50 fifty (fifti)
60 sixty (sixti)
70 seventy (seventi)
80 eighty (eiti)
90 ninety (nainti)
100 hundred (handred)

Ora sì che abbiamo materiale sufficiente per qualche nuovo esercizio, anche se ci servirebbe qualche altra parola...

work	lavoro
chicken	pollo
good	buono
rabbit	coniglio
children	bambini
leg	gamba

Ora c'è proprio tutto, non manca più niente per tradurre le frasi del prossimo esercizio.

ESERCIZIO n. 8

1. Lei ha due cani grossi e brutti. ....
2. Lui non ha una bicicletta nera. ....
3. Hai quattro euro? Non ho soldi. ....
4. No, non ho quattro euro perché non ho lavoro. ....
5. Lui ha due occhi grossi e rossi perché è stanco. ....
6. Noi abbiamo quaranta polli in giardino. ....
7. Avete un pollo grande e bianco? ....
8. Non hanno un pollo grande e bianco, ma hanno un buon coniglio grigio. ..
   ....
9. Loro hanno sette bambini piccoli perché non hanno la tv. ....
10. Tu non hai due gambe veloci, perché sei vecchia e ubriaca. ....

A questo punto vorrei incoraggiarti a inventare tu stesso dei nuovi esempi con tutti i mezzi (verbi, parole, preposizioni e regole) che ti ho fornito fino a ora.
A volte i miei studenti mi dicono: «Ma io non ho fantasia!». Questo non è accettabile! Voglio dire, se sei in un locale di Londra a parlare con qualcuno, devi togliere dalla tasca il libro di inglese per parlare o riuscire a dire qualcosa? No! Ovviamente, no! È normale formulare delle frasi per iniziare e portare avanti una conversazione, quindi lo sai già fare: prendilo come un gioco, divertiti a formulare frasi con quello che sai…

Lo stesso vale nel LAVORO!
Non avere mai paura di sbagliare, l'importante è comunicare, cercare di farsi capire nel miglior modo possibile. Nessun inglese ti prenderà in giro se vede che ti stai impegnando.

AGGETTIVI E **PRONOMI POSSESSIVI** 1.1.7

Vedrai che ora, con questo ulteriore piccolo passo tra gli aggettivi e i pronomi possessivi, arriverai ancor più velocemente a formulare frasi più lunghe e più dettagliate.

PRONOMI PERSONALI SOGGETTO	PRONOMI PERSONALI COMPLEMENTO	AGGETTIVI POSSESSIVI	PRONOMI POSSESSIVI
I	me	my	mine
you	you	your	yours
he	him	his	his
she	her	her	hers
it	it	its	its
we	us	our	ours
you	you	your	yours
they	them	their	theirs

RICORDA sempre che:

- davanti all'aggettivo possessivo e anche al pronome possessivo NON si mette MAI l'articolo (*THE*);
- il pronome possessivo NON è MAI seguito dal NOME, perché lo sostituisce.

Quindi continuiamo a costruire!

I am with Paul and his brother. Sono con Paul e suo fratello.
They are with Sara and her brother. Sono con Sara e suo fratello.
My mother and her dog are in the garden. Mia mamma e il suo cane sono nel giardino.

AGGETTIVI E **PRONOMI POSSESSIVI**

E ora, prima di tradurre, visto che è da un po' che non te lo ricordo, lasciami dire che le soluzioni alla fine del libro le devi guardare solo alla fine!

ESERCIZIO n. 9

1. Io vado a casa mia con la mia macchina gialla. ....
....
2. Mia moglie e sua madre fanno shopping con i miei soldi! ....
....
3. Sono in giardino con il mio cane e il mio gatto, che sono vecchi e stanchi. .....
....
4. Sara ha la mia macchina rossa, perché la sua bici verde è rotta. ....
....
5. Loro sono nella loro macchina con mio fratello e il suo amico. ....
....
6. Il mio libro è sul tavolo, il tuo è in camera del letto. ....
....
7. Suo padre è vecchio e magro, il mio è grasso. ....
....
8. I nostri genitori sono vecchi, i loro sono giovani. ....
....
9. La sua borsa è grossa e nuova, ma la vostra è vecchia e sporca. ....
....
10. La sua mamma è inglese, la loro è americana. ....
....

DOUBLE **OBJECT** 1.1.8

A questo punto devo farti conoscere la regola del doppio oggetto. Quando un verbo è seguito da due complementi, uno diretto (cioè che segue il verbo senza la presenza di preposizioni) e uno indiretto (cioè che segue il verbo con la presenza di preposizioni), in inglese si usa la costruzione del *DOUBLE OBJECT*: il complemento indiretto viene posto subito dopo il verbo (senza il *to*) senza aggiungere alcuna preposizione, seguito, poi, da quello diretto.

Non preoccuparti, è più facile a farsi che a dirsi! Ti faccio un esempio:

non si dirà *GIVE A PEN TO ME* ma *GIVE ME A PEN*.

address	indirizzo
job	lavoro
present	regalo
joke	barzelletta
letter	lettera
story	storia

Ci sono, in particolare, alcuni verbi che utilizzano sempre questa regola:

to give	dare	Give me your money.
to send	mandare	Send them your address.
to offer	offrire	John, please offer your friends jobs!
to buy	comprare	Buy Lucy a present!
to sell	vendere	Sell Tom your car.
to show	mostrare	He shows Julie his dog.
to tell	dire	Tell them a joke.
to find	trovare	Find me an umbrella.
to write	scrivere	Write Kevin a letter.
to read	leggere	Please, read me a story.

Se, invece, usi il pronome sia per il complemento diretto che per quello indiretto, funziona al rovescio:

Give it to me.
Send it to them.
John, please, offer them to them.

GENITIVO **SASSONE** 1.1.9

In inglese il possesso, quando ovviamente non è espresso da un aggettivo o un pronome possessivo, viene indicato da un **apostrofo** e una **S** che vengono aggiunti subito dopo la persona o la cosa che possiede:

se a possedere è UNA PERSONA:

il cane di Bob, **non** si traduce the dog of Bob, **ma** Bob's dog.

la casa di Carlo, **non** si traduce the house of Carlo, **ma** Carlo's house.

il computer di mia sorella, **non** si traduce the computer of my sister, **ma** my sister's computer.

se a possedere è UN ANIMALE:

l'osso del cane, **non** si traduce the bone of the dog, **ma** the dog's bone.

la coda del topo, **non** si traduce the tail of the mouse, **ma** the mouse's tail.

il genitivo sassone viene utilizzato anche con funzione di TEMPO:

il giornale di oggi, **non** si traduce the newspaper of today, **ma** today's newspaper.

la festa di domani, **non** si traduce the party of tomorrow, **ma** tomorrow's party.

il pranzo di lunedì, **non** si traduce the lunch of Monday, **ma** Monday's lunch.

il genitivo sassone è utilizzato anche con NAZIONI e CITTÀ (*countries and cities*):

i musei di Londra, **non** si traduce the museums of London, **ma** London's museums.

i fiumi dell'Inghilterra, **non** si traduce the rivers of England, **ma** England's rivers.

il Colosseo di Roma, **non** si traduce the Colosseum of Rome, **ma** Rome's Colosseum.

con il PLURALE:

se il sostantivo a cui si deve riferire il genitivo sassone è plurale, e quindi già termina con una -S, si aggiunge al sostantivo che termina in S solo l'apostrofo:

il cibo dei gatti, **non** si traduce the food of the cats, **ma** the cats' food.

GENITIVO **SASSONE**

In questo modo si può capire esattamente se si parla di un gatto o di più gatti; ecco le due situazioni a confronto:

the cat's food (il cibo del gatto)
the cats' food (il cibo dei gatti)

Quando si fa il possessivo di it non si mette l'apostrofo perché quella forma indica it is. Invece, si aggiunge la "s" senza apostrofo:
its food is in its bowl (il suo cibo è nella sua ciotola)

son	figlio
husband	marito
cook	cuoco
mountain	montagna
canteen	mensa
worker	lavoratore
guide	guida
reader	lettore
open	aperto
on	su

Ecco alcuni esempi da tradurre usando il genitivo sassone e i vocaboli scritti sopra!

ESERCIZIO n. 10

1. Io sono il figlio di mia madre. ....
2. Lui è il marito di Concettina. ....
3. Il cappello dei cuochi è bianco. ....
4. Le montagne del Perù sono belle. ....
5. Il giornale di mio nonno è sul tavolo. ....
6. Il giornale di domani. ....
7. Io ho la radio di mio fratello. ....
8. Lui ha la macchina di mio padre. ....
9. La mensa dei lavoratori è aperta. ....
10. Sono la guida dei miei lettori. ....

PREPOSIZIONI 1.1.10

Ora aggiungiamo qualche altra preposizione: le preposizioni sono la colla della frase. Grazie al loro uso, possiamo fare già delle frasi più complete e ricche di informazioni.

Ok, dai, sono arrivato a pagina 39 del mio libro e non ho ancora fatto l'esempio più usato e banale del mondo:

the pen is ON the table

la penna è su+il tavolo (in italiano è SUL, ma scritto così serve per farti capire che abbiamo bisogno dell'articolo in inglese).

Le PREPOSIZIONI DI LUOGO più importanti e più usate sono:

on (on)	su/sopra con contatto	the pen is on the table
above (abov)	sopra senza contatto	the sun is above the hill
under (ander)	sotto	the cat is under the table
in (in)	in/dentro	the dog is in John's garden
out of (aut of)	fuori	the car is out of the garage
behind (bih*aind)	dietro	the cat is behind the sofa
in front of	davanti	the house is in front of the school
between (bituin)	tra due cose	I am between Paul's two cars
among (among)	tra più di due cose	the grandfather is among the children
inside (insaid)	dentro/all'interno	the car key is inside my bag
outside (autsaid)	fouri/al di fuori di	the umbrella is outside the door
beside (bisaid)	accanto	I am beside you
near (nia)	vicino	the pen is near the book
far	lontano	Australia is far from here
from	da	I come from London

mouse	topo
tree	albero

Ora davvero possiamo formulare e dare forma a delle frasi lunghissimeeeeeeee! C'è solo da tradurre!

PREPOSIZIONI

ESERCIZIO n. 11

1. Mio padre è sotto la macchina gialla nel garage con mia sorella. ....,......
   ....
2. Sono davanti a una persona ubriaca e stupida nello specchio. ....
   ....
3. Accanto al letto c'è un libro nero sul tavolo. ....
   ....
4. Davanti a casa mia c'è una casa con la piscina e una macchina grande. ....
   ....
5. Sono dietro di te: non andare veloce perché sono sulla bicicletta. ....
   ....
6. Dentro casa mia, nella cucina, sotto il tavolo c'è un topo. ....
   ....
7. La nonna è fuori dalla casa, è in giardino che legge sotto un albero. ....
   ....
8. Io dormo tra mio fratello e mia sorella in un letto piccolo e sotto il letto dorme mio nonno. ....
   ....
9. Sono vicini a Milano, ma lontano da casa mia. ....
10. Qui vicino c'è un cinema e dentro c'è un mio amico tra cento persone; è andato lì per vedere un film. ....
    ....

LE PREPOSIZIONI FINALI, DI CAUSA O DI SCOPO

TO o *FOR*
Entrambe queste parti della frase, in italiano, possono tradursi con «PER», ma impariamo a distinguerne gli utilizzi.

TO

TO + verbo = SCOPO

(va al parco con lo **scopo** di camminare)
Lui va al parco **per** camminare. He goes **to** the park to walk.

Vado al pub **per** bere. I go to the pub **to** drink.

Vado al parco **per** pensare. I go to the park **to** think.

Vado in centro **per** lavorare. I go to the centre **to** work.

Vado a scuola **per** imparare. I go to school **to** learn.

FOR

FOR + sostantivo = SCOPO

(vado al pub allo **scopo** di trovare tranquillità)
Vado al pub **per** tranquillità. I go to the pub **for** tranquillity.

Vado al parco **per** pranzo. I go to the park **for** lunch.

Vado al negozio **per** cibo. I go to the shop **for** food.

Vado a Londra **per** una vacanza. I go to London **for** a holiday.

church	chiesa
peace	pace
clothes	vestiti
holiday	vacanza
clean	pulito
bank	banca
jungle	giungla
VERBS	
to paint	dipingere
to relax	rilassarsi
to wash	lavare
to learn	imparare
to explore	esplorare

PREPOSIZIONI

Adesso completa le frasi che trovi nell'esercizio seguente, mettendo for o to.

ESERCIZIO n. 12

1. He goes to the church ____ peace.
2. She goes to the cinema ____ watch films.
3. He goes to art school ____ paint.
4. They go shopping ____ clothes.
5. I go to the mountains ____ relax.
6. I go to the mountains ____ my holiday.
7. She washes ____ be clean.
8. We need the bank ____ money.
9. I go to school ____ learn.
10. We went to the jungle ____ explore.

AGGETTIVI E **PRONOMI DIMOSTRATIVI** 1.1.11

In inglese gli aggettivi o pronomi dimostrativi sono:

singolare	plurale
THIS (th-iss) questo	THESE (th-iis) questi
THAT (th-at) quello	THOSE (th-ous) quelli

Gli aggettivi dimostrativi nella frase inglese precedono il sostantivo e ne diventano parte integrante, per cui la struttura della frase che abbiamo spiegato precedentemente non cambia.

La FORMA AFFERMATIVA è così strutturata:

aggettivo dimostrativo + soggetto + verbo + complemento

This cat is black. Questo gatto è nero.

La FORMA INTERROGATIVA è così strutturata:

verbo + aggettivo dimostrativo + soggetto + complemento

Is this cat black? Questo gatto è nero?

La FORMA NEGATIVA è così strutturata:

aggettivo dimostrativo + soggetto + verbo + *not* + complemento

This cat is not black. Questo gatto non è nero.

I pronomi dimostrativi prendono il posto del soggetto... quindi anche con questi sei capace di costruire delle frasi: la struttura è sempre la stessa!

La FORMA AFFERMATIVA è così strutturata:

soggetto (pronome dimostrativo) + verbo + complemento

This is my cat. Questo è il mio gatto.

AGGETTIVI E **PRONOMI DIMOSTRATIVI**

La FORMA INTERROGATIVA è così strutturata:

verbo + soggetto (pronome dimostrativo) + complemento

Is this my cat? È questo il mio gatto?

La FORMA NEGATIVA è così strutturata:

soggetto (pronome dimostrativo) + verbo + *not* + complemento

This is not my cat. Questo non è il mio gatto.

sweet	caramella
cup	tazza
jacket	giacca

Indovina? Cosa devi fare ora, utilizzando queste nuove parole e gli aggettivi e i pronomi dimostrativi? Bravo! Traduci…

ESERCIZIO n. 13

1. Quelle caramelle sono tue. ....
2. Queste tazze sono grandi. ....
3. Quell'uomo è simpatico. ....
4. Questo bar è brutto. ....
5. Quel bar è bello. ....
6. Quegli uomini sono onesti. ....
7. Questi bambini sono veloci. ....
8. Questo caffè è mio. ....
9. Queste macchine sono lente. ....
10. Quella ragazza è con quell'uomo con la giacca verde; quello con gli occhi blu è con questa ragazza qui. ....
    ....

CHI, COME, COSA, **QUANDO E DOVE?** 1.1.12

Quanti interrogativi, ti chiederai se mi è preso un attacco di curiosità; ma, non ti preoccupare, e anzi, preparati a una lezione che ti sarà davvero molto molto utile!

WHO (hu) CHI

WHO are you? Chi sei?
WHO are they? Chi sono?
WHO is this boy? Chi è questo ragazzo?
WHO are these men? Chi sono questi uomini?
WHO is that man? Chi è quel uomo?

Essendo WHO una parola che serve per introdurre una frase interrogativa, per usarla bisogna seguire la struttura della frase interrogativa.

La FRASE CON WHO è così strutturata:

who + verbo + ...

skirt	gonna
road	strada
mad	pazzo
tall	alto
thing	cosa
bag	borsa
that	che (congiunzione)
money	soldi
shop	negozio

VERBS

to give (the orders)	dare (gli ordini)
to know	sapere/conoscere
to ask	chiedere
to eat	mangiare
to live	vivere
to play	giocare
to go	andare
to cook	cucinare

CHI, COME, COSA, **QUANDO E DOVE?**

E ora, prova a tradurre queste frasi utilizzando WHO.

ESERCIZIO n. 14

1. Chi è la donna con la gonna rossa e gli occhi verdi? ....
2. Chi è quell'uomo pazzo nella strada? ....
3. Chi sei tu per chiedere a me chi sono io? ....
4. Chi sono quei bambini nel pub? ....
5. Chi dà ordini in questa casa? ....
6. Chi sono questi uomini in nero? ....
7. Chi è la ragazza alta? ....
8. Chi è grasso e stupido?! ....
9. Chi sa chi sono quegli uomini vecchi nel mio garage? ....
10. Chi siete voi per chiedere chi sono io? ....

WHAT (uot) CHE COSA/QUALE

Si utilizza, anch'esso nelle interrogative, per chiedere il nome o delle informazioni su cosa fa una persona.

La FRASE CON WHAT è così strutturata:

what + verbo + ...

What is* your name? Qual è il tuo nome/Come ti chiami?
What are they? Cosa sono?
What do you do?** Che cosa fai/Che lavoro fai?

* what's è la forma contratta
** Se si chiede what do you do? è implicito che si sia interessati ad avere notizie riguardo al lavoro.

E ora prova a tradurre queste frasi utilizzando WHAT.

ESERCIZIO n. 15

1. Cosa è un "tamarro"? ....
2. Cosa sono queste cose verdi sul mio piatto? ....
3. Cosa mangi a Londra? ....
4. Cosa? ....
5. Cosa siamo noi? ....
6. Cosa sei? ....
7. Cos'è quella? ....
8. Cosa hai? ....
9. Cosa ho nella borsa? ....
10. Cosa ha lui che io non ho? ....

WHERE (uear) **DOVE**

Anche *WHERE*, come *WHO*, introduce una frase interrogativa.

LA FRASE CON WHERE è così strutturata:

where + verbo + ...

WHERE IS/WHERE ARE
Servono per chiedere informazioni sulla presenza di persone o cose.

Where is Bob? Dov'è Bob?
Where are the cats? Dove sono i gatti?

WHERE + FROM
Si utilizza per chiedere informazioni sul luogo di provenienza.

Where are you from? Da dove (pro)vieni?
Where is this boy from? Da dove (pro)viene questo ragazzo?

CHI, COME, COSA, **QUANDO E DOVE?**

E ora, prova a tradurre queste frasi utilizzando WHERE.

ESERCIZIO n. 16

1. Dove è il cinema? ....
2. Dove sono le mie scarpe nere belle? ....
3. Dov'è la stazione dei treni? ....
4. Dove sono i miei soldi? ....
5. Dove gioca lui? ....
6. Dove sei? ....
7. Dove sono? ....
8. Dove è? ....
9. Dove è il negozio? ....
10. Dove vado? ....

HOW (ao) **COME**

Anche HOW si utilizza per introdurre frasi interrogative, per chiedere informazioni sullo stato di salute di qualcuno, anche se più avanti vedremo che il suo utilizzo ha ben altre potenzialità...

LA FRASE CON HOW è così strutturata:

how + verbo + ...

How are you? Come stai?
How is she? Come sta lei?
How are they? Come stanno?
How is your father? Come sta tuo padre?

HOW OLD
Si utilizza per chiedere l'età di una persona. In inglese non si dice, come in italiano: "Quanti anni hai?", ma: "Quanto vecchio sei?", per cui:

How old are you? Quanti anni hai?
How old is she? Quanti anni ha lei?

Utilizzando il verbo essere nella domanda, si deve necessariamente usare lo stesso nella risposta e NON il verbo avere, come in italiano. Per cui, ricordati:

I am thirty-five. Ho 35 anni.
She is twenty. Lei ha 20 anni.

E ora, prova a tradurre queste frasi utilizzando HOW.

ESERCIZIO n. 17

1. Come stanno i bambini? ....
2. Come faccio (*How can I*) a cucinare senza cucina? ....
3. Come fai (*How can you*) a resistere con lui? ....
4. Come sto con questo cappello rosso? ....
5. Come fai a sapere (*know*) il mio nome? ....
6. Come ti piace (*do you like*) la pasta? ....
7. Come faccio a sapere? ....
8. Come sono i bambini dove lavori? ....
9. Come state? ....
10. Come sono? Bella o brutta? ....

THERE IS /THERE ARE 1.1.13

Servono per dare informazioni sulla presenza di persone o cose.

There is (th-er is) c'è
There are (th-er ar) ci sono

There is a cat on the roof. C'è un gatto sul tetto.
There is a car in the garage. C'è una macchina in garage.

There are two dogs in the garden. Ci sono due cani in giardino.
There are three boys in the sitting room. Ci sono tre ragazzi nel salotto.

Nella forma interrogativa, il verbo precede *THERE*.

Is there a cat on the roof? C'è un gatto sul tetto?
Yes, there is/No, there is not (isn't). Si, c'è/No, non c'è.

Are there two dogs in the garden? Ci sono due cani in giardino?
Yes, there are/No, there are not (aren't). Si, ci sono/No, non ci sono.

Nella forma negativa, non si fa altro che aggiungere *NOT* dopo il verbo.

There is not a cat on the roof. Non c'è un gatto sul tetto.
There is not a car in the garage. Non c'è una macchina in garage.

There are not two dogs in the garden. Non ci sono due cani in giardino.
There are not three boys in the sitting room. Non ci sono tre ragazzi nel salotto.

holiday	vacanza
hope	speranza
team	squadra
horse	cavallo
stable	stalla
men	uomini

THERE IS / **THERE ARE**

La regola te l'ho data, i vocaboli nuovi anche... ora prova a tradurre queste frasi utilizzando THERE IS e THERE ARE.

ESERCIZIO n. 18

1. Ci sono due ragazze grasse al bar? ....
2. Non ci sono uomini al bar oggi, perché c'è la partita di calcio. ....
3. Quella ragazza non è lì questa sera. ....
4. Ci sono quelle caramelle in cucina. ....
5. Non ci sono soldi per la vacanza. ....
6. Non c'è speranza con quella squadra. ....
7. Ci sono due cavalli nella stalla. ....
8. Ci sono due ragazzi indiani nella mia classe. ....
9. C'è tempo! ....
10. Ci sono due gatti rossi sul tetto della mia casa. ....

I GIORNI DELLA SETTIMANA **E LE PARTI DEL GIORNO** 1.1.14

In inglese, al contrario dell'italiano, i nomi dei giorni della settimana sono scritti sempre con l'iniziale maiuscola, perché sono considerati nomi propri:

Monday	lunedì
Tuesday	martedì
Wednesday	mercoledì
Thursday	giovedì
Friday	venerdì
Saturday	sabato
Sunday	domenica

... e vogliono sempre la preposizione *ON*:

On Saturday, I will be with my wife. Sabato sarò con mia moglie.
On Monday, I go to the cinema. Lunedì vado al cinema.

Se vuoi far capire al tuo interlocutore che l'azione che fai è un'azione abituale, che si ripete per esempio ogni domenica, devi aggiungere una -**S** al nome del giorno:

On Sundays, I wash my dog. Ogni domenica lavo il mio cane (wow!).

E ora, vediamo le varie parti del giorno e, tra parentesi, la preposizione (e l'articolo) da ricordare quando le usi:

dawn	(*AT*)	alba
morning	(*IN the*)	mattino
afternoon	(*IN the*)	pomeriggio
midday	(*AT*)	mezzogiorno
evening	(*IN the*)	sera
night	(*AT*)	notte
midnight	(*AT*)	mezzanotte

I MESI E LE STAGIONI 1.1.15

In inglese, al contrario dell'italiano, anche i nomi dei mesi vanno scritti sempre con l'iniziale maiuscola:

January	gennaio
February	febbraio
March	marzo
April	aprile
May	maggio
June	giugno
July	luglio
August	agosto
September	settembre
October	ottobre
November	novembre
December	dicembre

... e vogliono sempre la preposizione *IN*, tranne quando al mese è abbinato anche il giorno; in questo caso, allora, ci vuole la preposizione *ON*:

I will start school **in** September. Comincio la scuola a settembre.
I will start school **on** September 14th. Comincio la scuola il 14 settembre.

Esattamente come per il mese, anche l'anno vuole la preposizione *IN*, a eccezione di quando c'è anche il giorno, caso in cui vuole *ON*:

The war started **in** October 1939. La guerra iniziò in ottobre nel 1939.
The war started **on** October 14th, 1939. La guerra iniziò il 14 ottobre 1939.

Vediamo infine le stagioni, che si accontentano dell'iniziale minuscola, e anche loro vogliono la preposizione *IN*:

summer	estate
spring	primavera
autumn	autunno
winter	inverno

L'ORA 1.1.16

Cominciamo dall'A, B, C... anche se, trattandosi di ore, sarebbe più opportuno dire l'1, 2, 3... e vediamo le principali espressioni:

quarter	quarto d'ora
a quarter to + ORA	manca un quarto d'ora a... ORA
a quarter past + ORA	sono le... ORA e un quarto
half	mezz'ora
half past + ORA	sono le... ORA e mezza
o'clock	in punto (si usa solo riferendosi a un'ora esatta!)

La frase che si usa per chiedere l'ora è:
What time is it/What's the time?

Poi, in linea di massima, tutto ciò che sta a destra dell'orologio è *PAST*, tutto ciò che sta a sinistra è *TO*. Mentre il quarto d'ora può essere sia *PAST* che *TO*, la mezz'ora è solo *PAST*!
Questo significa che, fino a quando la lancetta non segna i 30 minuti sull'orologio, in inglese ci si esprime con *PAST*. Dopo che la lancetta supera i 30 minuti, si comincia a parlare di *TO*...

Ancora, in inglese non esistono le 24 ore, ma ce ne sono soltanto 12 che si ripetono 2 volte, quindi per indicare tutto ciò che viene dopo mezzogiorno si usa **P.M. (Post Meridiem)**, mentre **A.M. (Ante Meridiem)** si utilizza per tutto quello che viene prima.
Ma questa consuetudine si riferisce soltanto alle ore scritte: per dire *A.M.* o *P.M.* diciamo molto più semplicemente *in the morning* nel primo caso e *in the afternoon* o *in the evening* nel secondo.

SCRITTO		PARLATO
10.00	(10.00 A.M.)	*It is* **ten o'clock** *in the morning.*
18.15	(06.15 P.M.)	They will arrive at **a quarter past six** in the afternoon.
22.30	(10.30 P.M.)	It's **half past ten** in the evening.
12.35	(12.35 P.M.)	It's **twenty five to one** in the afternoon.

L'ORA

05.05 (05.05 A.M.)	I arrived at **five past five** in the morning.
08.10 (08.10 A.M.)	It's **ten past eight** in the morning.

Dimenticavo... quando non c'è a *quarter past/to*, *half past* o multipli di cinque, devi sempre aggiungere *minutes*.

20.28 (08.28 P.M.)	They will arrive **at twenty eight minutes past eight** in the evening.

E, se adesso hai davvero capito... dovresti essere in grado di comprendere queste frasi:

I will be at school at a quarter past three (P.M. or in the afternoon). (15.15)
Did you call me at twenty five to two (A.M. or in the morning)? (01.35)
Dinner will be ready at half past one. (13.30)
Can I call you at seven o'clock (P.M. or in the evening)? (19.00)
It's five to five (P.M. or in the afternoon); we must run! (16.55)
The game started at three o'clock and finished at a quarter past four (P.M. or in the afternoon). (15.00 - 16.15)
I wake up at six o'clock every morning. (06.00)
I will be at the office at nine in the morning. (09.00)
I will be at the bar at nine in the evening. (21.00)
I was born at twenty two minutes to three in the afternoon. (14.38)

STEP **2**

COUNTABLES AND UNCOUNTABLES 1.2.1

Cominciamo a dare i numeri fin da subito, "facendo il conto" dei sostantivi numerabili e di quelli non numerabili. Queste sono, infatti, le due categorie in cui si dividono i sostantivi inglesi!

COUNTABLES

Sono i sostantivi numerabili, cioè quelli che si possono contare, davanti ai quali si può mettere un numero...

Pen (penna) è *countable*, infatti le penne si possono contare, posso dire che sul mio tavolo c'è una penna, che dal tuo tavolo ho preso due penne...

Litre (litro) è *countable*; i litri si possono contare: un litro, due litri, tre litri e così via...

Prima dei sostantivi *countables* si può mettere l'articolo indeterminativo singolare *a/an.*

a pen	una penna
a litre of milk	un litro di latte

UNCOUNTABLES

Sono i sostantivi non numerabili, cioè quelli che non si possono contare, davanti ai quali non si può mettere un numero...
Esattamente come accade in italiano, tra questi sostantivi ci sono le varie sostanze solide o liquide, tipo *wood*, *sugar*, *butter*, *milk*, *water*...

Milk (latte) è *uncountable*, infatti non si può contare. Si possono contare i litri di latte, i bicchieri di latte, ma davanti alla parola *milk* non ci si può mettere un numero.

Money (denaro) è *uncountable*, infatti è possibile contare le monete, le banconote, le sterline, ma davanti alla parola *money* non è possibile mettere un numero.

Prima dei sostantivi *uncountables* non si può mettere l'articolo indeterminativo singolare *a/an.* Per quantificare i sostantivi non numerabili si usano delle espressioni come:

a drop* of milk	una goccia di latte
a glass* of milk	un bicchiere di latte
some milk	del latte

* *drop* e *glass* sono sostantivi *countables*.

COUNTABLES **AND UNCOUNTABLES**

advice*	consiglio
air	aria
collaboration	collaborazione
equipment	attrezzatura
finance	finanza
food	cibo
furniture	mobili
health	salute
information	informazione
intelligence	intelligenza
justice	giustizia
nature	natura
news	notizie
pollution	inquinamento
power	potere
progress	progresso
rain	pioggia
time	tempo
traffic	traffico
transport	trasporto
water	acqua
work	lavoro

* per esempio, come per tutti gli *uncountables*:
I need some advice. NON I need an advice.

HOW MUCH /HOW MANY 1.2.2

Significano rispettivamente «quanto?» e «quanti?», e, dal momento che introducono frasi interrogative, seguono la costruzione della frase interrogativa.

How much?	Si usa con i nomi singolari e gli *uncountables*.
How many?	Si usa invece con i nomi plurali e i *countables*.

QUANTITÀ

How much sugar do you want? Quanto zucchero vuoi?
How many books do you usually sell? Quanti libri vendi di solito?

PREZZO

How much is this watch? Quanto costa quest'orologio?
How much are these flowers? Quanto costano questi fiori?

Guarda gli esempi di seguito, e presta attenzione a come si chiede "quanto" nel caso ci si riferisca a sostantivi numerabili e non numerabili:

Granny: Would you like a cup of tea?
Grandson: Yes, please.
Granny: How much sugar would you like?
Grandson: A little.
Granny: How much milk?
Grandson: How much have you got?
Granny: I haven't got much. How many biscuits would you like with your tea?
Grandson: How many biscuits are there?
Granny: Not many.
Grandson: Two, please.

MUCH, MANY, **A LOT OF** 1.2.3

I primi due vocaboli e la terza espressione traducono le parole MOLTO/MOLTI e TANTO/TANTI. È molto difficile imparare le peculiarità di ciascuno per poterlo utilizzare in maniera corretta.

MUCH traduce MOLTO

È di solito usato nelle frasi negative e interrogative con i **sostantivi** uncountables (non numerabili).

Is there much hope? C'è molta speranza?
No, there isn't much hope. No, non c'è molta speranza.
Is there much information? C'è molta informazione?
No, there isn't much information. No, non c'è molta informazione.

MANY traduce MOLTI

È usato nelle frasi negative e interrogative con i **sostantivi** countables (numerabili).

Have you got many problems? Avete tanti problemi?
No, we haven't got many problems. No, non abbiamo tanti problemi.
Are there many people at the party? Ci sono molte persone alla festa?
No, she hasn't got many friends. No, non ha molti amici.

A LOT OF traduce TANTO

È solitamente usato con le frasi affermative, sia con i sostantivi countables che con gli uncountables.
LOTS OF è meno usato ed è pressoché uguale, solo più formale quindi... andiamo con A LOT OF.

David gives me a lot of information (uncountable). David mi dà tante informazioni.
David has a lot of cars. David ha molte macchine.

MUCH, MANY, **A LOT OF**

Ora ricominciamo con gli esercizi... è il tuo momento per completare le frasi qui sotto con *much/many/a lot of*.

ESERCIZIO n. 19

1. How______ information is there? (information is uncountable)
2. How_______children go to that school? (children are countables)
3. He has _______ time to think.
4. There are _______ people, today.
5. There isn't _______ time.
6. There aren't _____ opportunities in that company.
7. There isn't _____ hope for Juventus this year (prrrr!).
8. We have ____ money to spend.
9. There isn't ____ air in the desert.
10. There aren't _____ trees in the desert.

VERY AND REALLY

1.2.4

Ora ti presento altre due magiche paroline, capaci di dare agli aggettivi delle importanti sfumature e alle tue frasi una marcia in più…

VERY traduce MOLTO ed è seguito da un aggettivo.
REALLY, messo davanti a un aggettivo, lo fa diventare un superlativo assoluto.

I am tired. Io sono stanco.
I am very tired. Io sono molto stanco.
I am really tired! Io sono stanchissimo!

You are beautiful. Tu sei bella.
You are very beautiful. Tu sei molto bella.
You are really beautiful! Tu sei bellissima!

It is cold. Fa freddo.
It is very cold. Fa molto freddo.
It is really cold! Fa freddissimo!

The road is long. La strada è lunga.
The road is very long. La strada è molto lunga.
The road is really long! La strada è lunghissima!

I am nervous. Sono nervoso.
I am very nervous. Sono molto nervoso.
I am really nervous. Sono nervosissimo.

The house is big. La casa è grande.
The house is very big. La casa è molto grande.
The house is really big. La casa è grandissima.

London is nice. Londra è carina.
London is very nice. Londra è molto carina.
London is really nice. Londra è carinissima.

They are stupid. Loro sono stupidi.
They are very stupid. Loro sono molto stupidi.
They are really stupid. Loro sono stupidissimi.

TOO MUCH, **TOO MANY, TOO** 1.2.5

TOO MUCH traduce TROPPO e si usa **davanti ai nomi singolari.**

There is too much false information on tv. Ci sono troppe informazioni false alla tv.
There is too much traffic on the roads. C'è troppo traffico sulle strade.
Don't use too much sugar! Non usare troppo zucchero!
She puts too much furniture in the house. Mette troppi mobili in casa.
Don't put too much milk in my coffee! Non mettere troppo latte nel mio caffè!

TOO MANY traduce TROPPO e si usa **davanti ai nomi plurali.**

She has too many ideas. Lei ha troppe idee.
We have too many children. Abbiamo troppi bambini.
There are too many cars in Milan. Ci sono troppe macchine a Milano.
He has too many problems. Lui ha troppi problemi.
She has too many cats in the house. Lei ha troppi gatti in casa.

TOO traduce TROPPO quando è messo **prima di un aggettivo**, e ha solo un'**accezione negativa**.

I am too tired to work. Sono troppo stanco per lavorare.
I am too fat! Sono troppo grasso/a!
They are too late to come with us. Loro sono troppo in ritardo per venire con noi.
She is too good with her husband. Lei è troppo buona con suo marito.
My boss is too stupid to know I am stressed. Il mio capo è troppo stupido per capire che sono stressato/a.

TOO

TROPPO: TOO OR SO?
Se si vuol dire "troppo caldo", l'espressione *too hot* va bene, in quanto ha un senso negativo… sarebbe meglio se la bevanda fosse più fresca.
Se però si vuol dire "troppo bello", che è un concetto positivo, si traduce con *so beautiful*.

Posso complicarti un po' la vita? Solo un po', dai....

TOO: ANCHE E TROPPO
In inglese, *too* ha due significati: «troppo» e «anche». Tutto sta nella sua posizione all'interno della frase.
TOO + aggettivo = troppo
… + TOO (fine della frase) = anche/pure

John: I love coffee. Amo il caffè.
Hans: I love coffee, too. Anch'io amo il caffè.

John: My coffee is too hot. Il mio caffè è troppo caldo.
Hans: My coffee is too hot, too. Anche il mio caffè è troppo caldo.

NOT ENOUGH

È il contrario di "troppo" (*too much*, *too many*, *too*) e significa «**non abbastanza**»!

TOO MUCH, **TOO MANY, TOO**

Questo è davvero molto semplice, quindi: «*Don't worry!*» (Non ti preoccupare!).

There are too many cars. Ci sono troppe macchine.
There are not enough cars. Non ci sono abbastanza macchine.

There is too much sugar. C'è troppo zucchero.
There isn't enough sugar. Non c'e abbastanza zucchero.

Vedi? È davvero semplice!... *ARE* per il plurale, *IS* per il singolare.

There is too much snow on the ground. I can't drive today. C'è troppa neve per terra. Non riesco a guidare oggi.
There is not enough snow to build a snowman! Non c'è abbastanza neve per fare un pupazzo di neve!

There are too many policemen; I will run nude in the street, tomorrow. Ci sono troppi poliziotti, correrò nudo per la strada domani.
There aren't enough policemen in this town! Non ci sono abbastanza poliziotti in questa città!

There is always too much food at an Italian wedding. C'è sempre troppo cibo a un matrimonio italiano.
There is never enough food at an English wedding. Non c'è mai abbastanza cibo a un matrimonio inglese.

Ora tocca a te! Costruisci una frase di senso contrario per ciascuno degli esempi qui sotto!

ESERCIZIO n. 20

1. There is too much work to do. ....
2. There are too many people on the bus. ....
3. There is too much panic about the crisis! ....
4. We have too many rabbits in the garden. ....
5. There is too much interest in my sister! ....

QUESTION **WORDS** 1.2.6

Si indicano in questo modo tutte quelle parole o espressioni che servono per introdurre una domanda. Adesso le vediamo nel dettaglio... Alcune le abbiamo già viste, ma vale la pena ripassarle velocemente:

WHO significa CHI?

Può avere sia la funzione di soggetto (Who are you?) che quella di complemento oggetto (Who do you see in the picture?).

WHAT significa CHE COSA/QUALE?

(What are you drinking? What is your name? What do you do?)

WHERE significa DOVE?

(Where are you going? Where is the car?)

WHEN significa QUANDO?

(When do you start school? When do you visit your grandmother?)

HOW significa COME?

(How is your dog? How is the weather?)

WHICH significa QUALE?

Indica una scelta tra un numero limitato di cose. (Which one is your car? Which road do you take?)

WHY significa PERCHÉ? (in una domanda)
(Why are we here? Why doesn't he arrive?)

SIMPLE PRESENT /PRESENT SIMPLE 1.2.7

Il presente indicativo si utilizza per esprimere azioni abituali o per parlare di cose permanenti, cioè che sono così e basta! Vediamo nel dettaglio i due usi di questo tempo verbale.

USO 1

Il *simple present* si usa per esprimere azioni che si fanno spesso, abitualmente o che accadono sempre allo stesso modo.

I **play** tennis. Io gioco a tennis.
(Se si dice questa frase, significa che si gioca a tennis abbastanza regolarmente.)
She **works** in a bar. Lei lavora in un bar.
(Lei lavora in un bar e lo fa abitualmente.)
I **eat** pasta. Io mangio pasta.
The train **leaves** at 8 o'clock. Il treno parte alle 8 in punto.
The shop **closes** at 6 o'clock. Il negozio chiude alle 6 in punto.

USO 2

Il *simple present* si usa per esprimere, generalmente, cose che "sono così e basta!", i dati di fatto.

I **am** a man. Io sono un uomo.
Cats **like** milk. I gatti adorano il latte.
The planet **is** round. Il pianeta è rotondo.
Men from Birmingham **are** incredibly handsome. Gli uomini di Birmingham sono incredibilmente belli.
She **loves** you. (yeah, yeah, yeah) Lei ti ama.

La coniugazione del verbo non cambia mai per tutte le persone, tranne per la terza persona singolare (*he/she/it*), a cui bisogna aggiungere una -S.

Facciamo l'esempio con il verbo *to work* (lavorare):

I work	io lavoro
you work	tu lavori
he/she/it works	egli/lei/esso lavora
we work	noi lavoriamo
you work	voi lavorate
they work	essi/loro lavorano

SIMPLE PRESENT/**PRESENT SIMPLE**

L'aggiunta della -S per la terza persona singolare segue la stessa regola dell'aggiunta della -S per il plurale: **attenzione**, quindi, ai verbi che terminano per -S -SS -SH -CH -Z e anche -O… e non dimentichiamo quelli che terminano con -Y (se preceduta da una consonante la Y si trasforma in I e si aggiunge poi -ES; se preceduta da una vocale la Y si mantiene tale e si aggiunge solo -S). Ecco qualche piccolo esempio, giusto per ripassare:

verbo	**significato**	**terza persona singolare**
to pass	passare	passes
to wash	lavare	washes
to go	andare	goes
to play	giocare	plays
to study	studiare	studies

1. FRASE AFFERMATIVA

Cominciamo, ora che abbiamo visto i suoi principali usi, a vedere nel dettaglio come si costruisce una frase con il *simple present*, a partire dalla forma affermativa.

La FRASE AFFERMATIVA è così strutturata:

soggetto + verbo + complemento

I work in a shop. Io lavoro in un negozio.
you work…
she/he/it works…
we work…
you work…
they work…

2. FRASE INTERROGATIVA

Per la forma interrogativa il *simple present* utilizza il verbo ausiliare *TO DO* (*DOES* per la terza persona singolare), che prende il primo posto nella formazione della frase interrogativa, prima del soggetto, a patto che non si utilizzino il verbo essere o il passato prossimo di *to get, HAVE GOT*; in questi casi, infatti, come abbiamo già detto, si ha l'inversione tra soggetto e verbo.

La FRASE INTERROGATIVA è così strutturata:

do/does + soggetto + verbo + complemento

Do you work in a shop? Lavori in un negozio?
Does he/she/it work*?
Do you work?
Do they work?

* non aggiungere mai la -S al verbo, che è all'infinito, perché è, infatti, l'ausiliare *TO DO* a essere coniugato alla terza persona: abbiamo infatti *DOES!*

SHORT ANSWERS

Come abbiamo già visto per i verbi essere e avere, le *short answers* sono appunto «risposte brevi» molto utilizzate anche con il *simple present* e si formano senza utilizzare il verbo principale della frase interrogativa, ma *to do*.

Do you work in a sweet shop?
In inglese, non si dice: yes, I work
ma

yes, I do	no, I do not/I don't
yes, you do	no, you do not/you don't
yes, he/she/it does	no, he/she/it does not (doesn't)
yes, we do	no, we do not/don't
yes, you do	no, you do not/you don't
yes, they do	no, they do not/they don't

3. **FRASE NEGATIVA**

Per la forma negativa si utilizza sempre l'ausiliare *to do*, tenendo presenti le eccezioni rappresentate dai verbi *to be* e *to have (got)*, come già spiegato e ricordato sopra.

La FRASE NEGATIVA è così strutturata:

soggetto + *do/does* + *not* + verbo + complemento

I don't work in a shop. Io non lavoro in un negozio.
you don't work...
he/she/it doesn't work...
we don't work...
you don't work...
they don't work...

4. **USING IT!**

Sai qual è il modo migliore per provare a vedere se hai capito una regola o una cosa? Provare a fare esercizio, mettendo in pratica quella regola... e allora ho deciso di metterti alla prova con qualche esempio ed esercizio!

John: What do you do?* Che lavoro fai?
Carol: I work in an office. Lavoro in un ufficio.
John: Do you like it? Ti piace?
Carol: No, I don't; do you like your job? No, a te piace il tuo lavoro?
John: Yes, I do. Sì.

* La domanda *What do you do?*, senza l'aggiunta di altre specifiche, si usa solo ed esclusivamente per chiedere informazioni riguardo al lavoro/la professione... Lo avevamo già visto, te lo ricordavi?

E adesso, per confonderti un po' la vita, aggiungo qualche *question word*..., ne abbiamo parlato "qualche pagina fa". Ricordati almeno le fondamentali!

how? come?

Carol: Do you like pasta? Ti piace la pasta?
John: Yes, I do. Sì.
Carol: How do you like pasta? Come ti piace la pasta?
John: Hot. Calda.

why? perché?

Carol: Why do you live in Italy? Perché vivi in Italia?
John: Because* I like Italy. Perché mi piace l'Italia.
Carol: Don't you like England? Non ti piace l'Inghilterra?
John: Yes, I do, but I like Italy, too. Sì, ma mi piace anche l'Italia.

* Ricordati che, come si nota in quest'esempio, nelle risposte non si utilizza WHY per dire "perché", ma si usa quasi sempre BECAUSE.

Carol: Do you like her? Ti piace lei?
John: No, I don't. No.
Carol: Why don't you like her? Perché non ti piace?
John: I don't know why** I don't like her. Non so perché non mi piace.

** Quando si spiega la ragione del perché si usa WHY anche nella risposta.

when? quando?

Carol: Do you like beer? Ti piace la birra?
John: Yes, I do; I love it. Sì, la amo.
Carol: When do you drink beer? Quando bevi birra?
John: I drink beer every Saturday evening. Bevo la birra ogni sabato sera.
Carol: When does the shop open? Quando apre il negozio?
John: I don't know. Non lo so.
Carol: Do you go to that shop? Vai in quel negozio?
John: No, I don't. No.

what? che cosa?

Carol: What do you do? Che lavoro fai?
John: I teach English. Insegno inglese.
Carol: What does your wife do? Che lavoro fa tua moglie?
John: She does nothing. Non fa nulla.

Carol: What do you think of me? Che cosa pensi di me?
John: I think you are nice. Penso che sei carina.
Carol: Do you really think so? Davvero lo pensi?
John: Yes, I do. Sì.

who? chi?

Carol: Who do you work with? Con chi lavori?
John: I work with Omar. Lavoro con Omar.
Carol: Who does Omar work with? Con chi lavora Omar?
John: With me! Con me!

where? dove?

Carol: Where do you work? Dove lavori?
John: In Milan. A Milano.
Carol: Where does Omar work? Dove lavora Omar?
John: Stop talking, please! Basta parlare, per favore!

PREPOSITIONS

Quando, in italiano, ci sono delle preposizioni all'interno di una frase interrogativa, queste introducono le domande e quindi sono al primo posto nella frase; in inglese, invece, le preposizioni vengono messe in fondo e la domanda si apre con una delle *question words* che abbiamo appena visto:

Per chi lavori? Who do you work **for**?
Con chi mangi? Who do you eat **with**?
Da dove vieni? Where do you come **from**?
Con cosa stai lavorando? What are you working **with**?

SIMPLE PRESENT/**PRESENT SIMPLE**

Adesso completa le frasi usando *TO BE* o *TO DO*... e fai attenzione perché ho inserito un piccolo trabocchetto: c'è un esempio in cui devi usare *TO HAVE*, scopri qual è!?

ESERCIZIO n. 21

1. ______ you love me?
2. ______ she with you?
3. ______ you smoke?
4. No, I ______ not smoke.
5. How ______ you? Well?
6. How ______ you know me?
7. How ______your mother?
8. Why ______ your brother smoke?
9. Why ______ you come here?
10. Why ______ she here?
11. When ______ you got time?
12. When ______ you work?
13. When ______ your birthday?
14. What ______ you want?
15. What ______ the problem?
16. What ______ I?
17. Who ______ you?
18. Who ______ you think you are?!
19. Who ______ you want? Me or him?
20. Who ______ the washing in this house?
21. Where ______ everybody?*
22. Where ______ you go at the weekend?
23. Where ______ your money come from?
24. Where ______ I?
25. Where ______ you want to go? ______ you sure?

* Ricordati che *everybody* ed *everything* vogliono il verbo al singolare!

GLI AVVERBI **DI FREQUENZA** 1.2.8

Come dice la parola stessa, servono per indicare la frequenza con cui avviene o si compie un'azione.

usually	di solito
sometimes	a volte
always	sempre
never	mai
often	spesso
rarely	raramente

L'avverbio di frequenza nella frase si mette tra soggetto e verbo, fatta eccezione per le frasi con il verbo ESSERE (*to be*); in questi casi l'avverbio di frequenza si mette dopo il verbo.

She sometimes plays tennis. Lei a volte gioca a tennis.
He never eats pasta. Egli non mangia mai pasta.
I always help you. Io ti aiuto sempre.
Tom often comes with me to school. Tom viene spesso a scuola con me.
I never go to school. Io non vado mai a scuola.
She always forgets my birthday. Lei si dimentica sempre il mio compleanno.
ma:
She is usually late. Lei di solito è in ritardo.
He is often drunk. Egli è spesso ubriaco.

Ora ti presento alcuni vocaboli e dei verbi da usare e riconoscere negli esercizi e negli esempi che seguono.

boss (boss)	capo
telephone (telefon)	telefono
order (order)	ordine
client (claient)	cliente
problem (problem)	problema
customer service (castomer serviss)	servizio clienti
reception (resepscion)	reception
on the telephone (on th-e telefon)	al telefono
VERBS	
to swim (suim)	nuotare
to sleep (sliip)	dormire

to walk (wok)	camminare
to eat (iit)	mangiare
to drink (drink)	bere
to write (rait)	scrivere
to answer (ansa)	rispondere
to talk (tok)	parlare
to send (send)	mandare
to call (col)	chiamare
to work (uerk)	lavorare
to understand (anderstand)	capire

PARTECI-PARE

Sento spesso usare *to participate* per dire «partecipare». *To participate* esiste come verbo, e significa proprio «partecipare», ma non si usa più.
Si usa invece il sostantivo *participiant* per indicare le persone che partecipano a qualche evento...

Per dire "partecipare" ci sono due differenti possibilità:

to attend (atend)
to take part (teik part)

To attend
Vuol dire essere a un meeting o a un corso senza essere attivo; essere lì per ascoltare o imparare.

To take part
Vuol dire essere attivo a un meeting, a un corso o una *presentation*; essere lì e contribuire, offrire idee e opinioni, parlare, discutere...

GLI AVVERBI **DI FREQUENZA**

Ora facciamo un po' di traduzioni usando anche qualche avverbio di frequenza... per scoprire che il presente indicativo (*present simple*) è proprio semplice!!

ESERCIZIO n. 22

1. Io di solito nuoto con mio fratello. ....
2. Lei non dorme mai. ....
3. Io cammino spesso. ....
4. Io non mangio mai la pasta. ....
5. Di solito bevono vino bianco. ....
6. Andiamo sempre al cinema la domenica. ....
7. Mia mamma va sempre a fare la spesa il lunedì. ....
   ....
8. Giorgio va raramente dal medico. ....
9. Non ti rispondo perché sei stupido. ....
10. Gianna lavora in un ristorante. ....
11. Io scrivo spesso le e-mail. ....
12. Parlo sempre con il mio capo. ....
13. Di solito rispondo io al telefono. ....
14. Ogni settimana mando gli ordini ai clienti. ....
    ....
15. Chiamo io i clienti quando ci sono problemi. ....
    ....
16. Lavoro al servizio clienti. ....
17. Lavoro alla reception. ....
18. Non chiamo io i clienti. ....
19. Non capisco quando il mio capo mi parla al telefono. ....
    ....
20. A volte partecipo alle riunioni. ....

PRESENT **CONTINUOUS** 1.2.9

Il presente progressivo è un po' più complicato del *present simple* e ha tre differenti usi, tutti molto importanti.
Un piccolo esempio di presente progressivo in italiano ci può aiutare:

Io sto cucin**ando**. I am cook**ing.**

Quando il verbo in italiano finisce con -ando o -endo, cioè la forma al GERUNDIO, in inglese siamo proprio in presenza del presente progressivo. Questa -ing word funziona come un verbo *PARTICIPLE* e indica un'azione che si sta svolgendo nel momento in cui si parla. Il presente progressivo vuole, anzi esige, il verbo ESSERE, mentre al verbo che esprime l'azione si aggiunge -ING.

Bisogna stare molto attenti, però, perché molti verbi, con l'aggiunta di -ING, cambiano!

A. RADDOPPIO DELLA CONSONANTE

I verbi monosillabici che terminano con consonante preceduta da vocale e alcuni bisillabici raddoppiano la consonante.

to st**op** (fermare) sto**pp**ing
to s**it** (sedere) si**tt**ing
to p**ut** (mettere) pu**tt**ing

to pre-fer (preferire) prefe**rr**ing
to per-mit (permettere) permi**tt**ing

B. PERDITA DELLA "E" PRIMA DI -ING

I verbi che terminano per -E la perdono prima di aggiungere -NG.

to hav**e** (avere) having
to com**e** (venire) coming

Fanno eccezione:

to b**e** (essere) b**e**ing
to se**e** (vedere) se**e**ing

C. "IE" DIVENTA "Y"
I verbi che terminano con -IE le trasforma in "Y" prima di aggiungere -ING.

to d**ie** (morire) d**y**ing
to l**ie** (mentire) l**y**ing

D. "L" DIVENTA LL"
I verbi che terminano con -L preceduta da una sola vocale, raddoppiano la L.

to trav**el** (viaggiare) trave**ll**ing
to canc**el** (cancellare) cance**ll**ing

E. MANTENIMENTO DELLA -Y
I verbi che terminano con -Y aggiungono semplicemente -ING.

to pla**y** (giocare) pla**y**ing
to stud**y** (studiare) stud**y**ing
to cr**y** (piangere) cr**y**ing
to bu**y** (comprare) bu**y**ing

1. FRASE AFFERMATIVA

Ecco, nel dettaglio, come si costruisce una frase con il *present continuous*, a partire dalla forma affermativa.

La FRASE AFFERMATIVA è così strutturata:

soggetto + *to be* + verbo *-ing*

You are playing tennis. Stai giocando a tennis.
She is walking on the grass. Lei sta camminando sull'erba.

2. FRASE INTERROGATIVA

Vediamo come si modifica la frase interrogativa con il *present continuous*; nella forma interrogativa è prevista l'inversione del soggetto e del verbo ausiliare *to be*.

La FRASE INTERROGATIVA è così strutturata:

to be + soggetto + verbo *-ing*

Are you playing tennis? Stai giocando a tennis?
Yes, I am*. Si, sto giocando.
Is she walking on the grass? Sta camminando sull'erba?
No, she isn't*. No, non sta camminando (sull'erba).

* nelle *short answers*, non è necessario ripetere il verbo con –ING.

3. **FRASE NEGATIVA**

Per la forma negativa si utilizza sempre l'ausiliare *TO BE*, che "torna al suo posto" tra soggetto e verbo, ma facendo attenzione a far precedere il verbo in –ING dal *NOT*.

La FRASE NEGATIVA è così strutturata:

soggetto + *to be* + *not* + verbo *-ing*

You are not playing tennis. Non stai giocando a tennis.
She is not walking on the grass. Lei non sta camminando sull'erba.

4. **USES**

Eccoci arrivati a spiegare quelli che sono i tre usi fondamentali del presente progressivo.

1_INSTANT

Io chiamo il primo uso del presente progressivo *INSTANT*, perché indica un'azione che si sta svolgendo in questo istante, ovvero nel momento in cui si parla o si scrive. Questo è quasi sempre, il 90% delle volte, usato al telefono. Perché? Perché se tu fossi seduto davanti a me in pizzeria, non mi diresti mai: «*Hey, John! I am eating a pizza*». Sembreresti un pazzo! Perché, ovviamente, se sono davanti a te io vedo che stai mangiando una pizza, mentre se ti chiamo e ti chiedo: «*What are you doing?*» (Cosa stai facendo?), allora sì che mi puoi rispondere: «*I am eating a pizza*».
Come in ogni regola, anche in questo caso ci sono delle **eccezioni**, che spiego ora con degli esempi:

Se una persona è nell'altra stanza, per esempio mia moglie è in bagno e siamo in ritardo per la festa:

John (urlando fuori dalla porta): What are you doing? Come on! Che cosa stai facendo? Muoviti!

Concettina: I am coming! Five minutes! Sto arrivando! Cinque minuti!

(Ovviamente lei mente... e ci metterà almeno 15 minuti!)

Se hai una persona davanti che sta mettendo il ketchup sulla pasta (come faccio io!) per la sorpresa potresti urlarle: «*What are you doing?*», anche se ovviamente lo vedi benissimo cosa sta facendo!

TO MAKE/ TO DO

Questi due verbi traducono entrambi il verbo "fare", ma vediamo con quali diverse sfumature di significato:

to make è essenzialmente «fare, creare». Quindi, ottenere con le nostre azioni un risultato, creare qualcosa che non c'era all'inizio.

to make a cake (fare una torta)
to make a presentation (fare una presentazione nel senso di scriverla, crearla)
to make a pact (fare un patto)

to do invece si riferisce all'azione del fare, ma senza creare niente.

to do* homework (fare i compiti)
to do a presentation (fare una presentazione che è già stata scritta)
to do exercises (fare gli esercizi)

* ATTENZIONE: The teacher makes the homework: the student does it.

tv (tivi)	televisione
hairdresser (herdresser)	parrucchiera
angry (angri)	arrabbiato

VERBS

to watch (uoc)	guardare*
to wait for (ueit)	aspettare
to miss (miss)	sentire la mancanza di qualcuno o qualcosa
to cry (crai)	piangere
to make (meik)	fare
to get (get)	diventare (in questo caso)
to get ready (redi)	prepararsi
to listen (lissen)	ascoltare
to play (plei)	giocare
to say (sei)	dire

* ci sono due verbi in inglese per tradurre “guardare”:

to watch è guardare qualcosa che succede (in tv, uno spettacolo, una partita).
to look at è guardare come è fatto qualcuno o qualcosa, al di là di quello che fa o non fa (una foto, un bel paesaggio, un fiore).

TO WAIT

Bisogna fare molta attenzione con il verbo aspettare in inglese!

to wait significa «servire»
(infatti waiter, in inglese, è «cameriere», che serve ai tavoli di un ristorante, generalmente)
to wait for significa, invece, «aspettare»

Questo verbo è stato la causa di un terribile malinteso tra me e mia moglie, all'inizio del nostro rapporto.

Lei mi aveva detto: «*Tonight, I will wait you.*» (Questa sera sarò la tua serva.)
E io le ho risposto: «Bene, perché mi fanno male i piedi!».

... Ed è proprio lì che i problemi sono cominciati...

PRESENT **CONTINUOUS**

Tutti gli esempi che ti invito ora a tradurre sono discorsi tra me (J di John) e mia moglie (C di Concettina), al telefono.

ESERCIZIO n. 23

J: Ciao, amore, dove sei? ....
C: Davanti alla tv, sto guardando un film. ....

C: Dove sei? Ti sto aspettando! ....
J: Perché mi stai aspettando, amore? ....
C: Non ho soldi per la parrucchiera. ....

J: Ciao, amore, ti manco? ....
C: Sì, mi manchi... ma chi sei? ....
J: Mi sto arrabbiando! ....
C: Ah, sei tu! ....

J: Amore, cosa stai facendo? ....
C: Sto piangendo. ....
J: Non piangere! Sto arrivando a casa! ....
C: È per questo che sto piangendo. ....

J: Sei a casa? ....
C: Sì, sto facendo una torta con tanto amore. ....
J: Per chi? ....

C: Cosa stai guardando in tv? ....
J: Non lo so, non sto sentendo. ....
C: Perché non stai sentendo? ....
J: Perché mi stai parlando tu! ....

material (matirial)	materiale
office (offiss)	ufficio
canteen (cantiin)	mensa
employee (emploii)	dipendente
delivery (deliveri)	consegna

VERBS

to turn on (tern on)	accendere qualcosa di elettronico o meccanico (tv, luce, radio, rubinetto).
to turn off (tern off)	spegnere qualcosa di elettronico o meccanico (tv, luce, radio, rubinetto).
to know (nou)	sapere/conoscere
to look into (luk intu)	informarsi
to deliver (deliver)	consegnare
to finish (finisc)	finire

Tutti gli esempi che ti invito ora a tradurre sono relativi a una conversazione tra capo (*boss*) e dipendente (*employee*).

Boss: Stai facendo il lavoro richiesto? Are you doing the work requested?

Employee: Sì, signore! Yes, Sir!

Ora tocca proprio a te...

PRESENT **CONTINUOUS**

ESERCIZIO n. 24

B: Quando mandi il materiale? ....
E: Lo sto mandando ora. ....

B: Sei in ufficio? ....
E: Sì, sto accendendo il PC. ....

B: Sei in uffico? ....
E: Sì, ma sto spegnendo il PC ora. ....

B: Rossi è lì? ....
E: No, sta mangiando in mensa. ....

B: E che cosa sta mangiando? ....
E: Non so cosa stia mangiando Rossi!! ....

B: Cosa stai facendo? ....
E: Sto parlando con Mr. Smith, lo conosci? ....

B: A che ora arriva la consegna? ....
E: Mi sto informando ora. ....

B: Sto aspettando... ....
E: Ok, lo stanno consegnando ora. ....

B: Franco sta finendo il progetto? ....
E: No, ma lo sto aiutando. ....

B: Cosa sta facendo adesso? ....
E: Mi sta aspettando. ....

PRESENT **CONTINUOUS**

ball (bool)	palla
client (claient)	cliente
motorbike (mòtabaik)	moto
desk (desk)	scrivania
coffee (kofi)	caffè lungo
espresso	caffè
newspaper (niuspaipe)	giornale
project (proggekt)	progetto
nobody (noubodi)	nessuno
there	lì

VERBS

to do (du)	fare
to try to (trai)	cercare/provare a
to find (faind)	trovare
to look (luk)	guardare
to look for (luk for)	cercare per trovare
to answer (ansa)	rispondere
to wait (uait)	aspettare
to go (gou)	andare
to happen (h*apen)	succedere
to eat (iit)	mangiare
to cook (cuk)	cucinare
to wash (uosc)	lavare
to speak (spiik)	parlare
to sleep (ssliip)	dormire
to drink (drink)	bere
to read (riid)	leggere
to help (help)	aiutare
to sell (sel)	vendere
to buy (bai)	comprare

PRESENT **CONTINUOUS**

Questa volta bisogna tradurre qualche *conversations*!

ESERCIZIO n. 25

1.
Mother: Che cosa sta facendo Timmy? ....
Father: Sta cercando di trovare la sua palla. ....
Mother: Sta guardando sotto il letto? Perché la palla è lì. ....

2.
Boss: Cosa stai facendo? ....
Secretary: Sto chiamando il cliente. ....
Boss: Non sta rispondendo? ....
Secretary: No, ma sto aspettando. ....
Boss: Io sto andando via. ....
Secretary: Ciao! ....

3.
Karl: Cosa sta succedendo? ....
Lisa: Il cane sta mangiando, mia mamma sta cucinando, mio padre sta lavando la sua moto e io sto parlando con te. ....
....

4.
Sales Manager: Che state facendo? ....
Lucy: Io sto mandando una e-mail, Tom sta dormendo sulla scrivania, Giovanni sta bevendo un caffè e Umberto sta leggendo il giornale. ....
....
Sales manager: Ah, quindi tutto normale! ....

2_ THESE DAYS

Il secondo uso del presente progressivo è uguale anche in italiano, e mi riferisco a quando si parla di un'azione che è già cominiciata nel presente in cui si parla o si scrive, ma che non è ancora finita, e terminerà in un futuro abbastanza vicino. Si intendono normalmente azioni non permanenti.

Gianni: Allora, che stai combinando in questo periodo? So, what are you doing these days?

Roberto: Niente di speciale, sto studiando inglese. Nothing special; I'm studying English.

book (buk)	libro
restaurant (restarant)	ristorante
translation	traduzione
project (progect)	progetto
hotel (hotel)	albergo
colleague (coliig)	collega
product (product)	prodotto
VERBS	
to paint (paint)	dipingere
to read (riid)	leggere
to go to (gou tu)	andare a
to diet (daiet)	fare la dieta
to study (stadi)	studiare
to try (trai)	cercare di fare qualcosa/ provare
to sell (sel)	vendere
to book (buk)	prenotare
to cover (cover)	coprire
to buy (bai)	comprare
to open (oupen)	aprire
to close (clous)	chiudere

PRESENT **CONTINUOUS**

Indovina? Si ricomincia a tradurre... dall'italiano all'inglese, utilizzando gli strumenti che ti ho fornito prima.

ESERCIZIO n. 26

1. In questo periodo sto dipingendo. ....
2. Sto leggendo un libro. ....
3. Mia moglie sta andando a yoga spesso in questo periodo (almeno lei dice che va a yoga... mah!). ....
   ....
4. Non sto andando al ristorante perché sto facendo la dieta. ....
   ....
5. Sto studiando l'inglese. ....
6. Dove stai andando? Sto andando dal dottore, sono malato. ....
   ....
7. Stiamo studiando, non stiamo giocando!! ....
8. State facendo la traduzione di francese? ....
9. Ehi, ciao! Dove state andando? ....
10. Stiamo andando al concerto di George Michael. ....
    ....
11. Sto lavorando sul progetto Star. ....
12. Sto facendo una *conference call*. ....
13. Stiamo cercando di vendere alla Russia. ....
14. State provando un nuovo software? ....
15. Non sto andando al lavoro alle 7. ....
16. Sta prenotando gli alberghi per il capo. ....
17. Sto coprendo la mia collega che è a casa. ....
18. Stanno comprando i nostri prodotti? ....
19. Non stiamo aprendo un nuovo ufficio. ....
20. Stiamo chiudendo l'ufficio. ....

crisis (craisis)	crisi
idea (aidia)	idea
for less (for less)	a meno

VERBS

to lose (lus)	perdere
to pay (pai)	pagare
to save (saiv)	risparmiare

E dal momento che il precedente esercizio era così semplice, aumentiamo un po' il livello e traduciamo, ancora dall'italiano.

ESERCIZIO n. 27

Negoziante: Stiamo perdendo soldi con questa crisi. ....

Assistente: Ho un'idea: vendiamo a meno. ....

Negoziante: No! ....

Assistente: Ma tutti stanno vendendo a meno adesso e loro stanno lavorando.

....

PRESENT **CONTINUOUS**

E, per non annoiarti, prima di andare avanti con il terzo e ultimo uso del *present continuous*, che in realtà sarà impiegato come un futuro, ti propongo due diversi esercizi. Nel primo devi decidere se usare il presente indicativo o il presente progressivo, nel secondo stabilire se alle frasi con il *simple present* o *present continuous* devi aggiungere *too much* o *too many!*

Every Monday, Sally **walks** to school. (presente indicativo) Ogni lunedì Sally va a scuola a piedi.
Frank **is playing** football, today. (presente progressivo) Frank sta giocando a calcio oggi.

Ora tocca a te! Completa le frasi sotto, *please*:

ESERCIZIO n. 28

1. Usually I (work) ______ with my father, but not this month.
2. Don't shout! Lucy (sleep) ______.
3. Stay at home, it (rain) ______.
4. Sorry, I can't hear her (sing) ______ because everybody (talk) ______.
5. I (play) ______ football every Friday.
6. Jason (write) ______ a book. I want to read it when it is finished.
7. She (work) ______ at the school at the moment. She (cook) ______ for the children.
8. I never (swim) ______ in the sea.
9. She (take) ______ the bus every morning.
10. He sometimes (eat) ______ with us.
11. He is always (make) ______ mistakes!
12. She usually (come) ______ with us.
13. My wife never (give) ______ me a kiss.
14. We (give) ______ all her money to charity.
15. Joseph (work) ______ with me.
16. Karl is always (run) ______ to work, because he wakes up late.
17. The snow (fall) ______ , now.
18. We (love) ______ her.
19. I (study) ______ English these days.
20. His car is broken at the moment, so he (walk) ______ to the stadium.

vampire	vampiro
toy	giocattolo
safely	con sicurezza
promise	promessa
secret	segreto
factory	fabbrica

VERBS	
to invest	investire
to spend	spendere
to keep	tenere

ESERCIZIO n. 29

1. She is working ______ in that factory.
2. She works ______ hours.
3. He is investing ______ money in that stupid company.
4. He sleeps ______, is he a vampire?
5. They are spending ______ money on stupid things.
6. Her son has ______ toys; his bedroom is full!
7. There are people drinking ______ to drive safely after the pub.
8. We are thinking about buying a house, but they cost ______.
9. He made ______ promises that he couldn't keep.
10. She knows ______ of my secrets!

3_ PRESENT CONTINUOUS FUTURE

L'ultimo uso del presente progressivo riguarda la possibilità di esprimere il tempo futuro (io l'ho sempre detto che in inglese ci sono delle cavolate mostruose che non fanno altro che confondere incredibilmente!).

Il presente progessivo futuro tecnicamente è un presente, ma in realtà non ha niente a che fare con il presente: è un futuro che si usa per esprimere un'azione che è già stata programmata. Si sa l'ora, il giorno, con chi si svolgerà l'azione… tutto! Solitamente esprime un futuro piuttosto vicino, prossimo.

Tom: What are you doing, tomorrow? Cosa fai/farai domani?
Fred: Tomorrow morning, I am taking the dog to the park. Domani mattina porto/porterò il mio cane al parco.

This evening, I am eating pizza with my brother. Questa sera mangio/mangerò la pizza con mio fratello.
Tomorrow morning, I am playing tennis with Paul. Domani mattina gioco/giocherò a tennis con Paul.
At 7.15 in the morning, on Wednesday, we are going to Scotland. Mercoledì alle sette e un quarto di mattina andiamo/andremo in Scozia.
(Scotland? Are you sure? Bleeeur! Why?)

Traaaaaaa... duciamooo!

ESERCIZIO n. 30

1. Domenica mattina dipingo la cucina. ....
2. Questa sera vedo mia madre. ....
3. Questa notte parto per Londra. ....
4. Questa sera dormo a casa di un mio amico. ....
5. Domani lascio la mia ragazza. ....
6. Mi faccio una doccia. ....
7. Questo pomeriggio faccio i miei compiti con Alex. ....
8. Domani mattina lavo la macchina. ....
9. Mercoledì compro un gatto. ....
10. Sabato compro i regali di Natale. ....

meeting (miiting)	riunione/incontro
fax (fax)	fax
supplier (saplaier)	fornitore
lunch (lanc)	pranzo
bill (bil)	conto
invoice (invois)	fattura
customer (castomer)	cliente
speech (spiic)	discorso
kind (kaind)	gentile
VERBS	
to meet (miit)	incontrare
to arrive (araiv)	arrivare
to move (muuv)	spostare/commuovere
to pay (pei)	pagare
to protect	proteggere

Ancoooooooo... ra!

ESERCIZIO n. 31

1. Questa sera parto alle 20.00 dall'ufficio. ....
2. Facciamo una riunione alle 16 (*to have a meeting*). ....
3. Domani incontriamo tutti i colleghi di Londra. ....
4. Alle 12 arriva il nuovo capo. ....
5. Martedì ci spostiamo in un nuovo ufficio? ....
6. Questo pomeriggio il capo farà un discorso commovente. ....
7. Ci pagano lunedì mattina. ....
8. Mando il fax alle 14.00. ....
9. Chiami il fornitore dopo pranzo? ....
10 Non vado in ufficio con loro. ....

everybody (evribodi)	tutti
wedding (ueding)	matrimonio
so (sou)	quindi
mad (mad)	pazzo
violent (vai-o-lant)	violento
sensitive (sensitiv)	sensibile
birthday (ber-th-dei)	compleanno
present (present)	regalo
hope (h*op)	speranza

VERBS

to show (scio)	far vedere/mostrare
to celebrate (selebrait)	celebrare/festeggiare
to bring (bring)	portare (in questo caso)
to protect (protekt)	proteggere

Ora ti propongo dei dialoghi simpatici tra amici, così forse anche fare l'esercizio di traduzione ti sembrerà più divertente e leggero.

ESERCIZIO n. 32

1.

Kevin: Che fai questa sera? ....

Rocco: Guardo un film con Mary. ....

Kevin: Mary? ....

Rocco: Sì sì, la porto al cinema. ....

Kevin: Vengo anche io. ....

Rocco: Sei pazzo? Fanno vedere un film violento, tu sei sensibile. ....

Kevin: Ok, grazie Rocco. Sei gentile a proteggermi! ....

2.

Wendy: Questa sera festeggiamo il mio compleanno! ....

Sarah: Chi viene? ....

Wendy: Tutti vengono! ....

Sarah: Portano regali? ....

Wendy: Spero! ....

GOING **TO** 1.2.10

Avevo accennato prima a delle "grandi cavolate" presenti nella lingua inglese e, in particolare, tra le regole della lingua inglese! Devo dire che quella che ti sto per presentare raggiunge il top in assoluto.

going to vuol dire «andare a», MA NON SOLO...
going to è usato anche per indicare il tempo futuro intenzionale.

I am going to Japan. Vado/Andrò in Giappone.

going to è seguito da un LUOGO, perciò è *present continuous future* (Ricordi? L'abbiamo appena visto, sopra!).

I am going to buy a car. Ho intenzione di comprarmi un'automobile.

going to è seguito da un VERBO, quindi è un futuro intenzionale.

Cos'è, quindi, il futuro intenzionale?
Indica l'intenzione di fare qualcosa in futuro, senza essere necessariamente programmato come il *present continuous future*!

I am not going to buy the new Alfa Romeo. Non ho intenzione di comprare la nuova Alfa Romeo (anche se, in realtà, è il mio portafogli che non ha intenzione di farlo!?).
I am going to call my mother, when I have time. Ho intenzione di chiamare mia madre quando ho/avrò tempo.

Usare going to nella forma interrogativa equivale a chiedere: «Che cosa hai intenzione di fare?».

John ha scoperto che sua moglie non andava a yoga (figurati!), ma andava a ballare con "un tipo muscoloso". Ne parla poi con il suo amico Jimmy...

Jimmy: So, what are you going to do? Allora, cosa hai intenzione di fare?
John: I'm going to find a muscular woman! Ho intenzione di trovare una donna muscolosa!

SIMPLE **FUTURE** 1.2.11

Il futuro indicativo è riconoscibile grazie a *will*, che identifica la forma verbale del simple future, il futuro più importante e più usato!
A differenza del *present continuous future* e della formula *going to*, si usa *will* nel momento in cui si decide di fare una cosa, e la si fa volontariamente.

will esprime una cosa che si decide di fare e che si farà volentieri, come aiutare un'altra persona...
will è anche usato per esprimere una promessa.

1. FRASE AFFERMATIVA

Nella forma affermativa *will* anticipa il verbo e segue il soggetto.

La FRASE AFFERMATIVA è così strutturata:

soggetto + *will* + verbo + complemento

I will eat an apple. Mangerò una mela.

Decido di mangiare una mela.

2. FRASE NEGATIVA

Per la forma negativa si utilizza sempre *WILL*, seguito anche da *NOT*, prima del verbo.

La FRASE NEGATIVA è così strutturata:

soggetto + *will* + *not* + verbo + complemento

I will not eat an apple. Non mangerò una mela.

Decido di NON mangiare una mela.

3. FRASE INTERROGATIVA

Nella forma interrogativa *will* precede il soggetto e il verbo, e introduce quindi la domanda.

La FRASE INTERROGATIVA È COSÌ STRUTTURATA:

will + soggetto + verbo + complemento

Will you eat an apple? Mangerai una mela?

In questo caso ti sto chiedendo di decidere adesso se vuoi mangiare una mela o no!

CHOOSING

WILL può essere usato anche come forma di cortesia, per chiedere appunto un favore, e lasciando sempre una scelta all'altra persona.

Ecco alcuni esempi (indovina per quale mi sono ispirato a mia moglie?!):

1.
A: Mi passi la penna?
B: Certamente!

A: Will you pass me the pen?
B: Of course!

2.
A: Apri la finestra, per favore?
B: No! Aprila tu!

A: Will you open the window, please?
B: No! You open it!

A: Mi lasci, per favore?
B: No, non ti lascerò mai! (Ah, ah, ah!)

A: Will you leave me, please?
B: No, I will never leave you! (Ah, ah, ah! Like the devil.)

SIMPLE **FUTURE**

Spesso invece di dire *I WILL* usiamo la forma abbreviata *I'LL.*
Molte volte si crede che noi inglesi abbreviamo per essere più veloci... MA questo non è sempre vero. In questo caso, *I will* è pesante, è una promessa importante; quindi, quando si parla di cose più leggere e banali si usa *I'll*.

Waiter: What will you have, Sir? Che cosa prende, signore?
(Il cameriere mi sta chiedendo di decidere cosa voglio ordinare!)

Me: I'll have the fish, please. Prendo/prenderò il pesce, grazie.
(Ho guardato il menu e ho deciso.)

Non mi alzo in piedi, nel mezzo del ristorante, annunciando a tutti: «*Listen everybody! I will have the fish!*». Sembrerei un pazzo.

Visto che la costruzione con *will* si usa nel momento in cui si decide di fare una cosa, ovviamente, è la forma più usata perché… se parli con qualcuno non racconti le cose che si sanno già, giusto? Certo, dici cose nuove e, in base a quello che dici, accetterai la decisione del tuo interlocutore.

John: This afternoon, I am cleaning my garage.
Jimmy: I'll help you!
(John aveva programmato di pulire il garage, Jimmy non sapeva che John doveva pulire il garage, ma, quando lo scopre, decide, al momento, di aiutarlo.)

Paul: When are you going to call our mother? Quando hai intenzione di chiamare nostra madre?
John: I'll call her, now. Decido di chiamarla ora.

Concettina: I can't find the dog! Non trovo più il cane!
John: I won't* help you find him**! Io non ti aiuto a trovarlo!

* **will not** oppure **won't**
** Sento spesso dire che non si usano *he* o *she* per gli animali, ma si usa solo *it*. Non è vero! Se sai di che sesso è l'animale, puoi usare *he* o *she*; se non lo sai va bene *it* (oppure alzi la coda e… lo scopri!).

sofa (sofa)	divano
door (dor)	porta
table (taibul)	tavolo
flight (flait)	volo
church (curc)	chiesa
secret (sikret)	segreto
VERBS	
to need (niid)	avere bisogno di
to lift (lift)	alzare
to ask (ask)	chiedere
to return (ritern)	ritornare
to kiss (kiss)	baciare
to check (cek)	controllare/verificare
to marry (marri)	sposarsi
to come (com)	venire

La differenza tra il futuro con *WILL* e gli altri due futuri è fondamentale. Non va bene usare solo e sempre il primo. Ora, è necessario esercitarsi con i futuri e i loro usi...

ESERCIZIO n. 33

Capo: Ho bisogno del file X. ....

Pina: Te lo mando adesso. ....

John: Gianni, mi aiuti ad alzare questo divano? ....

Gianni: Ci provo! ....

Capo: Dove è il signor Jones? ....

Pina: Chiedo a Marta. ....

SIMPLE **FUTURE**

Conci: Torno alle tre. ....
John: Io non apro la porta dopo le dodici!! ....

Capo: Mi prenoti un tavolo al "Gambero Storto" per questa sera? ....
....
Pina: Certo, chiamo subito! ....

John: Mi baci quando dormo? ....
Conci: No! Non ti bacerò. ....
John: Bene! ....

Capo: Il volo è prenotato? ....
Pina: Ora controllo... ....

Conci: Vado al Bingo. ....
John: Io sto qui. ....

Tommy: Non mangiare la torta. È per domenica! ....
Anna: Non lo farò. ....

Tommy: Ora prenoto l'albergo. ....
Anna: Ok, adesso lo dico a mia mamma. ....

WILL, come forma al futuro, viene utilizzato anche per esprimere un'opinione, una convinzione.

Inter will win on Sunday. L'Inter vincerà domenica (secondo me).

If she sees that film, she will cry. Se vede quel film piangerà (penso).

package (pakag)	pacco
promotion (promoscion)	promozione
idea (aidia)	idea
expenses (expenses)	spese
discount (discaunt)	sconto
soon	presto
VERBS	
to lose (luus)	perdere
to take (teik)	portare/ prendere
to hate (heit)	odiare
to think (th*ink)	pensare
to receive (rissiiv)	ricevere
to like (laik)	piacere
to cut (cat)	tagliare

ESERCIZIO n. 34

1. Il Milan perderà domenica. ....
2. Lei ti lascerà per questo. ....
3. Porta Julie al cinema e ti amerà. ....
4. John non verrà con noi. ....
5. Susy ti odierà per questo. ....
6. L'e-mail arriverà lunedì. ....
7. I miei colleghi saranno contenti che ci daranno più soldi ora. ....
   ....
8. Il pacco arriverà oggi. ....
9. Penso che il signor Baker ti riceverà presto. ....
10. Riceverai una promozione per quel progetto. ....
11. Parlerà il capo di Londra durante la *conference call*. ....
12. La tua idea piacerà! ....
13. Odieranno la tua idea. ....
14. Taglieranno le spese quest'anno. ....
15. I clienti saranno contenti dello sconto. ....

SIMPLE **FUTURE**

A questo punto, racconto una storiella in cui sono contenuti tutti e tre i futuri visti fino a qui…
Una sera Simon beve troppo e decide di chiedere alla sua ragazza, Samantha, di sposarlo.

Si: Samantha, vuoi sposarmi?
Ricorda che lui sta chiedendo a lei di decidere, come lo dirà in inglese?
Si: Samantha, will you marry me?

Sa: Sì, ti sposo.
Sa: Yes, I will marry you.

Poi Simon chiama sua mamma per darle la buona (insomma!?) notizia.

Si: Mamma, mi sposo!
Ricorda che è un'azione già decisa, ma non ancora programmata: cosa si userà?
Si: Mum, **I'm going** to get married!

A questo punto, Simon prenota la chiesa e chiama il padre. (Pensa bene a come lo dirà al padre, visto che oramai il matrimonio è una cosa programmata.)

Si: I'm getting married! (presente progressivo futuro)

E ora, propongo una conversazione tra tre amici, pregandoti di notare che ciascun amico utilizza un futuro diverso in ogni fase del dialogo (presente progressivo – intenzionale/going to – futuro indicativo/will):

Brad: Questa sera vedo Julie (azione programmata).
B: This evening I am seeing Julie.
Carl: Vengo con te! (deciso ora.)
C: I'll come with you!
David: Quando trovo tempo, la chiamo (intenzionale, già deciso).
D: When I have time, I'm going to call her.

husband	marito
sister	sorella
VERBS	
to find	trovare
to eat	mangiare
to call	chiamare

Adesso facciamo un altro esercizio, come l'esempio precedente, usando i diversi futuri appena visti. L'occasione ci è offerta da una conversazione tra tre amiche: Barbara, Concettina e Salvatorina.

ESERCIZIO n. 35

B: Mio marito mi porta a fare shopping sabato (azione programmata, almeno per lei!?).
C: Troverò un marito come il tuo! (intenzionale.)
S: Ti do il mio, se lo vuoi!

S: Domani sera mangio con mia sorella a casa sua. Vuoi venire, Concetta?
C: Sì! Adesso chiamo mio marito.
B: Farà il tiramisù? (attenzione con il verbo FARE: qui il tiramisù va creato!)

SIMPLE **PAST** 1.2.12

Per imparare a coniugare il passato prossimo è necessario conoscere la *REGULAR AND IRREGULAR VERBS RULE* (regola dei verbi regolari e irregolari).

Qual è la differenza tra un verbo regolare e un verbo irregolare? I verbi regolari sono tutti quei verbi per i quali basta aggiungere **-ED** per ottenere la forma passata. I verbi irregolari non hanno invece una regola e nemmeno una logica: bisogna, purtroppo, studiarli e memorizzarli! Vediamo i verbi regolari.

presente: I want (io voglio)
passato: I wanted (io volevo/io volli) traduce l'imperfetto, il passato remoto e, in alcuni casi, il passato prossimo.
participio passato: wanted (voluto)

quindi la catena è: TO WANT-WANTED-WANTED

Ci sono delle regole da seguire quando si aggiunge -ED, esattamente come per la -S del plurale:

Ai verbi che già terminano con -E si aggiunge solo la D:

to lov**e** lov**ed**
to smok**e** smok**ed**

I verbi monosillabici che terminano con un'unica consonante seguita da un'unica vocale raddoppiano la consonante prima di -ED:

to stop stopped
MA NON
to clean cleaned (le vocali che precedono la consonante sono due!)

I verbi bisillabici che terminano con un'unica vocale accentata raddoppiano la consonante prima di -ED:

to pref**er** prefe**rr**ed (l'accento cade sulla seconda E)
to perm**it** permi**tt**ed (l'accento cade sulla I)
MA NON
to offer offered (l'accento cade sulla O della prima sillaba)

I verbi che terminano con -L preceduta da un'unica vocale raddoppiano la consonante prima di -ED:

to trav**el** travel**l**ed
MA NON
to boil boiled

I verbi che terminano con -Y la mantengono se questa è preceduta da una vocale; la modificano in -I se preceduta da consonante:

to pl**ay** pla**yed**
to stu**dy** stud**ied**

ATTENZIONE!

Più che in altri casi, per formare il *simple past* non bisogna tradurre letteralmente dall'italiano! Se in italiano diciamo: «Ieri ti ho visto», utilizzando il passato prossimo piuttosto che il passato remoto, in inglese NON possiamo assolutamente dire *«Yesterday, I have seen you»*, per esprimere il passato in inglese si dice *«Yesterday, I saw you»*. Nel simple past NON c'è *HAVE* (avere)!
Il simple past si usa per azioni concluse nel passato.
Come per il *simple present*, la formazione della frase in inglese non cambia, e usiamo anche qui il verbo *TO DO*, chiaramente al passato, per le frasi affermative, le frasi negative e le frasi interrogative positive e negative. Si coniuga quindi sempre il *DO* al passato, ma non il verbo che indica l'azione, che è un infinito: ne basta uno di passato!
La catena è: *TO DO–DID-DONE*.

1. **FRASE AFFERMATIVA**

Cominciamo, ora che abbiamo visto i suoi principali usi, a vedere nel dettaglio come si costruisce una frase con il *simple past*, a partire dalla forma affermativa.

La FRASE AFFERMATIVA è così strutturata:

soggetto + verbo + complemento

I saw a film yesterday. Ho visto un film ieri (irregolare).
She washed her car. Lei ha lavato la sua macchina (regolare).

2. **FRASE NEGATIVA**

Per la frase negativa, a partire dalla formula affermativa, si aggiunge la formula negativa del passato di *DID* (*DID NOT*); non del verbo principale, ricordalo, che resta all'infinito presente!

La FRASE NEGATIVA è così strutturata:

soggetto + *did* + *not* + verbo + complemento

I didn't see the film. (NON I didn't saw the film.) Non ho visto il film.
Last year, I didn't go to Japan. L'anno scorso, non sono andato in Giappone.

3. **FRASE INTERROGATIVA**

Per la frase interrogativa, a partire dalla formula affermativa, è sufficiente aggiungere *DID* (*past* di *to do*) all'inizio della frase, portando il verbo principale all'infinito presente.

La FRASE INTERROGATIVA è così strutturata:

did + soggetto + verbo + complemento

Did you see the film? (NON Did you saw the film?) Hai visto il film?
Did you have dinner last night? Hai cenato ieri sera?

La FRASE INTERROGATIVA NEGATIVA è così strutturata:

did + *not* + soggetto + verbo + complemento

Didn't you see the film? (NON Didn't you saw the film?) Non hai visto il film?

4. **EXAMPLES**

Ora ti insegno qualcosa che non insegna nessuno in Italia. Ti faccio vedere come parlare come un inglese e non come un turista. Spesso sento le persone che dicono: «Se non parli perfettamente l'inglese, a Londra fanno finta di non capirti!». No, non è cosi! Alcune volte l'inglese ignora lo straniero perché... è inutilmente troppo lungo! È sbagliato, ma è cosi!

Immagina di abitare a Londra e ogni volta che vai in farmacia ti fermano due o tre volte con la mappa in mano e cominciano: *«Excuse me, Sir, I hope not to disturb you, but I am Italian and I want to know maybe if it's ok...»*.

Essere esageratamente prolissi in inglese è un errore: un buon inglese è economico, conciso... e forse questa regola non è male nemmeno per un italiano!
Se dovessi chiedere io le indicazioni stradali direi: *«Excuse me? Piccadilly?»*... e, credo che mi aiuterebbero!

Un altro esempio.
Immaginiamo che ieri sera sei uscito, hai bevuto una birra, hai ballato e poi sei andato a casa.
Tu diresti:
«I went out and then I drank a beer and then I danced and then I went home».

LUNGO, troppo LUNGO!
Ci sono i vecchi libri di grammatica inglese che dicono che noi ripetiamo sempre il soggetto. NON È VERO! Forse anche per questo sono diventati vecchi...

Io ti direi così:
«I went out, drank a beer, danced, then went home».
Guarda che belloooo!!!

Quindi, rivediamo la frase che tu avresti detto, e segnaliamo le parole da togliere, in quanto sono superflue.

I went out **and then I** drank a beer **and then I** danced **and** then **I** went home.

Qui hai quattro azioni:

1. I went out
2. drank a beer
3. danced
4. went home

Assicurati di dire chiaramente quelle quattro azioni, il resto è superfluo!

AND/THEN

I protagonisti di questo box, *and* (e) e *then* (poi) sono più o meno intercambiabili. L'unica differenza è che *then* è più adatto in posizione finale, a indicare, nella frase, che la sequenza di azioni ha un termine. Certo, se anche in questo caso si usa *and* non muore nessuno.

È importante ricordare che ogni azione espressa in un periodo avviene secondo un ordine cronologico; le azioni non si svolgono mai nello stesso momento, e costruire una frase significa ricreare una sorta di catena di azioni. Questa catena può coprire la durata di una sera, ma anche periodi di tempo molto più lunghi, anni. E, di norma, puoi ricordarti di utilizzare *and* o la virgola per separare le azioni, fino all'ultima, anticipata da *then*.

gli ultimi cinque minuti...

Boss/Capo: What did you do in the last five minutes? Che cosa hai fatto negli ultimi cinque minuti?

Robert: I called my mother, ate a sandwich, drank a coffee then you arrived! Ho chiamato mia madre, mangiato un panino, bevuto un caffè e poi sei arrivato tu!

la storia della Terra...

The world was created, dinosaurs came, died, then man was born. Il mondo è stato creato, sono arrivati i dinosauri, sono morti, quindi è nato l'uomo.

Ovviamente, non è necessario avere per forza quattro azioni, ne bastano anche due o tre. Ed è solo per fare più pratica che uso frasi con molte azioni, come questa:

L'anno scorso ho cominciato a lavorare, ho pagato la mia macchina, ho perso il lavoro e poi ho venduto la macchina. Last year, I started to work, paid for my car, lost my job, and then sold my car.

bed (bed)	letto
school (skuul)	scuola
milk (milk)	latte
last year	lo scorso anno
lake (laik)	lago
full (ful)	pieno
bread (bred)	pane
playboy	marpione
neighbour	vicino/a di casa
VERBS	
to cook	cucinare
to clean	pulire
to work	lavorare
to return	ritornare
to watch	guardare
to ask	chiedere
to kiss	baciare
to eat	mangiare
to go	andare
to go out	uscire
to take	portare
to sleep	dormire
to buy	comprare
to see	vedere

Ora, seguendo gli esempi fatti sopra, prova anche tu a tradurre queste brevi frasi… per riscaldarti e prepararti al prossimo brano da tradurre.

ESERCIZIO n. 36

1. Ieri sera ho cucinato, mangiato, pulito la casa, poi sono andato a letto.
2. Oggi ho lavorato, visto un film, portato mio figlio a scuola, poi ho dormito.
3. Questa mattina ho comprato il latte, sono andata a casa e poi sono tornata a letto.
4. Ieri abbiamo finito il progetto, poi siamo andati a festeggiare.
5. Ho scritto una lettera, poi ho dormito tre ore.

ESERCIZIO n. 37

Il Diario di Suzy

Lunedì ho viso un uomo bello.
Gli ho chiesto di uscire con me.
Siamo andati al lago e poi abbiamo mangiato.
Mentre mangiavamo mi ha chiesto di baciarlo, ma la mia bocca era piena di pane.
Quando la mia bocca era vuota, lui stava baciando un'altra.
«Sei un marpione!» ho urlato.
«Ma lei è mia sorella» mi ha detto.
Ho visto nello specchio che avevo la faccia rossa.
Mentre finivamo di mangiare è arrivato il conto.
Lui ha pagato tutto e dopo siamo andati al bar e abbiamo preso una bottiglia di vino.
Mentre bevevamo, mi ha chiesto un bacio, ma la mia bocca era piena di vino.
Quando la mia bocca era vuota, lui stava baciando un'altra.
«È tua sorella anche lei?» ho chiesto.
«No, sono un marpione» ha detto.
Sono uscita, ho preso un taxi e sono andata a casa.
Quando sono arrivata a casa, ho visto dei fiori sul tavolo con un messaggio.
Il messaggio era "ti amo".
Mentre sorridevo per il messaggio è entrata la mia vicina di casa.
«Suzy!» ha detto «Sei in casa mia! Hai bevuto ancora il vino?!».

PAST **CONTINUOUS** 1.2.13

Questo tempo, come rivela anche il nome, è molto simile al presente progressivo come forma, ovvero è l'equivalente, ma nel passato.
Come per il *present continuous* per costruire il *past continuous* c'è bisogno del verbo essere che, naturalmente, verrà coniugato al passato secondo la catena *TO BE-WAS-BEEN.*

present: I am making a cake. Sto facendo una torta.
past: I was making a cake. Stavo facendo una torta.

present: I am drinking a coffee. Sto bevendo un caffè.
past: I was drinking a coffee. Stavo bevendo un caffè.

present: I am cutting the grass. Sto tagliando l'erba.
past: I was cutting the grass. Stavo tagliando l'erba.

Non c'è assolutamente nulla di diverso nella struttura della frase rispetto al presente progressivo, sia nella forma affermativa che in quella interrogativa o negativa: soltanto, il verbo *TO BE* va coniugato al passato.

Il passato progressivo, come in italiano, si usa quando un'azione continuata nel passato viene interrotta dal succedere di qualcos'altro. E ancora, esattamente come in italiano, si utilizzano, per introdurre le frasi con il *past continuous*, *when* (quando) o *while* (mentre).

I was watching TV, **when** you called me. Stavo guardando la tv **quando** mi hai chiamato.

While I was writing, the light went out. **Mentre** stavo scrivendo, la luce si è spenta.

When the phone rang, she was writing a letter. **Quando** è suonato il telefono, lei stava scrivendo una lettera.

While we were having the picnic, it started to rain. **Mentre** facevamo il picnic, incominciò a piovere.

What were you doing, **when** the storm started? Che cosa stavi facendo **quando** è cominciato il temporale?

PAST **CONTINUOUS**

While John was sleeping last night, someone took his car. **Mentre** John dormiva la notte scorsa, qualcuno prese la sua macchina.

Sammy was waiting for us, **when** we arrived. Sammy ci stava aspettando **quando** noi arrivammo.

While I was writing the e-mail, the computer died. **Mentre** scrivevo la e-mail, il computer se ne andò!

What were you doing, **when** you broke your leg? Che cosa stavi facendo **quando** ti sei rotto la gamba?

Semplice, no? L'importante, a questo punto, è imparare pian piano i verbi irregolari. Per farlo in maniera semplice, ma efficace, il mio consiglio è di memorizzarli gradualmente, tre al giorno per esempio; altrettanto importante è ripassarli mentre si fanno le quotidiane azioni, mentre ci si veste, sotto la doccia… anziché cantare!

photo (foto)	foto
match (macc)	partita
leg (leg)	gamba
question (ques-cion)	domanda
name (naim)	nome
scream (skriim)	urlo
kick (kik)	calcio

VERBS	
to start	cominciare
to cry	piangere
to fall	cadere
to run	correre
to forget	dimenticare
to undress	spogliarsi
to sort out	mettere a posto

ESERCIZIO n. 38

1. Mentre stavo pulendo, Simon mi ha chiamato. ....
2. Stavo parlando quando ha comincato a piangere. ....
3. Mentre stavo guardando la partita, sono caduto. ....
4. Lui stava correndo, quando si è rotto la gamba. ....
5. Mentre mi faceva una domanda, ho dimenticato il suo nome. ....
....
6. Stavo mettendo a posto la camera da letto quando ho trovato una sterlina!
....
7. Mi stavo spogliando quando è arrivata tua moglie! ....
8. Mentre giocavamo abbiamo sentito un urlo. ....
9. Stavo dormendo quando mi ha dato un calcio. ....

Ora guarda questi esempi di frasi al presente, al passato e al futuro... useremo anche il *future continuous*, che è intercambiabile con il *future simple*.

present continuous: I am waiting for a bus. Sto aspettando l'autobus.
past continuous: I was waiting for a bus. Stavo aspettando l'autobus.
future continuous: I will be waiting for a bus. Aspetterò l'autobus.

simple present: I walk to school. Vado a scuola a piedi.
past simple: I walked to school. Sono andato a scuola a piedi.
future simple: I will walk to school. Andrò a scuola a piedi.

Ora componi tu le frasi giuste! E fai attenzione: ti ho anche dato un aiuto, tutti i verbi sono regolari, cioè al passato finiscono sempre con -ED.

ESERCIZIO n. 39

1.
presente: I am aiming my pistol. (*to aim* è mirare)
passato: ....
futuro: ....

2.
presente: I allow people in my house. (*to allow* è permettere)
passato: ....
futuro: ....

3.
presente: I avoid stupid people. (*to avoid* è evitare)
passato: ....
futuro: ....

4.
presente: I am begging her to go out with me. (*to beg* è supplicare)
passato: ....
futuro: ....

5.
presente: I behave very well, when she is with me. (*to behave* è comportarsi)
passato: ....
futuro: ....

6.
presente: He is boiling eggs for breakfast. (*to boil* è bollire)
passato: ....
futuro: ....

7.
presente: She is counting her money to see if she can buy a new dress.
(*to count* è contare)
passato: ....
futuro: ....

8.
presente: I complain to the father, when the child behaves badly at school.
(*to complain* è lamentarsi)

passato: ....
futuro: ....

9.
presente: I am cleaning my garage. (*to clean* è pulire)
passato: ....
futuro: ....

10.
presente: I am concentrating on my work. (*to concentrate* è concentrarsi)
passato: ....
futuro: ....

11.
presente: The postman delivers letters to my house, sometimes. (*to deliver* è consegnare)
passato: ....
futuro: ....

12.
presente: I dislike everything he says. (*to dislike* è non piacere)
passato: ....
futuro: ....

13.
presente: I am describing the party to Simon. (*to describe* è descrivere)
passato: ....
futuro: ....

14
presente: She develops projects for big companies. (*to develop* è sviluppare)
passato: ....
futuro: ....

15.
presente: I don't decide what to do in my house. (*to decide* è decidere)
passato: ....
futuro: ....

16.
presente: She isn't forcing her son to study. (*to force* è costringere)

passato: ....
futuro: ....

17.
presente: They are improving conditions, finally. (*to improve* è migliorare)
passato: ....
futuro: ....

18.
presente: I am learning Russian. (*to learn* è imparare)
passato: ....
futuro: ....

19
presente: They live in a big house. (*to live* è vivere/abitare)
passato: ....
futuro: ....

20
presente: We are launching the new product in January. (*to launch* è lanciare)
passato: ....
futuro: ....

21.
presente: I am watching tv and opening my mail, while Tina is cleaning the room. (*to watch* è guardare, *to open* è aprire)
passato: ....
futuro: ....

22.
presente: They shout, scream and complain about everything. (*to shout* è gridare, *to scream* è urlare)
passato: ....
futuro: ....

23.
presente: The police arrest, the lawyers accuse and the judge sentences. (*to arrest* è arrestare, *to accuse* è accusare, *to sentence* è sentenziare)
passato: ....
futuro: ....

24.
presente: I park the car, press the button, then pull out the ticket.
(*to park* è parcheggiare, *to press* è premere, *to pull out* è tirare fuori)
passato: ....
futuro: ....

25.
presente: I regret that I refuse to remove the offensive poster. (*to regret* è pentirsi, *to refuse* è rifiutare, *to remove* è togliere)
passato: ....
futuro: ....

TO SAY /TO TELL

Entrambi questi verbi significano «DIRE». Ma allora quando si usa l'uno e quando l'altro?
TO SAY si usa in una conversazione in generale, mentre *TO TELL* è informare, dare ordine, raccontare.

Dopo il verbo *TO TELL* non si mette mai la preposizione *TO*, per cui la persona che segue *TELL* e alla quale comunichi qualcosa è legata direttamente al verbo.

Tell me a joke.	Raccontami una barzelletta.
Tell him the story.	Raccontagli la storia.
Don't **tell** Lucy I love her.	Non dire a Lucy che l'amo.
I **told** him to go.	Gli ho detto di andarsene.

PREPOSITIONS, 1.2.14
ADJECTIVES AND VERBS + -ING

Ci sono in inglese delle **preposizioni** che vogliono assolutamente il verbo che le segue con la forma in -ING.

Le più comuni sono:

after	dopo
before	prima
without	senza
instead of	invece di

She always calls me **after** leav**ing**. Mi chiama sempre dopo che è partita.
Please, clean your room **before** go**ing** out. Per favore, pulisci la tua camera prima di uscire.
I can't live **without** eat**ing**. Non posso vivere senza mangiare.
Do your homework **instead of** watch**ing** tv. Fai i compiti, invece di guardare la tv.

Ci sono poi anche degli **aggettivi** molto utili seguiti da una **preposizione** che, se seguite da un verbo, lo vogliono con -ING.

Ne cito alcuni:

tired of	stanco di
sick of	stufo di
afraid of	aver paura di
fond of	appassionato di
used to	abituato a

I am **tired of** wait**ing**. Sono stanco di aspettare.
I am **sick of** eat**ing** pasta. Sono stufo di mangiare pasta.
I am **afraid of** fly**ing**. Ho paura di volare.
Mr. Williams is **fond of** garden**ing**. Mr. Williams è appassionato di giardinaggio.
I am **used to** gett**ing** up early. Sono abituato ad alzarmi presto.

Per terminare il discorso voglio aggiungere anche alcuni **verbi** che, se seguiti da un **altro verbo**, lo vogliono con la forma in -ING.

to start	cominciare
to stop	terminare/smettere
to finish	finire

PREPOSITIONS, ADJECTIVES AND VERBS + -ING

I want **to start** learn**ing** English, well. Voglio iniziare a parlare bene l'inglese.
Please, **stop** smok**ing**! Per favore, smetti di fumare!
They **finished** talk**ing** at 1 o'clock in the morning. Finirono di parlare all'una di mattina.

bathroom	bagno
kitchen	cucina
homework	compito
thing	cosa
nonsense	sciocchezze
same	stesso
music	musica
bad impression	brutta figura (to make a)
in a loud voice	a voce alta
VERBS	
to go out	uscire
to listen to	ascoltare
to repeat	ripetere
to help	aiutare
to pass	passare/superare

ESERCIZIO n. 40

1. Prima di uscire, pulisci il bagno e la cucina. ....
2. Andai a scuola senza aver fatto i compiti. ....
3. Perché non parli, invece di piangere? ....
4. Smettila di ripetere le stesse parole. ....
5. Invece di giocare a tennis, perché non studi? ....
6. Siamo abituati ad ascoltare le sue sciocchezze! ....
7. Sono stufi di ripetere sempre le stesse parole. ....
8. Mia mamma è appassionata di musica. ....
9. Abbiamo paura di fare una brutta figura. ....
10. Comincio a dipingere il bagno, poi finisco di pulire la cucina. ....
....

STEP **3**

PREPOSITIONS 1.3.1

C'è una regola molto semplice in inglese, *the English preposition rule*, che riguarda le preposizioni e, al contrario di molte altre regole, NON ha eccezioni!

Una **preposizione** è sempre seguita da un **nome**, mai da un **verbo**, intendendo con "nome":
i nomi veri e propri (*dog, money, love*), che possono essere accompagnati da uno o più **aggettivi**
i nomi propri (Bangkok, Maria)
i pronomi (*you, him, us*)
il gerundio (*swimming, acting, playing*), perchè in questi casi viene inteso come un nome: nuotare, recitare, giocare.

The food is on the table.
She lives in Japan.
Tara is looking for you.
The letter is under your blue book.

Negli step precedenti hai imparato a utilizzare i principali tempi verbali, ora ti serve conoscere quelle che potrei definire come "la colla della lingua inglese", cioè le preposizioni. Sono fondamentali perché un discorso è come un treno, ha una destinazione, qualche posto dove vuoi arrivare... se sbagli preposizione, in inglese rischi di cambiare binario e arrivare da tutt'altra parte!

LE PRINCIPALI PREPOSIZIONI

aboard	a bordo
about	circa, riguardo a
above	sopra
after	dopo
across	attraverso, da una parte all'altra
against	contro
among	tra (fra più di 2 cose)
around	attorno, intorno
before	prima
behind	dietro
beyond	oltre
below	sotto
beside	accanto a
between	tra (fra 2 cose)
by	vicino, entro (temporale)
despite	nonostante
down	giù
during	durante
except	tranne, eccetto
for	per
from	da
in	in, a
like	come, simile a

near	vicino	to	a
of	di	towards	verso
off	via da	under	sotto
on	su, sopra	unlike	a differenza di
opposite	di fronte a	until	fino a
out	fuori	up	su
plus	più, in aggiunta	with	con
regarding	che riguarda, riguardante	within	entro, all'interno
since	da allora, poiché, dato che	without	senza
than	di, che, di quanto		
through	attraverso		

A TRAP

Perché nelle frasi d'esempio che ti propongo di seguito la preposizione *to* è seguita da un verbo? Secondo la regola questo non sarebbe possibile!
I would like to go now.
She used to smoke.

Attenzione, la risposta è molto semplice:
in questi due esempi *to* non è una preposizione, ma fa parte dell'infinito del verbo *(to go, to smoke)*.

sun	sole
moutain	montagna
wind	vento
tree	albero
river	fiume
temperature	temperatura

forest	foresta
(the) cold	il freddo
walk	camminata
(the) rain	la pioggia
toilette	WC
dawn	alba
VERBS	
to swim	nuotare
to run	correre
to find	trovare
to sleep	dormire

Ora è giunto il momento di utilizzare queste preposizioni, esercitandoci a tradurre qualche frase!

ESERCIZIO n. 41

1. Il sole è sopra la montagna. ....
2. Ho camminato contro vento. ....
3. Ho dormito tra gli alberi. ....
4. Dietro la montagna c'è un fiume. ....
5. Intorno alle 6 siamo andati via. ....
6. La temperatura nella foresta era 5 sotto zero. ....
7. Accanto a me c'era Jane. ....
8. Tra le due montagne c'era un bellissimo pub. ....
9. Nonostante il freddo, abbiamo nuotato dentro il fiume. ....
10. Durante la nostra camminata sono caduto. ....
11. Era bello, tranne la pioggia. ....
12. Ho corso come il vento (come no!?). ....
13. Di fronte al pub c'era un WC. ....
14. A differenza di Mark, ho trovato il WC senza problemi. ....
15. Dopo il pub abbiamo dormito fino all'alba sotto un albero. ....

1. **PLACE**

Le preposizioni di luogo (così come quelle di tempo, che vedremo dopo) in inglese sono tre:

AT

Indica un punto fisso, il punto preciso in cui si trovano una persona o un oggetto.

He is at the park. Lui è al parco (dove si trova il parco, si trova anche lui).
She is at the bar with her husband.
We are at my house.
Mom is at the market.
Dad is at church.

at the corner, at the bus stop, at the door, at the top of the page, at the end of the road, at the entrance, at the crossroads, at the pub, at home, at work, at school, at university, at college, at the top, at the bottom, at the side, at reception…

ON

Questa preposizione indica una superficie ed è molto facile… si può tradurre con «su».

The pen is on the table. (originale, non trovi?)
The cat is on the book.

on the wall, on the ceiling, on the door, on the cover, on the floor, on the carpet, on the menu, on a page, on a bus, on a train, on a horse, on the radio, on the beach, on the road…

IN

Questa preposizione indica l'essere inserito o il trovarsi in uno spazio chiuso*.

I am in a hotel room.
She is in London.
The children are in the playground.

The present is in a red box.

in the garden, in France, in my pocket, in my wallet, in the building, in the car, in a taxi, in a lift, in the newspaper, in the sky, in Oxford Street…

* È importante sapere che essere in uno spazio chiuso non vuol dire necessariamente "chiuso" secondo parametri fisici come muri; *to be in London* va bene, perché Londra si può intendere come "chiusa" rispetto a parametri definiti, anche se non fisici.

Adesso prova a memorizzare l'uso delle preposizioni di luogo leggendo gli esempi che ti propongo di seguito e che, a questo punto, posso anche evitare di tradurre, oh NO?!

Jane is waiting for you at the bus stop.
The shop is at the end of the street.
My plane stopped at Dubai and Hanoi and arrived in Bangkok two hours late.
When will you arrive at the office?
Do you work in an office?
I have a meeting in New York.
Do you live in Japan?
Jupiter is in the Solar System.
The author's name is on the cover of the book.
There are no prices on this menu.
You are standing on my foot.
There was a "no smoking" sign on the wall.
I live on the 7th floor at 21 Oxford Street in London.

AT the bar, there was a cat **IN** a box **ON** the floor.
AT the cinema, there was a man **IN** a boat **ON** the screen.
He is **ON** the 7th floor **AT** work **IN** London.

2. **TIME**

Avevo già anticipato che le preposizioni di luogo e quelle di tempo, in inglese, sono le stesse:

PREPOSITIONS

AT

Si usa per indicare un'ora precisa.

At lunchtime, I have an appointment.
I am seeing her at 7 in the morning (azione programmata).
I will meet you at 12 noon (decisione presa nel momento in cui parla).
I saw them at 4 in the afternoon (azione già avvenuta nel passato).
I was swimming at 6.40 (azione continuata nel passato).

At 3 o'clock, at noon, at bedtime, at sunrise, at sunset, at the moment, at the week, at Christmas time, at the same time, at midnight…

ON

Si usa per indicare i giorni e le date (che, se ci pensi, sono un po' la stessa cosa, dato che una data rappresenta un giorno!).

On Monday, I am studying with Carol (azione programmata).
On August the 1st, I am leaving for Africa (azione programmata).
On Tuesday, I started work (azione già avvenuta nel passato).
On September 11, there was a memorial service (azione già avvenuta nel passato).
On Thursday, I will come with you to the stadium (decisione presa nel momento in cui parla).

on Independence Day, on Tuesday morning, on my birthday…

IN

Questa preposizione si usa per indicare i mesi, gli anni, i secoli o i lunghi periodi. Ti insegno un trucchetto: quando si parla di tempo, se non puoi usare *AT* (ora precisa) e nemmeno *ON* (giorno, data) devi per forza usare *IN*, che "va bene per tutto il resto".

In the morning, in the week, in the month, in the year, in the century, in 2010, in summer, in the past, in the 1990s, in the Ice Age, in the future…

I was born in 1978.
It will be easier in the future!

Adesso prova a memorizzare l'uso delle preposizioni di tempo leggendo gli esempi che ti propongo di seguito e che, come ti ho già anticipato, eviterò di tradurre, per fare meno fatica!

I have a meeting at 9 a.m.
The shop closes at midnight.
Jane went home at lunchtime.
In England, it often snows in December.
Do you think we will go to Mars in the future?
There will be a lot of progress in the next century.
Do you work on Mondays?
Her birthday is on November 20.
Where will you be on New Year's Day?

Ora, per fare un esempio reale, metto la mia data di nascita compresa l'ora:

I was born ON February 27 IN 1970 AT 6 in the morning.
I was born ON February 27 IN 1978 AT 6 in the morning (se a chiedermelo è una ragazza carina!).
Prova anche tu a dire la tua data di nascita con giorno, anno e ora...

ECCEZIONI!

1_Quando nelle frasi usi *last* (scorso), *next* (prossimo), *every* (ogni) oppure *this* (questo) non usare più *at*, *in* e *on*.

I went to London last June non in last June!
He's coming back next Tuesday non on next Tuesday!
I go home every Easter non at every Easter!
We'll call you this evening non in this evening!

2_Con i mesi, gli anni e le parti del giorno si usa *IN*, tranne con *NIGHT/MIDNIGHT* (mezzanotte) e *MIDDAY* (mezzogiorno), che vogliono rigorosamente la preposizione *AT*.

I study at night non in the night!
She kisses you at midnight non in the midnight!
I need to have a lunch at midday non in the midday!

PREPOSITIONS

A questo punto, prova a inserire la giusta preposizione, scegliendo tra quelle di tempo e luogo.

ESERCIZIO n. 42

1. I live ____ the centre of Milan.
2. My drink is ____ the table.
3. I go to Sardinia ____ the summer.
4. I have an appointment with the doctor ____ 6 o'clock A.M.
5. I like living ____ the city.
6. My book is ____ my car ____ the seat (sedile).
7. My brother is working ____ the new factory in Oxford.
8. He only comes here ____ Mondays.
9. ____ June 5, she will be 6 years old!
10. They are surely ____ the train, the train left ____ 7.15 P.M. from the station.
11. If he is not ____ the bar, then he is ____ work.
12. The last time I saw him was __ 1985 ___ the railway station.
13. She was ____ the car with Simon ____ Thursday.
14. I don't like to speak ____ the morning.
15. I will be __ the hospital ____ 10.00 A.M..
16. If the bed is full, I will sleep ____ the floor.
17. There were 150 people ____ the church ____ 9 ____ the morning!
18. We are moving to a new house ____ Scotland. It is ____ a hill near the lake.
19. I went to France by boat ____ 1977.
20. You will see the supermarket ____ the end of the road.

3. **MOTION**

Quando c'è un movimento è importantissimo usare la preposizione di moto corretta per indicarlo.

Non si può dire: «*I go school!*»... solo Tarzan parla così! Si deve dire: «*I go to school!*» (vado a scuola). Quando si tornerà da scuola, si dirà: «*I come from school!*».

TO

È la preposizione da usare per esprimere il moto a luogo, anche se bisogna fare molta attenzione al verbo *TO ARRIVE* che, pur essendo di moto a luogo, vuole la preposizione *AT*, perché la cosa più importante non è andare, ma dove si arriva.

I go to the shops by car.
I went to the shops by car.
I will go to the shops by car.
ma
I **arrived at** school.

FROM

È la preposizione da usare per esprimere il moto da luogo.

I come back from school at 6 P.M.
I came back from school at 6 P.M.
I will come back from school at 6 P.M.

INTO

È la preposizione da usare per esprimere il movimento da fuori a dentro.

I put the flowers into the vase. Metto i fiori dentro al vaso.
I went into the hotel. Sono andato dentro l'albergo (da fuori a dentro).
NOW I am in the hotel (sono dentro, in uno spazio chiuso).

ONTO

Ha la stessa funzione di *INTO*, ma in questo caso il movimento che si esprime è verso sopra (*on*) ... toccando!

PREPOSITIONS

I put the glass onto the table. Metto il bicchiere sopra al tavolo.
The flowers are in my hand. I put the flowers onto the table. Now the flowers are on the table. I fiori sono nella mia mano. Metto/sposto i fiori sopra il tavolo. Ora i fiori sono sul tavolo.
The cat was on the chair. The cat jumped onto the table. The cat is now on the table. Il gatto era sulla sedia. Il gatto è saltato sul tavolo. Il gatto ora è sul tavolo.
Se dicessi:
The cat jumped on the table vorrebbe dire che il gatto è già sul tavolo e salta su e giù, sempre sul tavolo… in questo caso sarebbe un po' fuori di testa questo gatto, oh no?!

Con tutte queste nuove preposizioni, che c'è di meglio che provare a tradurre qualche bella storiella? In fondo al libro, poi, le troverai corrette, ma per favore, resisti prima di andare a vedere... traducile tu meglio che riesci!

cup (cap)	tazza
wind (uind)	vento
window (uindou)	finestrino
bird (berd)	uccello
clouds (clauds)	nuvole
boats (bouts)	barche
sea (si)	mare
suddenly (sadenli)	improvvisamente
odour (ouder)	odore
Scots (scots)	scozzesi
flight (flait)	volo
joke (giok)	barzelletta
funny (fanni)	divertente

VERBS

to smell (smel)	odorare
to ask (ask)	chiedere
to pour (por)	versare
to see (si)	vedere
to look (luk)	guardare
to sit (sit)	sedersi

ESERCIZIO n. 43

The journey **(il viaggio)**

A bordo dell'aereo ho chiesto un drink.
La hostess ha versato il caffè caldo nella mia tazza mentre l'aereo andava contro il vento.
Attraverso il finestrino, ho visto un uccello in mezzo alle nuvole e quando ho guardato giù vedevo le barche sul mare.
Improvvisamente, ho sentito un odore di whisky e quando ho guardato intorno ho visto che ero seduto in mezzo a due scozzesi.
Durante il volo ho parlato a una signora americana vicino a me.
Ha messo il suo caffè sul tavolino e ha ascoltato le mie divertenti barzellette

Come promesso, ecco altri vocaboli, altri verbi e, naturalmente, un'altra storiella che contiene preposizioni di luogo e tempo... *Ready?*

wine (uain)	vino
glass (glass)	bicchiere
ground (graund)	terra
wall (uol)	muro
shop (sciop)	negozio
hands (hands)	mani
pocket (poket)	tasca
keys (kiis)	chiavi
centre	centro
boyfriend	fidanzato

VERBS

to fly	volare

ESERCIZIO n. 44

Bologna

Ieri mattina alle 10.15 ero in un bar al centro di Bologna.
Davanti a me c'era una donna seduta sul tavolo che versava vino dentro un bicchiere.
Quando il vino era finito lei è caduta per terra.
Sul muro c'era una foto di un uccello che volava attraverso le nuvole.
Fuori ho visto un bambino che aspettava sua mamma davanti a un negozio.
Mentre stavo aiutando la donna, è arrivato il suo fidanzato.
Alle 11 sono andato in albergo.
Ho messo le mani in tasca e ho preso le chiavi della mia stanza.
Dentro la stanza c'era una lettera da parte di mia moglie.
«Caro ex-marito, oggi facevo shopping con Maria e ti abbiamo visto molestare una donna in un bar. Domani ti aiuterò a trovare una nuova casa!»

IF 1.3.2

È proprio il caso di dire che sto per introdurvi nel "meraviglioso mondo di *IF*".
Il suo significato è **«se»**.
Naturalmente, non tutto quello che si vuole fare o non fare è certo, e *if*, in inglese, serve proprio per introdurre l'incertezza, l'ipotesi e la possibilità...

Ci sono quattro *IF* in inglese, differenti in base a ciò che esprimono e agli scopi molto diversi per cui vengono utilizzati. Ora li vediamo uno per uno...

1_POSSIBILITÀ REALE

Il primo *IF* riguarda le possibilità vere e reali.

Se mi arrivano i soldi, andrò alle Maldive. **If** the money **arrives**, I **will go** to the Maldives.

In questo caso c'è una concreta possibilità che arrivino i soldi e, se arriveranno, è una certezza che andrò alle Maldive!

regola: in questa prima *IF* la frase introdotta da *IF* vuole il *simple present,* mentre la frase principale vuole il futuro (*will* o altro verbo modale).

IF I go to the party, I will take my friend. Se vado alla festa, porterò il mio amico.
In questa frase, è chiaro che c'è una vera possibilità che chi parla vada alla festa.

2_IPOTESI PURA

Il secondo *IF* non riguarda una realtà specifica, ma un'ipotesi vera e propria.

Se mi arrivassero tanti soldi, andrei alle Maldive. **If** a lot of money **arrived**, I **would go** to the Maldives.

In questo caso chi parla non si riferisce a una reale possibilità, ma vuole semplicemente esprimere un desiderio, una cosa che gli piacerebbe tanto fare.

regola: in questa seconda *IF* la frase introdotta da *IF* vuole il *simple past,* mentre la frase principale vuole il condizionale (*would*, che è il passato di *will*).

IF I went to the party, I would take my friend. Se venissi alla festa, porterei il mio amico.
In questo caso si capisce che chi parla non ha nessuna intenzione di andare alla festa, ma vuole semplicemente mettere in chiaro che, eventualmente, porterebbe un amico.

3_IF PASSATO

Il terzo *IF* riguarda un'azione o una possibilità che è ormai esaurita.

Se fossero arrivati i soldi, sarei andato alle Maldive. **If** the money **had arrived**, I **would have gone** to the Maldives.

In questo caso non si può cambiare il passato, ma si vuole esprimere un'azione nel passato, ovvero una possibilità, che non si è verificata.

regola: in questa terza *IF* la frase introdotta da *IF* vuole il *past participle*, mentre la frase principale vuole il condizionale passato (*would have*).

IF I had had the opportunity, I would have married him. Se avessi avuto l'opportunità, lo avrei sposato.
In questo caso si capisce che la possibilità per chi parla di sposare *him* non è mai esistito, il treno è passato e chi parla lo ha perso!

4_IF 0

Il quarto *IF*, che io chiamo anche più semplicemente "*IF* in generale" esprime dei fatti reali o delle verità assolute, molto spesso inevitabili.

Se bevo tanto vino, cado. **If** I **drink** a lot of wine, I **fall**.

In questo caso non si vogliono esprimere solo delle azioni correlate e inevitabili.

regola: in questa quarta *IF* la frase introdotta da *IF* vuole il *simple present*, esattamente come la frase principale.

Utilizzabile in sostituzione a *IF*, in questo caso, c'è anche *WHEN* (quando):
Quando vedo lei, sono contento. **When** I **see** her, I **am** happy.

In poche parole… quando sente *IF* l'ascoltatore inglese sta molto attento al tempo del verbo principale della frase, per vedere se la cosa che sta ascoltando riguarda la realtà oppure no… e se sente *had* (*past participle* del verbo *to have*) manda il suo cervello nel passato.

Ora traduciamo seguendo i meccanismi indicati sopra. Nelle varie conversazioni, ogni frase contiene un IF diverso.

ESERCIZIO n. 45

1.

Tom: Se trovo lavoro, comprerò una macchina.

Tim: Se l'avessi saputo ieri ti avrei venduto la mia.

Tum: Se sapessi guidare, comprerei una macchina bella e veloce.

2.

Sara: Se ho i soldi, andrò a New York questa estate.

Giulia: Se avessi il tempo, verrei con te.

Lisa: Se avessi avuto tempo e soldi, sarei andato a New York l'anno scorso.

3.

Concetta: Se vieni con me, sarò felice.

Emma: Se me l'avessi chiesto prima, ti avrei detto di sì.

Carmen: Se l'avessi chiesto a me, sarei venuta.

4.

Football coach and player (allenatore di calcio e giocatore)

FC: Se giochi ancora come sabato perderemo.

P: Giocherò bene, vedrai.

FC: Mi dispiace, volevo dire (ipotesi pura): se tu giocassi oggi, giocheresti male.

P: Perché? Non gioco? (azione programmata).

FC: No!

could be	potrebbe essere
gold mine	miniera d'oro
office	ufficio
area	zona
owner	proprietario
sorry	mi dispiace
exhibition centre	fiera

VERBS

to get rich	diventare ricco

Adesso ecco una storiella da tradurre, facendo attenzione a quale *IF* usare ogni volta e, *remember*, è un gioco!!

ESERCIZIO n. 46

The big chance

Stavo camminando con Carlo quando abbiamo visto un bar.
Il bar era vecchio e brutto, ma io ho detto: «Quel bar potrebbe essere una miniera d'oro, guarda quanti uffici ci sono qui in zona. Se avessi i soldi comprerei quel bar e diventerei ricco!».
Carlo, a differenza di me (guarda le preposizioni!) ha tanti soldi, quindi all'ora di pranzo è andato al bar e ha chiesto al proprietario: «Venderesti questo bar?».
Il proprietario ha risposto: «Io lo venderei, ma devo chiedere a mia moglie, chiamami alle 18...».
Dopo, in ufficio, Carlo ha detto: «Se mi vende quel bar diventerò ricco!».
Alle 18 Carlo ha chiamato il proprietario, ma il proprietario ha detto: «Mi dispiace, ma mia moglie non vuole vendere!».
Un mese dopo il Comune di Milano ha deciso di aprire una nuova fiera vicino a quel bar.
Carlo era triste. «Se mi avesse venduto quel bar sarei diventato ricco!» ha detto.

EVERYTHING or NOTHING

every	ogni
everything	tutto
everybody	tutti (persone)
nothing	niente
nobody	nessuno (persone)
something	qualcosa
somebody	qualcuno (persone)

ESERCIZIO n. 47

1. Se tutti vanno al cinema io rimango a casa. ....
2. Hai qualcosa nell'occhio. ....
3. Voglio comprare qualcosa per te. ....
4. Qualcuno ha mangiato il mio gelato! ....
5. Nessuno vuole venire con me! ....
6. Non ho niente da nascondere! ....
7. Ti darei tutto (*would*) ma non ho niente! ....
8. Ogni giorno spero che tu arrivi. ....
9. Ogni volta che vado lì torno stanco. ....
10. Qualche volta mi chiama! ....
11. Tutto quello che faccio, lo faccio per te. ....
12. Tutti hanno bisogno di qualcuno da amare. ....
13. Nessuno mi capisce. ....
14. Ho bisogno di qualcuno a volte. ....
15. Se mangi qualcosa ti sentirai meglio. ....

ADJECTIVES 1.3.3

Ecco, è arrivato il momento di conoscere nuovi strumenti capaci di aiutarci a descrivere oggetti, posti e persone.

Prima di tutto, in inglese gli aggettivi hanno un ordine ben specifico! Come abbiamo già detto, vengono sempre prima del sostantivo a cui si riferiscono, ma tra di loro come si ordinano?

misura	**età**	**opinione**	**colore**	**materiale**	**sostantivo**
big	old	beautiful	black	wooden	piano
small	young	ugly	white		man
deep		wonderful	blue		river
long			black		road
long	young	sad	white		face
	young	happy	black		girl

MISURA

big	grande/grosso
small	piccolo
high	alto
low	basso
tall	alto (per persone)
short	corto/basso (per le persone)
wide	largo
narrow	stretto
long	lungo
deep	profondo
shallow	superficiale/poco profondo

ETÀ

old	vecchio
young	giovane
new	nuovo

OPINIONE

La maggior parte degli aggettivi si trovano in questa vasta categoria: qualsiasi cosa che possa esprimere un'opinione si trova qui!

good	buono	nice	buono/carino/simpatico
bad	cattivo	pleasant	piacevole
happy	felice	fast	veloce
sad	triste	slow	lento
rich	ricco	grateful	grato
poor	povero	un*grateful	ingrato
beautiful	bello	polite	cortese
ugly	brutto	impolite	scortese
thin	magro	lucky	fortunato
fat	grasso	un*lucky	sfortunato

* **un**- all'inizio di un aggettivo serve per esprimere il contrario del suo significato, l'esatto opposto.

COLORE

black	nero	light blue	azzurro
blue	blu	grey	grigio
green	verde	orange	arancione
yellow	giallo	purple	viola
white	bianco	red	rosso
pink	rosa	brown	marrone

MATERIALE

Gli aggettivi di questo gruppo sono equivalenti al materiale stesso, ovvero al sostantivo a cui si riferiscono!

wooden	di legno	legno
steel	di acciaio	acciaio
plastic	di plastica	plastica
glass	di vetro	vetro
metal	di metallo	metallo
cotton	di cotone	cotone
cloth	di stoffa	stoffa

Ora facciamo un classico esercizio di riorganizzazione di questi aggettivi: per dare l'ordine giusto alle frasi seguenti. Tocca a te metterli in ordine...

ESERCIZIO n. 48

1. John is a..white - young - beautiful - tall **man**.
2. John's wife is .... ugly - short - old - fat **woman**.
3. He had a .... wooden - long - brown **leg**.
4. She had a .... glass - old - short - nice **table**.
5. They were in a .... blue - new - metal - fast **car**.
6. I have a.. cotton - soft - white - new **t-shirt**.
7. She wears .... pink - plastic - modern **glasses**.
8. She had.. brown - beautiful - big **eyes**.
9. He was a .... thin - old - tall **boy**.
10. She is a ....young - nice - polite **girl**.

ADVERBS

Un avverbio è una parola che si usa per indicare quando, dove e come una certa azione si svolge. Gli avverbi sono quelle "parole" che in italiano finiscono in **-mente** e in inglese normalmente si creano aggiungendo **-LY** all'aggettivo.

lento	slow
lentamente	slowly
chiaro	clear
chiaramente	clearly
ovvio	obvious
ovviamente	obviously

COMPARATIVE 1.3.4

In una frase comparativa si mettono in relazione due cose o persone (detti per questo termini di paragone) attraverso un aggettivo.

Paul is **slower than** John. Paul è **più lento** di John.
John is **less slow than** Paul. John è **meno lento di** Paul.
John isn't **as slow as** Paul. John non è **così lento come** Paul.

Paul e John sono i due termini di paragone; "lento" è l'aggettivo che li mette in relazione.

Il comparativo ha tre forme: di MAGGIORANZA (più)
di MINORANZA (meno)
di UGUAGLIANZA (tanto quanto)

1. MAGGIORANZA

Per formare il comparativo di maggioranza degli aggettivi si deve seguire lo schema seguente:

Aggettivi monosillabici

AGGETTIVO + -ER
tall/tall**er** (alto/più alto)

Casi particolari:

1_Gli aggettivi che terminano per **-E** aggiungono solo la **-R**
nic**e**/nic**er** (carino/più carino)

2_Gli aggettivi che terminano con una consonante preceduta da una vocale, **raddoppiano la consonante** e aggiungono **-ER**
h**ot**/h**otter** (caldo/più caldo)

3_Gli aggettivi monosillabici o bisillabici che terminano per **-Y** cambiano la **Y** in **I** e aggiungono **-ER**
ugl**y**/ugl**ier** (brutto/più brutto)

COMPARATIVE

Aggettivi con più di 2 sillabe

MORE **+ AGGETTIVO***
interesting/**more** interesting (interessante/più interessante)

* Alcuni aggettivi bisillabici possono avere sia la forma -ER che essere preceduti da MORE. Normalmente:

si usa la forma **-ER** se si vuole dare **maggiore importanza all'aggettivo.**
si usa la forma con **MORE** se si vuole invece dare **più importanza alla parola more.**

Il **secondo termine**** di paragone, invece, è sempre introdotto da *THAN*.

Paul is taller **than** John. Paul è più alto di John.
This book is more expensive **than** that one. Questo libro è più costoso di quello.

** Quando il secondo termine di paragone è un pronome personale, si utilizza il **pronome personale soggetto**:
He is taller than I, YOU, S/HE, THEY.
Paul is taller **than** she (is).

Il comparativo di maggioranza può essere preceduto da uno di questi avverbi per modularne l'intensità:

much/a lot of/far + **comparativo** significano **molto più**

We are going to Madrid by car. It's **much cheaper**! Andremo a Madrid in auto. È molto più economico!
Travelling by plane is **far more expensive**. Viaggiare in aereo è molto più costoso.

a little/a bit/a little more + **comparativo** significano **poco più**

My suitcase is a **little heavier** than yours. La mia valigia è un po' più pesante della tua.
Paul is **a bit taller** than John. Paul è un po' più alto di John.

comparativo + ***and*** **+ comparativo** significa **sempre più**

It's getting **colder and colder.** Sta diventando sempre più freddo.

It's getting **more and more difficult** to find a car park in the city centre. Sta diventando sempre più difficile trovare un parcheggio nel centro città.

the* + comparativo + *the significa **quanto più/tanto più**

The sooner you leave, **the** sooner you will arrive. Quanto prima parti, tanto prima arriverai.
The sooner, the better! Prima è, meglio è.

2. MINORANZA

Per formare il comparativo di minoranza degli aggettivi si deve seguire lo schema seguente:

LESS + AGGETTIVO

Il **secondo termine** di paragone, invece, è sempre introdotto da *THAN*.

John is **less tall than** Paul. John è meno alto di Paul.
Sarah is **less beautiful than** I (am). Sarah è meno bella di me.

Come per il comparativo di maggioranza, anche il comparativo di minoranza può essere preceduto da un avverbio per modularne l'intensità:

John is a **little less** tall than Paul. John è un po' meno alto di Paul.
Travelling by train is **far less** expensive than travelling by plane. Viaggiare in treno è molto meno caro che viaggiare in aereo.

3. UGUAGLIANZA

Per formare il comparativo di uguaglianza degli aggettivi si deve seguire lo schema seguente:

AS + AGGETTIVO + *AS*

Il **secondo termine*** di paragone, in questo caso, è introdotto dal secondo *AS*.

Mary is **as tall as** Susan. Mary è alta quanto Susan.

This cake is **not as good as** the cake my grandmother makes. Questa torta non è tanto buona quanto la torta che fa mia nonna.

* Quando il secondo termine di paragone è un pronome personale, si utilizza il **pronome personale soggetto**:
He is as tall as I, YOU, S/HE, THEY.
Sarah is **as** beautiful as I (am).

In inglese si preferisce usare il comparativo di uguaglianza nelle frasi negative, piuttosto che il comparativo di minoranza:

John isn't as tall as Paul piuttosto che John is less tall than Paul.

EVEN

Un altro punto importante per il comparativo è EVEN.
In italiano equivale ad «ancor più».

Jenny è ancora più bella di Jane! Jenny is even more beautiful than Jane!

L'Inter è ancora più forte del Bari! Inter is even stronger than Bari!

L'Inghilterra è ancora più fredda dell'Italia. England is even colder than Italy.

leopard	leopardo
pig	maiale
elephant	elefante
snail	lumaca
bee	ape
lion	leone
horse	cavallo
bat	pipistrello
camel	cammello
feather	piuma
fast	veloce
busy	preso/impegnato
dangerous	pericoloso
blind	cieco
light	leggero

Mettiti alla prova: hai davvero capito? Traduci queste frasi!

ESERCIZIO n. 49

1. Lui è veloce quanto un leopardo. ....
2. Lui è grasso come un maiale. ....
3. Sono grosso quanto un elefante. ....
4. Lei è lenta quanto una lumaca. ....
5. Lei è presa come un ape. ....
6. Sono pericoloso quanto un leone. ....
7. Lui mangia tanto quanto un cavallo. ....
8. Lui è cieco come un pipistrello. ....
9. Lei è ancora più leggera di una piuma. ....
10. Un leone mangia ancora più di un cammello. ....

AS or LIKE

Quante volte gli studenti mi chiedono la differenza tra questi due modi di dire «come»!? *AS*, in effetti, è usato per fare il comparitivo, ma anche *LIKE* è usato con lo stesso significato. Confuso? Anch'io! Vediamo gli utilizzi diversi…

***AS* + SOSTANTIVO** nel ruolo di/con la funzione di

I work as a teacher at the English school. Lavoro come insegnante presso la scuola inglese.
I use my bedroom as a studio. Uso la mia camera da letto come uno studio.

***LIKE* + SOSTANTIVO o PRONOME** per fare un confronto.

He eats like a pig. Mangia come un maiale.
She dances like an elephant. Balla come un elefante.

ESERCIZIO n. 50

1. Mike is working in London ____ a policeman.
2. He looks ____ a gorilla.
3. ____ you know, I have no money.
4. She sees me ____ a bank!
5. He drinks ____ a fish!
6. I love him ____ a friend, only ____ a friend!
7. You are ____ a brother to me.
8. You are ____ stupid ____ me.
9. He plays football ____ a girl!
10. She's working ____ a waitress.

SUPERLATIVE 1.3.5

Esistono due forme di superlativo: **assoluto** (Marco è altissimo)
relativo (Marco è il più alto della sua classe)

1. ASSOLUTO

Ecco, innanzitutto, come si forma:

***VERY*, *EXTREMELY* e *REALLY* + AGGETTIVO**

Mark is very tall. Marco è altissimo/molto alto.
This book is very interesting. Questo libro è molto interessante/interessantissimo.
That girl is really beautiful. Quella ragazza è bellissima/molto bella.

Alcuni aggettivi hanno già un significato superlativo e, con questi, si usano gli avverbi *very* ed *extremely*, ma anche *absolutely* e *really* (che sono meno formali). Vediamone alcuni:

freezing	freddissimo
wonderful	meraviglioso
fantastic	fantastico
marvellous	meraviglioso
perfect	perfetto
essential	essenziale
enormous	enorme
delicious	delizioso
awful	orribile

This cake is **absolutely** delicious! Questa torta è assolutamente deliziosa!
It's **really** freezing, today. È davvero freddissimo oggi.

2. RELATIVO

Per formare il superlativo relativo si devono seguire le indicazioni che riassumo di seguito.

SUPERLATIVE

Aggettivi monosillabici

AGGETTIVO -EST
tall/tall**est** (alto/più alto)

Casi particolari:

1_Gli aggettivi che terminano per **-E** aggiungono solo la **-ST**
nic**e**/nic**est** (carino/il più carino)

2_Gli aggettivi monosillabici o bisillabici che terminano per **-Y** cambiano la **Y** in **I** e aggiungono **-EST**
happ**y**/happ**iest** (felice/il più felice)

Aggettivi con più di 2 sillabe

MOST **+ AGGETTIVO***
interesting/**most** interesting (interessante/il più interessante)

* Gli aggettivi bisillabici possono avere sia la forma **-EST** che essere preceduti da *MOST*, normalmente: narrow – narrowest/most narrow.

Aggettivi che formano il comparativo/superlativo in modo irregolare

good	better	the best
bad	worse	the worst

I am faster than you, but Michael is the fastest in the world! Io sono più veloce di te, ma Michael è il più veloce del mondo!
She is more beautiful than her sister, but her mother is the most beautiful woman in the city! Lei è più bella di sua sorella, ma sua madre è la più bella donna della città!
You are slower than I (am), but David is the slowest in the class. Tu sei più lento di me, ma David è il più lento della classe.

OLD

old (vecchio)
Questo aggettivo ha due forme di comparativo, e quindi ha anche due forme di superlativo:

older si può usare sempre

My house is older than yours. La mia casa è più vecchia della tua.
He is older than I (am). Lui è più vecchio di me.

elder si usa per paragonare l'età di membri della stessa famiglia

My elder brother is a teacher. Mio fratello maggiore è un insegnante.

oldest si può usare sempre

This is the oldest building in the town. Questo è l'edificio più vecchio della città.
Carl is the oldest sailor on the ship. Carl è il marinaio più vecchio sulla nave.

eldest si usa per paragonare l'età di membri della stessa famiglia

She is the eldest daughter. È la figlia maggiore.

Ora è proprio il momento di un bel quiz. Devi capire quale delle 4 possibilità che ti propongo è quella giusta in questa *multiple choice*!

SUPERLATIVE

ESERCIZIO n. 51

1. Qual è il comparitivo di *hot*?
hoter
hotter
hotest
hottest

2. Qual è il superlativo di *deep*?
deeper
deepper
deepest
deeppest

3. Qual è il comparitivo di *lively*?
livelyer
more livelyer
livelier
more livelier

4. Qual è il comparitivo di *sad*?
sader
sadder
sadier
saddier

5. Qual è il superlativo di *ugly*?
uglier
uggliest
uglyest
ugliest

6. Qual è il superlativo di *small*?
smallier
smaller
smalliest
smallest

7. Qual è il superlativo di *unpleasant*?
unpleasant
most unpleasant
more unpleasant
unpleasantest

8. Qual è il comparitivo di *destructive*?
destructiver
more destructive
destructivier
more destructivier

9. Qual è il superlativo di *soft*?
softest
softiest
softtest
most soft

10. Qual è il comparitivo di *heat*?
heater
heatter
heatier
hetter
nessuno di questi

SUPERLATIVE

Ora, con tutti i comparativi e i superlativi, è il caso di tradurre una bella lettera, per farlo serviranno anche gli aggettivi imparati prima.
La lettera che propongo parla del caso del signor Jones, che ha sempre desiderato comprare un cane da guardia per la sua fattoria, ma ogni giorno arrivava un cane che non andava bene e nella sua lettera spiega il perché.

Per questo esercizio **è importante sapere che** se in una frase inglese qualcosa o qualcuno è arrivato (*to arrive*) questo va messo alla fine, anche se in italiano viene messo all'inizio della frase... perché ti devi sempre ricordare che la struttura della frase inglese è SOGGETTO + VERBO + COMPLEMENTO.

ESERCIZIO n. 52

Caro Signor Smith,

Lunedi è arrivato un cane bianco, grasso e lento.
Martedi è arrivato un cane più grasso e più lento del primo.
Mercoledi è arrivato il cane più grasso e più lento di tutti.
Giovedi è arrivato un cane magro, nero, lento e stupido.
Venerdi è arrivato un cane più stupido di quello di giovedì e più grasso di quello di mercoledì.
Sabato è arrivato il peggior cane del mondo. Un cane di nome Lucky con una gamba di legno e un occhio di vetro rotto.

Rivoglio i miei soldi!
Signor Jones

SOME and ANY

Sono i partitivi inglesi. Si chiamano così perchè traducono «alcuni», «dei», «qualche», quindi una parte di un qualcosa.

SOME si usa nelle frasi affermative o nelle interrogative dove sai già, o ne hai la sensazione, che la risposta sia affermativa.

ANY invece si usa nelle negative e interrogative.

Cito anche *A LITTLE* (un poco di) e *A FEW* (alcuni, qualche) come possibili alternative.

I have some friends.	Ho alcuni amici.
I haven't any friends.	Non ho alcun amico.
Are there any shells on the beach?	C'è qualche conchiglia sulla spiaggia?
Is there any air in the ball?	C'è dell'aria nel pallone?
I have little time.	Ho poco tempo.
I have a little time.	Ho un po' di tempo.
I have few records.	Ho pochi dischi.
I have a few records.	Ho qualche disco.

THE HUMAN BODY AND THE FIVE SENSES 1.3.6

Per cominciare cercherò di fare una carrellata di tutte le parti del corpo: conoscerle si rivelerà certamente fondamentale, prima o poi...

head	testa
face	faccia
neck	collo
arm	braccio
chest	petto
breasts	seno
belly	pancia
back	schiena
hand	mano
finger	dito
thumb	pollice
palm	palmo
leg	gamba
knee	ginocchio
foot	piede

Non posso completamente ignorare le parti intime: se dovesse succedere qualcosa all'estero certamente chiunque preferirebbe sapere come indicarlo al farmacista o al medico. Ho trovato un modo più carino, e comunque molto usato da noi inglesi, per indicarle:

private parts	parti private
buttocks	chiappe
bottom	sedere
genitals	genitali

È altrettanto importante sapere come esprimere il **dolore**. Quando una parte del corpo fa male, in inglese si costruisce la frase indicando prima "la parte" e aggiungendo poi il verbo ***to hurt*** (fare male).

My eyes hurt.	Mi fanno male gli occhi.
My legs hurt.	Mi fanno male le gambe.
My head hurts.	Mi fa male la testa.
His back hurts.	A lui fa male la schiena.
Her belly hurts.	A lei fa male la pancia.

THE HUMAN BODY **AND THE FIVE SENSES**

Adesso facciamo una bella cosa: abbiniamo le parti più importanti del corpo (è fondamentale capire come sei fatto, se ti trovi a dover parlare di te!) con i verbi importantissimi connessi a ciascuna di esse.
Propongo questo abbinamento in quanto molti dei principali verbi utilizzati in inglese sono collegati a una parte del corpo, e visualizzare questi legami aiuta a ricordare. È più facile per il cervello avere delle immagini da memorizzare.

1. THE HEAD

Partiamo, dall'alto, dalla TESTA. Innanzitutto, ci sono i capelli (se ci sono!!).

A differenza dell'italiano, i capelli non sono numerabili quindi che tu ne abbia tanti o pochi sono sempre *HAIR*.
(Attenzione a pronunciare l'"H", perché se non la pronunci e dici "air" stai dicendo «aria», quindi se chiedi: *«Please, cut my (h)air!»* (tagliami l'aria)... rischi parecchio, direi!).
HAIR è una parola molto usata in inglese. Noi la usiamo per tutti i peli, aggiungendo poi la parte del corpo in questione (*arm hair, chest hair, leg hair*).

eye/eyes	occhio/occhi
nose	naso
mouth	bocca
chin	mento
ear/ears	orecchio/orecchie
cheek/cheeks	guancia/guance

2. THE EYES

E adesso tocca agli OCCHI. Quante cose possono fare gli occhi? Beh, prima di tutto, collegato agli occhi c'è uno dei 5 sensi.

The sense of sight (la vista)

vedere
to see-saw-seen

Ricorda che in inglese, quando si usa il verbo vedere, si preferisce dire *«I can see»* piuttosto che *«I see»:*

I can see you! Can you see me?
Can't you see me? I can't see you!

guardare
to look-looked-looked
to watch-watched-watched

Si usa *look (at)* per mettere l'attenzione sull'aspetto fisico di qualcuno o qualcosa (*at* è come una freccia che si deve usare quando si indica che cosa si guarda).

Si usa *watch* per mettere invece l'attenzione sull'azione che qualcuno o qualcosa sta compiendo.

Tom, look at that dog!
Tu vuoi che Tom guardi come è fatto il cane fisicamente, la razza, il colore…

Tom, watch that dog!
Tu vuoi che Tom guardi quello che sta facendo il cane, tipo salta, balla, canta al karaoke…

Tim: What are you looking **at**?
Tom: I am looking **at** the photo.
Julie: What are you watching?
Sarah: I am watching a sad film.

La differenza tra guardare e vedere è che vedere è involontario. Se un scozzese si alza la gonna davanti a te, tu lo vedi ma non è volontario (spero!?). Invece, se lo guardi vuol dire che hai bevuto più di lui!

3. THE NOSE

E adesso il NASO, che come gli occhi, è collegato a uno dei 5 sensi.

The sense of smell (l'olfatto)

odorare/annusare
to smell-smelled-smelled

I can smell coffee. Can you smell coffee?
Can't you smell coffee? I can't smell coffee.

Ora, ecco un altro gioiello della nostra lingua: *to smell* (verbo) è «annusare», ma *smell* (sostantivo) vuol dire «odore». Come sostantivo è neutro finché non aggiungi un aggettivo, quindi potrai avere un buon profumo, a *good smell* oppure una puzza, a *bad smell*.

4. THE EARS

E adesso le ORECCHIE, anch'esse collegate a uno dei 5 sensi.

The sense of hearing (l'udito)

sentire/udire
to hear-heard-heard

I can hear the traffic. Can you hear the traffic?
Can't you hear the traffic? I can't hear the traffic.

ascoltare
to listen-listened-listened

Come con *to see* e *to look*, anche tra sentire e ascoltare la differenza è che *to hear* è involontario, mentre *to listen* è volontario.

Se sento il cantante che più odio alla radio, per quei tre secondi in cui riesco a cambiare frequenza, io lo devo sentire per forza. Se invece sento il mio preferito io lo ascolto volentieri... uso *to listen*.
Ancora, esattamente come nel caso di *look (at)*, *to listen* ha una freccia: quando si vuole o deve indicare che cosa si ascolta, si usa *to*.

Don't listen **to** him, listen **to** me! Non ascoltare lui, ascolta me!

5. THE MOUTH

E adesso la BOCCA, che prende parte a un'attività davvero fondamentale:

respirare
to breathe-breathed-breathed

E anche la bocca, grazie alla lingua, è collegata a uno dei 5 sensi.

The sense of taste (il gusto)

assaporare/sentire/gustare
to taste-tasted-tasted

I can taste salt in this soup. Can you taste salt in this soup?
Can't you taste salt in this soup? I can't taste salt in this soup.

6. "THE VOICE"

Ancora, collegata alla bocca ci sarebbe la VOCE, che non è una vera e propria parte del corpo, ma ha delle funzioni talmente fondamentali da meritare proprio un capitoletto tutto dedicato a sé.

Vediamo che cosa si può fare con la voce:

parlare
to talk-talked-talked
to speak-spoke-spoken

Questi due verbi sono più o meno intercambiabili, ma *to speak* è più formale.

dire
to say-said-said
to tell-told-told

To say è più generale, utilizzato per discorsi e conversazioni, mentre *to tell* è riferito a un'azione "a senso unico", cioè si usa espressamente come sinonimo per «raccontare, dare istruzioni e informare».

To say ha una di quelle famose frecce, il *to*, che serve per indicare a chi si sta dicendo una cosa.

What did she say **to** him? oppure What did she tell him?

gridare
to shout-shouted-shouted

"STOP SHOUTING!" I shouted.

urlare
to scream-screamed-screamed

All the girls were screaming, when they saw John Peter Sloan (in my dreams!).

sussurrare
to whisper-whispered-whispered

«I love you!» the postman whispered into my wife's ear.

cantare
to sing-sang-sung

«I only sing in the shower» said Tommy. «So you don't sing very often!» I said.

7. THE FIFTH SENSE

Ora manca proprio solo il quinto senso:

The sense of touch (il tatto)

toccare
to touch-touched-touched

I can touch the sky. Can you touch the sky? (In realtà solo gente che fuma speciali sigarette può fare questo!)
Can't you touch the sky? I can't touch the sky.

Come in italiano, *to be touched* (essere toccato) si riferisce anche alla sfera emotiva, e quindi si può «essere toccati sentimentalmente».

You remembered my birthday! (ma quando mai?!) I am touched!
I heard Moggi on the radio defending his actions and I was touched.
Your book is very touching.

spingere
to push-pushed-pushed

tirare
to pull-pulled-pulled

sentire
to feel-felt-felt

sentire con le mani: to feel
sentire sentimentalmente: to feel
sentire col naso/annusare: to smell
sentire con le orecchie: to hear

I can feel something on my chest! Is it a spider? Aaaghhrr!
I feel love for you.
I feel loved/bad/cold/good.

driver (draiver)	guidatore
suddenly (sadenli)	improvvisamente
dark (dark)	buio
high volume (hai voliuum)	volume alto
back door (bak doo)	la porta sul retro
turned on	acceso
turned off	spento

VERBS

to want (uont)	volere
to happen (happen)	succedere
to decide (desaid)	decidere
to die (dai)	morire
to turn on (tern on)	accendere
to turn off (tern off)	spegnere

OK! Ora c'è da prendere un bel caffè e fare respiri profondi, perché si comincia con degli esercizi più seri: la storiella da tradurre ora contiene (soprattutto) verbi legati al corpo e preposizioni. Attenzione: la storia fa molta paura, quindi, se hai problemi di cuore non rischiare! *Let's go!*

ESERCIZIO n. 53

Ieri sera alle 7.30 ero in un taxi con mia moglie.
Io ero seduto dietro al guidatore e stavo guardando le foto della casa nuova mentre mia moglie ascoltava la radio. Il guidatore parlava con noi ma non sentivo cosa diceva. Da dietro ho visto che il guidatore aveva capelli lunghi e neri e orecchie grosse. Improvvisamente ho sentito un urlo e ho toccato il braccio di mia moglie. Volevo vedere cosa era successo quindi ho detto (istruzione) al taxista di fermarsi. Sono andato verso la casa, ma mia moglie non ha voluto venire con me. Quando ero fuori della casa non vedevo niente, quindi sono andato dentro il giardino per vedere meglio. Attraverso la finestra non vedevo niente perché era tutto buio, quindi ho deciso di andare dietro la casa. Sono entrato attraverso la porta sul retro. Dentro la casa ho sentito qualcuno sussurrare. Volevo correre via ma ero troppo curioso. Dopo 5 minuti ho sentito qualcuno gridare: «Via! via di qua!» Volevo morire. Lentamente, ho camminato dentro il soggiorno e ho visto tutto. Era una TV accesa con volume al massimo con una donna vecchia che dormiva davanti!

NO

Traduce NIENTE, NESSUNO e si usa sia con i nomi singolari che plurali. Attenzione, perché *NO* di per sé esprime qualcosa di negativo, pertanto nella costruzione della frase non può esserci un'altra negazione. Intendo dire che il verbo deve essere affermativo.

I have no friends.	Non ho amici.
I have no money.	Non ho soldi.
We have no solution.	Non abbiamo soluzione.
Mark has no chance with Lucy.	Mark non ha possibilità con Lucy.
They have no idea about me.	Non hanno alcuna idea riguardo a me.

STEP **4**

PRESENT **PERFECT** 1.4.1

Questo tempo verbale traduce il passato prossimo in italiano (io ho mangiato, ho fatto... io sono andato, tornato...), in teoria!? Perché ascoltando gli italiani ho notato che "io ho mangiato" viene usato anche come passato prossimo o remoto, riferito ad azioni già concluse.

Pino: Cosa hai fatto questa mattina?
Gianni: Niente, ho mangiato a casa poi ho preso la macchina (azioni concluse).

In inglese, se usi il ***present perfect*** non puoi dire quando è successo l'evento nel passato. Sarebbe un errore dire *I have seen your mother yesterday* perché in questo caso l'azione è conclusa, quindi ci vuole il ***simple past***: *I saw your mother yesterday.*
Il ***present perfect***, per noi inglesi, è il tempo verbale che esprime il concetto generale di un'azione che, pur essendosi svolta nel passato, un giorno o anche cinque minuti fa, ha ancora molta importanza nel presente.

I **have seen** your mother; she is beautiful!
I **have broken** my leg; I can't come to play football.

In questo secondo esempio, il fatto che chi parla si sia rotto la gamba nel passato non è la cosa più importante; la cosa più importante è che non può giocare **adesso**.

Cominciamo, ora che abbiamo visto i suoi principali usi, a vedere nel dettaglio come si costruisce una frase con il *present perfect*, considerando che lo si fa utilizzando l'ausiliare *TO HAVE* seguito dal participio passato del verbo (nella "catena" è la terza forma del verbo!).

LA FRASE AFFERMATIVA è così strutturata:

soggetto + *to have* + participio passato del verbo + complemento

I have eaten an apple. Ho mangiato una mela.

simple past: I ate an apple.

LA FRASE NEGATIVA è così strutturata:

soggetto + *to have* + *not* + participio passato del verbo + complemento

I haven't eaten an apple. Non ho mangiato una mela.
simple past: I didn't eat an apple.

PRESENT **PERFECT**

La FRASE INTERROGATIVA è così strutturata:

to have + soggetto + participio passato del verbo + complemento

Have you eaten an apple? Hai mangiato una mela?

simple past: Did you eat an apple?

La FRASE INTERROGATIVA NEGATIVA è così strutturata:

to have + *not* + soggetto + participio passato del verbo + complemento

Haven't you eaten an apple? Non hai mangiato una mela?

simple past: Didn't you eat an apple?

Vediamo qualche esempio, per chiarirti un po' le idee...

This morning, **I bought** (simple past) a watch. Questa mattina ho comprato un orologio.

I have bought (present perfect) a watch; do you like it? Ho comprato un orologio, ti piace? (In questo caso, si usa il present perfect perché non importa quando è stato acquistato l'orologio, ma importa l'opinione della persona con cui si sta parlando, che deve dichiarare se l'orologio le piace ADESSO!)

I **broke** (simple past) Jake's PC last week. Ho rotto il pc di Jake la settimana scorsa.

I **have broken** (present perfect) Jake's PC! Ho rotto il PC di Jake! (sottointesa a questa frase realizzata utilizzando il *present perfect* c'è un'altra domanda: "Cosa faccio, ADESSO?").

Io che sono inglese ho un cervello che decide automaticamente se una cosa accaduta in passato è importante solo "prima", quando è successa, o se è più importante la conseguenza di quell'azione ORA, nel presente. Il cervello italiano non decide automaticamente come il mio, ed è per questo che gli italiani fanno una gran fatica a comprendere e utilizzare questo tempo in inglese. Purtroppo l'unico modo per impararlo bene è USARLO il più possibile finchè non ti sarai abituato!

PRESENT PERFECT CONTINUOUS 1.4.2

Questo tempo verbale è usato per esprimere un'azione che è cominciata in passato, ma continua nel presente.

La FRASE AFFERMATIVA è così strutturata:

soggetto + *has/have* + *been* + gerundio (verbo + *-ing*)

I **have**/I'**ve been working** here for two years.
You **have**/You'**ve been working** here for two years.
Have you **been working** here for two years?
You **have not/haven't been working** here for two years.

FOR and SINCE

Per esprimere con il *present perfect continuous* da quanto tempo si sta facendo o si fa una cosa, e quindi per esprimere la durata dell'azione, si ha una scelta:

SINCE si usa quando è espresso il momento di inizio di un'azione.
FOR si usa quando è espressa la durata dell'azione.

Supponiamo che lavori per la tua ditta da vent'anni, guardiamo i due modi per dirlo:

Q: How long* have you been working for Teleboh?
A: I have been working for Teleboh for 20 years. (Ci sto lavorando da vent'anni.)
oppure
A: I have been working for Teleboh since 1989. (Ci sto lavorando dal 1989.)

* La frase interrogativa è sempre introdotta da how long? (da quanto tempo?).

Ultimamente io e mia moglie siamo andati da un "professionista" per sistemare un po' le cose.

Doctor: So, you have been having problems lately, right? Quindi, ultimamente avete dei problemi, è corretto?
Wife: Yes, we both have the same problem, I and he. Sì, abbiamo lo stesso problema, io e lui.
D: What is it? Di che cosa si tratta?
W: He! Lui!
John: See? I have been tolerating these things for ten years! I have been waiting for a little respect since I met her, but nothing! Vede? Tollero queste cose da dieci anni! Ho aspettato di avere un po' di rispetto da quando la conosco, ma niente!
D: What is the problem, madam? Qual è il problema, signora?
W: The problem is that he always puts me in his stupid tales for his students, what a bad impression! Il problema è che lui mi mette sempre nelle sue storielle stupide per i suoi studenti, che brutta figura!
D: I have been seeing couples since 1977, but I have never seen a couple like you! Io vedo le coppie dal 1977, ma non ho mai visto (*present perfect*) una coppia come voi!

LATELY and RECENTLY

Un altro caso in cui si ricorre al *present perfect continuous* per esprimere azioni più generali è quello in cui si usa questo tempo verbale accompagnandolo con *lately* (ultimamente) o *recently* (recentemente).

I haven't been feeling well, lately. Non mi sento bene ultimamente.
She hasn't been working, lately. Non ha lavorato ultimamente.
She hasn't been studying, recently. Non ha studiato recentemente.
He hasn't been calling, recently. Non ha chiamato recentemente.

PRESENT **PERFECT CONTINUOUS**

tired	stanco
all day	tutto il giorno
builders	muratori
VERBS	
to clean	pulire
to watch	guardare
to want	volere
to disturb	disturbare
to think	pensare
to build	costruire

Adesso traduciamo qualche discorso.

ESERCIZIO n. 54

1.

John: Amore, sei stanca, come mai? ....

Wife: Perché ho pulito tutto il giorno. ....

John: Lo so, ti ho guardato tutto il giorno. ....

Wife: Mi stai guardando da tutto il giorno? Perché non mi hai aiutato? ....

....

John: Perché non volevo disturbarti! ....

2.

John: Da quando stanno costruendo quella casa? ....

Liam: Stanno lavorando da due anni. ....

John: Ma ha piovuto fino a ora? ....

Liam: No, il problema è che ci sono solo due muratori! ....

PAST **PERFECT** 1.4.3

Anche il *present perfect* ha il suo passato, che in italiano traduce il trapassato prossimo (avevo mangiato, bevuto, dormito...): per te che sei italiano questo tempo è facile, perché è identico a quello che usi. Io lo chiamo il "passato nel passato". Segue le stesse regole spiegate per il *present perfect*, ma essendo passato, il verbo *TO HAVE* sarà al passato:

I had already seen the film. Avevo già visto il film.
I was tired because I had worked a lot that week. Ero stanco perché avevo lavorato molto quella settimana.
I left the restaurant because I had eaten enough. Sono andato via dal ristorante perché avevo mangiato abbastanza.

ANCORA

Per tradurre "ancora" in inglese ci sono tre differenti espressioni: *again*, *still* e *yet*. Vediamole una per una, per comprendere le caratteristiche di ciascuna.

Again
Significa «**ancora/di nuovo**» e sta a indicare un'azione ripetuta.

I called her at 10. Then I called her again at 11. Then again at 12. L'ho chiamata alle 10, poi di nuovo alle 11, poi di nuovo alle 12.
(Chi parla ha chiamato 3 volte e ogni volta c'è stata un'interruzione tra un'azione e l'altra.)

Still
Significa «**ancora**», ma si riferisce ad azioni senza interruzione.

Supponiamo che lasci il tuo amico al pub alle 20. Torni di nuovo alle 24 (you come back again at 12 P.M.) e lui è ancora lì. Lui è rimasto lì, quindi non c'è nessuna ripetizione. Non c'è nessuna interruzione e per questo si usa still.
Are you still here? Sei ancora qui?
After 40 years, Franco Baresi was still playing! Dopo 40 anni Franco Baresi giocava ancora!

Yet
Significa «**non ancora**»... e ora, prima di spiegarti quanto c'entra con il *present perfect*, fai attenzione alla posizione di *yet*, che va quasi sempre alla fine della frase, e si usa esclusivamente nelle frasi negative.

I have seen your new car. Ho visto la tua macchina nuova.
I have not seen your new car, yet. Non ho ancora visto la tua macchina nuova.

Has Mike arrived? È arrivato Mike?
Not yet. Non ancora.

Have they paid you? Ti hanno pagato?
No, they haven't paid me, yet. No, non mi hanno ancora pagato.

I haven't cleaned the room, yet! Non ho ancora pulito la camera!

Ora completa le frasi sotto utilizzando again, still o yet!

ESERCIZIO n. 55

1. I will read the book, but I haven't had time, ____.
2. Do you want to go out with me, ____?
3. He is ____ watching tv!
4. They are ____ winning! In 20 minutes, the game will be finished.
5. You broke your leg, ___?!
6. I loved Paris; I want to go, _____.
7. Do you ____ love me?
8. I don't know what I want to do, ____.
9. Sorry! The book hasn't arrived, ____.
10. Can you take me to work, _____? I am on foot.
11. You ____ don't know who I am, do you?
12. I ____ love you.
13. You're in love? But you haven't seen her, ____!
14. Oh my God! Birmingham City won the Champions, ___!

VERBI **MODALI** 1.4.4

Non tutto nella vita è sicuro. I verbi modali servono per esprimere un'ipotesi, la possibilità o meno che una cosa o un'azione accada. Aiutano a misurare le certezze. Funzionano normalmente come verbi ausiliari e sono una classe ristretta di verbi.
I verbi modali sono uguali per tutte le persone e il verbo all'infinito che li segue non è mai preceduto dal *TO*. (Ricordati fin da subito che in *could*, *would* e *should* non si pronuncia mai la "L".)

1. **CAN/COULD/BE ABLE TO**

Passato: Could
Presente: Can
Futuro: Will be able to

La FRASE AFFERMATIVA è strutturata come una normale frase:

soggetto + verbo modale + verbo infinito (senza *to*) + complemento

I can go to the cinema. Posso andare al cinema.

La FRASE NEGATIVA è strutturata come una normale frase negativa:

soggetto+verbo modale+*not*+verbo infinito (senza *to*)+complemento

I cannot/can't go to the cinema. Non posso andare al cinema.

La FRASE INTERROGATIVA è strutturata normalmente, con l'inversione tra verbo e soggetto:

verbo modale + soggetto + verbo infinito (senza *to*) + complemento

Can I go to the cinema? Posso andare al cinema?

La FRASE INTERROGATIVA NEGATIVA è strutturata come un'interrogativa affermativa, con lo stesso verbo modale in forma negativa:

verbo modale+*not*+soggetto+verbo infinito (senza *to*)+complemento

Can't I go to the cinema? Non posso andare al cinema?

VERBI **MODALI**

CAN è fondamentale, ma lo sento spesso usato in maniera sbagliata. I suoi significati sono tre, ma prima di analizzarli attentamente li riepilogo brevemente.

I CAN A. io **posso** (ho il permesso, ho l'autorità di fare qualcosa)
I can open the window. (Ho il permesso dell'insegnante.)

B. io **riesco*** (sono in grado di fare una cosa)
I can open the window. (La finestra è in alto, ma io ci arrivo.)

C. io **so** (un'abilità che ho)
I can speak Chinese. (L'ho studiata: conosco la lingua.)

* Invece di dire *I can* per «io riesco» sento spesso *I am able to.* Noi inglesi non usiamo questa forma, che fa più riferimento a un'impossibilità fisica o mentale. Noi inglesi usiamo *will be able to* solo al futuro: ricordalo!

A. avere il permesso di

CAN present
I can kiss my wife. (Ho il permesso di farlo, non che c'è la fila! Ah ah ah!)
My wife can't drive my car. (Non permetto MAI a mia moglie di guidare la MIA macchina!)

Wife: Can I watch Amici on tv, tonight?
John: Yes, if I can watch Inter vs Milan, tomorrow.
Wife: Can I drink your last beer?
John: Are you crazy? NO!

COULD past
When Lisa was my woman, I could kiss her. (Quando Lisa era la mia donna, avevo il permesso di baciarla, ora non più, purtroppo!)
When he worked in the bar, could he drink beer for free? (Quando lavorava al bar, aveva il permesso di bere birra gratis? Direi di no, altrimenti perché avrebbe lasciato il lavoro?)

WILL BE ABLE TO future
Per la formazione delle frasi al futuro, bisogna considerare *WILL BE ABLE TO* come un unico blocco.

Per la negazione usa l *will not* (*won't* forma contratta).

I will be able to work in the hospital as a doctor after I graduate. Avrò il permesso di lavorare in ospedale come dottore dopo la laurea.
Will she be able to drive her father's car when she passes her test? Avrà il permesso di guidare la macchina di suo padre quando passerà l'esame?

B. riuscire/essere in grado di ...

CAN present
I can arrive at seven. Riesco ad arrivare alle sette.
They can see into the future. Loro riescono a vedere il futuro.

Wife: Can you sort out the broken water pump?
John: Can't you do it? I'm watching a film.
Wife: I can't do it!
John: I haven't got the tools. I can't do it without tools. Call the plumber.
Wife: Is the film good?
John: I don't know; I can't hear it!

COULD past
She could help me with my homework. Riusciva ad aiutarmi con i miei compiti.
Could you run for twenty miles when you were young? Riuscivi a correre per venti miglia quando eri giovane?
I couldn't work, when I was in hospital. Non riuscivo a lavorare quando ero in ospedale.

WILL BE ABLE TO future
I will be able to walk better, after the operation. Riuscirò a camminare meglio dopo l'intervento.
I will be able to pay you, when I get my money. Sarò in grado di pagarti quando ricevo i soldi.

C. avere la capacità di

CAN present
I can speak English, but only when I'm drunk. So parlare inglese, ma solo quando sono ubriaco.
I can swim and cook. So nuotare e cucinare.

Wife: I can't drive because I have had too much whisky.
John: No, my dear, you can't drive, period*!
Wife: Ok, but I can cook.
John: That is a question of opinion.

* period, in questo contesto, significa «(punto) e basta!».

COULD past
I could speak English, when I was a child. Sapevo parlare inglese quando ero un bambino.
Could you ride a bike, when you were a child? Sapevi andare in bicicletta quando eri un bambino?

WILL BE ABLE TO future
My son will be able to swim. Mio figlio saprà nuotare.
I will be able to speak French well, after ten years in Paris. Saprò parlare bene in francese dopo dieci anni a Parigi.

Ora è il momento di un bellissimo gioco. Devi indovinare quale can (avere il permesso/avere la capacità/riuscire) è stato inserito nei prossimi esempi, così come ti mostro ora:
I passed my driving test, I can take you home, now (permesso).

ESERCIZIO n. 56

1. I can sleep in my bed.
2. I can read and write.
3. You can't enter without authorization.
4. Can you see the mountain from here?
5. We can't go to Japan without a passport.
6. She can run 10 kilometers in 20 minutes!
7. She can dance.
8. I can't assemble this new tent.
9. They can sing well.
10. How can you run so fast?

VERBI **MODALI**

music	musica
jealous	gelosa
envy	invidia
in	tra
school	scuola
maybe	forse/magari
VERBS	
to listen (to)	ascoltare
to dance	ballare
to pay	pagare
to know	sapere
to live	abitare/vivere

ESERCIZIO n. 57

1. Io non riesco ad aiutarti, ma magari James può. ....
   ....
2. Puoi venire con noi? ....
3. Non posso ascoltare questa musica! ....
4. Ma tu sai ballare? ....
5. Non posso parlare con te, mia moglie è gelosa, anche se ti invidia tuo marito.
   ....
6. Potrò pagarti tra cinquant'anni. ....
7. Sapevo il cinese quando ero un bambino, perché abitavamo in Cina. ....
   ....
   ....
8. Lei potrà portarti a scuola quando avrà la macchina. ....
   ....
9. Possiamo parlare domani? ....
10. Posso perché è mio! ....

2. COULD/COULD HAVE

Ora comincia la parte che può confondere, perché *COULD*, oltre a essere il passato di *CAN*, prende un nuovo ruolo quando è usato nel condizionale.

Il **CONDIZIONALE PRESENTE** del verbo POTERE (CAN) è:

io potrei	I COULD
tu potresti	you COULD
lei/lui/esso potrebbe	she/he/it COULD
noi potremmo	we COULD
voi potreste	you COULD
essi potrebbero	they COULD

Could è uguale per tutte le persone ed è seguito dall'infinito del verbo senza il *TO* (i verbi modali non sono MAI seguiti dal *TO*, ricordi?!).

I could go out this evening. Potrei uscire questa sera.
You could ask. Potresti chiedere.
She could help you. Lei potrebbe aiutarti.

Il **CONDIZIONALE PASSATO** del verbo POTERE (CAN) è:

io avrei potuto	I COULD HAVE
tu avresti potuto	you COULD HAVE
lei/lui/esso avrebbe potuto	she/he/it COULD HAVE
noi avremmo potuto	we COULD HAVE
voi avreste potuto	you COULD HAVE
essi avrebbero potuto	they COULD HAVE

Dopo il verbo *COULD* e il verbo *TO HAVE* deve seguire il participio passato del verbo che dà il senso alla frase. Ecco come si forma:

soggetto + *could* + *have* + participio passato

I could have stayed at home this evening. Avrei potuto stare a casa questa sera.
You could have told me. Avresti potuto dirmelo.
She could have helped you. Lei avrebbe potuto aiutarti.
We could have drunk a coffee. Avremmo potuto bere un caffè.

VERBI **MODALI**

La costruzione della frase è sempre uguale:

AFFERMATIVA

I could go to the cinema.

NEGATIVA

I could not/couldn't go to the cinema.

INTERROGATIVA

Could you go to the cinema?

INTERROGATIVA NEGATIVA

Couldn't you go to the cinema?

COULD come possibilità

PUÒ ESSERE

John could be in America. John potrebbe essere in America.

John could have gone to America with you. John avrebbe potuto andare in America con te.

John could go to America with you. John potrebbe andare in America con te.

NON PUÒ ESSERE

Mary couldn't be at home now. Mary non può essere a casa ora.

Mary couldn't have been at home. Mary non avrebbe potuto essere a casa.

Mary couldn't possibly stay at home this evening. Mary non potrebbe stare in casa questa sera.

COULD come condizionale

PUÒ ESSERE

If I had more time, I could travel around the world. Se avessi più tempo, potrei girare il mondo.

If I had had more time, I could have travelled around the world. Se avessi avuto più tempo, avrei potuto girare il mondo.

If I have more time this winter, I could travel around the world. Se avrò più tempo quest'inverno, potrei girare il mondo.

NON PUÒ ESSERE

Even if I had more time, I couldn't travel around the world. Anche se avessi più tempo, non potrei girare il mondo.

VERBI **MODALI**

Even if I had had more time, I couldn't have travelled around the world. Anche se avessi avuto più tempo, non avrei potuto girare il mondo.
Even if I had more time this winter, I couldn't travel around the world. Anche se avessi più tempo quest'inverno, non potrei girare il mondo.

COULD come suggerimento
PUÒ ESSERE
You could have visited London. Avresti potuto visitare Londra.
You could visit London. Potresti visitare Londra.
NON PUÒ ESSERE - NON C'È NEGATIVA!

COULD come richiesta educata
PUÒ ESSERE
Could I have something to drink? Potrei avere qualcosa da bere?
NON PUÒ ESSERE
Couldn't you help me with this homework? Non mi potresti aiutare con questi compiti?

to meet	incontrare
to feel	sentire
to kiss	dare un bacio
to leave	partire

ESERCIZIO n. 58

1. Lei sarà lì, potresti incontrarla per parlare! ....
2. Se non ti senti bene potresti vedere un medico. ....
3. Mi dispiace, avrei potuto essere con te. ....
4. Dai un bacio a Cinzia, potrebbe partire domani. ....
5. Potresti comprarmi un libro? Poi domani ti porto i soldi. ....
6. Se trovo tempo quest'estate potrei venire a Londra. ....
7. Avresti potuto chiamarmi. ....
8. Avrei potuto mangiare con te. ....
9. Se non ti avessi visto, non avrei potuto darti i soldi. (auguri!) ....
10. Se non avessi studiato, non avrei potuto andare all'università. ....

3. WOULD/WOULD HAVE

Would (passato di *to will*) è il verbo che in inglese serve per tradurre il vero e proprio condizionale. A seconda del verbo che si decide di aggiungere, quello diventa condizionale:

VERREI è I would come
ANDREI è I would go
PARLEREI è I would talk
GIOCHEREI è I would play

Would, come *could*, è uguale per tutte le persone ed è seguito dall'infinito del verbo senza il **TO**.

La costruzione della frase è sempre uguale:

AFFERMATIVA
I would go to the cinema.

NEGATIVA
I would not/wouldn't go to the cinema.

INTERROGATIVA
Would you go to the cinema?

INTERROGATIVA NEGATIVA
Wouldn't you go to the cinema?

IL CONDIZIONALE PASSATO del verbo VOLERE (WILL)
Esattamente come per *COULD*, dopo il verbo *WOULD* e il verbo *TO HAVE* segue il participio passato del verbo che dà il senso alla frase. Ecco come si forma:

soggetto + *would* + *have* + participio passato

L'uso più frequente di ***would*** al passato è con la ***if clause***, in modo particolare con il terzo tipo che abbiamo già spiegato.

If I had listened to my mother, I would have become a doctor. Se avessi ascoltato mia madre, sarei diventato un medico.
If I went out with her, I would be happy. Se uscissi con lei sarei felice.

Would you eat a cat? Mangeresti un gatto?
If she had seen all the beer, she would have drunk it! Se lei avesse visto tutta la birra, l'avrebbe bevuta!

Traduci ora le seguenti frasi: ciascuna contiene sia *WOULD* che *COULD*.

ESERCIZIO n. 59

1. Se potessi, andrei via con te. ....
2. Lo farei se potessi. ....
3. Lo faresti se potessi? ....
4. Se potessimo, ti compreremmo la macchina. ....
5. Se potesse, sposerebbe Lucy. ....
6. Se avessi i soldi, comprerei una casa. ....
7. Se potessimo, andremmo a Londra. ....
8. Se potessi venire, sarei contento. ....
9. Se avessi saputo che c'eri avrei potuto comprarti una birra, e l'avrei fatto.
   ....
10. Se avessi saputo che eri a casa sarei venuto a casa tua. ....
   ....

4. SHOULD/SHOULD HAVE

SHOULD si usa per dare un suggerimento o un consiglio. Si usa anche per esprimere un obbligo o un dovere. È un condizionale, ed è uguale per tutte le persone.

io dovrei	I SHOULD
tu dovresti	you SHOULD
lei/lui/esso dovrebbe	she/he/it SHOULD
noi dovremmo	we SHOULD
voi dovreste	you SHOULD
essi dovrebbero	they SHOULD

IL CONDIZIONALE PASSATO
Esattamente come per *COULD* e *WOULD*, dopo il verbo *SHOULD* e il verbo *TO HAVE* deve seguire il participio passato del verbo che dà il senso alla frase. Ecco come si forma:

soggetto + *should* + *have* + participio passato

La costruzione della frase è sempre uguale:

AFFERMATIVA
I should go to the cinema.
You should eat better.

NEGATIVA
I should not/shouldn't go to the cinema.
They shouldn't run in the corridor.

INTERROGATIVA
Should I go to the cinema?
Should they know where you are?

INTERROGATIVA NEGATIVA
Shouldn't I go to the cinema?
Shouldn't you defend me with your mother?

Non far passare altro tempo, esercitati subito…

ESERCIZIO n. 60

Gary: Pensi che dovrei cambiare donna?

Mike: Dovresti essere contento, non ti prenderebbe nessun'altra donna.

Gary: Ma tu non dovresti dire così, sei mio amico!

Mike: Cosa dovrei dire? È vero!

5. **MIGHT/MIGHT HAVE**

Esprime incertezza, *might* traduce proprio quel «forse», «magari» che è ciò che aggiungiamo quando diciamo una cosa di cui non siamo proprio certi.

%

Se si parla di possibilità, è possibile esprimere il grado di probabilità attraverso una percentuale, e cercherò di farlo, per farti capire meglio...

A.
Tom: Where is Joseph?
Sally: I don't know; he could be in his office. Non lo so, potrebbe essere nel suo ufficio.

In questo caso **could** vuole indicare che c'è una buona possibilità che sia nel suo ufficio. **75%** di sicurezza.

B.
Tom: Where is Joseph? (Dov'è Joseph?)
Sally: I don't know, he might be in his office. Non lo so, magari è nel suo ufficio.

In questo caso Sally non sa dove sia Joseph, ma offre un suggerimento. **50%** di sicurezza.

Anche per *MIGHT* vale la stessa regola di formazione della frase che abbiamo visto per *COULD*, *WOULD* e *SHOULD*. Anche *MIGHT* al passato vuole il verbo *TO HAVE* seguito da participio passato.

MIGHT è fondamentale e i suoi significati principali sono due:

A. nel **futuro**
I might buy a dog to protect my new house. Forse compro un cane per proteggere la mia casa nuova.
They might play in the cup, if they continue to play well. Forse giocheranno nella coppa se continuano a giocare bene.

B. nel **presente**
I might be ill. Forse sono malato.
They might be angry. È possibile che siano arrabbiati.

La costruzione della frase NEGATIVA:
It might not rain. Magari non piove.
They might not come, if you are not here. È possibile che non vengano se tu non sei qui.

IL CONDIZIONALE PASSATO
Come i casi precedenti, dopo *MIGHT* e dopo il verbo *TO HAVE* deve seguire il participio passato del verbo che dà il senso alla frase, e si forma così:

soggetto + *might* + *have* + participio passato

I **might have** seen her. Forse l'ho vista.
You **might have** left your keys at the gym. Forse hai lasciato le chiavi in palestra.
If they had played better, they **might have** won. Se avessero giocato meglio, forse avrebbero vinto.

Ora traduci queste frasi. Ti aiuto suggerendoti che ogni frase contiene sia *SHOULD* che *MIGHT*.

ESERCIZIO n. 61

1. Dovresti rimanere a casa questa sera, può darsi che piova. ....
....
2. Avresti dovuto chiamare l'ufficio, magari hanno trovato il tuo telefonino. ....
....
3. Magari sto a casa a vedere il film, dovrebbe essere bello. ....
....
4. Dovrei perdonarla? Magari è meglio. ....
5. Non dovrebbero fare problemi, può darsi che si pentiranno. ....
....

6. **MUST AND HAVE TO**

Entrambi significano «DOVERE», ma si utilizzano in situazioni differenti e con sfumature diverse. Vediamoli uno per volta.

MUST
Si utilizza quando la decisione di fare qualche cosa viene presa da chi parla o l'ordine è impartito da chi parla.

La costruzione della frase è sempre uguale:

AFFERMATIVA
I must go to the cinema.

NEGATIVA
I must not/musn't go to the cinema.

INTERROGATIVA
Must I go to the cinema?

HAVE TO
Have to + INFINITO si utilizza quando si tratta di una regola imposta dall'esterno, che non dipende da chi parla.

La costruzione della frase, ancora, è come segue:

AFFERMATIVA
I have to go to the police station.

NEGATIVA
I don't have to go to the police station.

INTERROGATIVA
Do you have to go to the police station?

Attenzione: *HAVE TO* non è considerato un verbo ausiliare e quindi forma le frasi interrogative, le negative e le interrogative negative come un semplice verbo regolare, cioè con *DO/DOES*.

VERBI **MODALI**

MUST si coniuga nello stesso modo per tutte le persone, mentre *HAVE TO* segue la coniugazione del verbo *TO HAVE*, *of course!*

I MUST	I HAVE TO
you MUST	you HAVE TO
she/he/it MUST	she/he/it HAS TO
we MUST	we HAVE TO
you MUST	you HAVE TO
they MUST	they HAVE TO

HAVE TO

Presente	Passato	Futuro	Negativo
have to	had to	will have to	can't

MUST

Presente	Passato	Futuro	Negativo
must	had to	will have to	must not

Cheryl: Joe, if you want to leave early, you **HAVE TO** tell the boss.
Joe, se vuoi andare via presto devi dirlo al capo.
(Non è Cheryl che dice a Joe che deve informare il capo, è il capo che lo impone.)

Boss: If you want to leave early, you **MUST** tell me.
Se vuoi andare via presto, devi dirmelo.
(In questo caso è proprio il capo che parla, che impone l'azione.)

Ora traduci, e per farlo, concentrati su chi parla e chi impone l'azione a chi. Chiaro, no?

ESERCIZIO n. 62

1. Devo prendere i bambini da scuola. ....
2. Devo fumare meno! ....
3. Devo prendere la patente se voglio guidare qui. ....
4. Devi pagare le tasse. ....
5. Devi aiutarmi di più! ....

A SECRET

C'è una frase che è utilissima per capire bene would, could e should...
Cerca di ricordarla:

Jenny: Are you coming with me?
Darren: I would if I could and I should, but I can't.
Verrei se potessi e dovrei, ma non posso.

La stessa frase al passato è ancora peggio, guarda che roba!?

I would have, if I could have, and I should have, but I couldn't.
Sarei venuto se avessi potuto e avrei dovuto, ma non potevo.

Non ti preoccupare, anche noi inglesi dobbiamo pensarci due volte prima di dirla!

E finiamo questo STEP con una storiella divertente, in cui ritroverai tutti i modali:

ESERCIZIO n. 63

Se riesco ad andare in ospedale a trovare Franco, oggi vado. Sarei andato ieri, ma ho lavorato. Potrei chiedere a Tommy di venire con me. Andrei da solo, ma non ho la macchina. Devo andare oggi, e dovrei portare un regalo. Qualcosa che a Franco piacerà. Fiori? Una mela? Una bionda? Dovrei chiedere un consiglio a sua mamma. Il medico ha detto che dovrà stare in ospedale per due settimane. Io non potrei stare in ospedale, diventerei pazzo. Può darsi che sia già pazzo. Non sarebbe meglio andare domani? Non vorrei andare lì adesso, magari sta dormendo. Basta che non vada per niente. Dovrei rimanere o dovrei andare? Franco si offenderebbe se non andassi? Non vorrei che si offendesse. Devo andare, sì! Alla fine della fiera, ero io che l'ho spinto giù dalla scala. Ma se avessi saputo che si rompeva la gamba, non l'avrei fatto! Non vado.

STEP **5**

1.5.1 ***Anglo Saxon family***
To get
To set
To let
To keep

1.5.2 ***Phrasal verbs***

1.5.3 ***Passive form***

ANGLO **SAXON FAMILY** 1.5.1

Come dico sempre, secondo la mia modesta opinione, l'inglese in Italia è insegnato male per diversi motivi; gli insegnanti sono costretti a spiegare le regole e i concetti in inglese, buttando via un sacco di tempo e provocando frustrazione e sconforto agli studenti. I verbi fondamentali non vengono insegnati proprio per questo motivo: semplicemente perché alcuni verbi e concetti, in inglese, non possono essere compresi appieno da un italiano, se non se ne conoscono i meccanismi.
Lo sapevi che i verbi più importanti, usati in inglese come il prezzemolo, sono *to get*, *to set*, *to let*, *to keep*, *to put*? Questi verbi fraseologici, appartenenti alla *ANGLO SAXON FAMILY*, sono fondamentali, ma se non te li insegno con qualche trucchetto, avrai certamente molta difficoltà a capirli.
Per esempio, ascoltando un inglese o un americano, si nota che loro usano spessissimo il verbo *to get*. E se ti viene voglia di capirne un po' di più, e prendi il dizionario... ti trovi davanti a 27 pagine di esempi sul verbo *to get* e... lo chiudi subito, pensando che ricordare tutti i significati del verbo e i modi in cui usarlo è un'impresa impossibile! E invece NO!... Perché non devi ricordarli tutti, devi solo capire come "gira" il verbo *to get*.

1. **TO GET**

Qualcuno ti ha mai spiegato che il verbo *to get*, in generale, è un cambio di stato, che può avvenire in te, in un'altra persona o in una cosa?

Mi alzo. I get **up**.
che vuol dire «andare da giù a su».

Mi ubriaco. I get **drunk**.
che vuol dire «passare da sobrio a ubriaco».

Invecchio. I am getting **old**.
che vuol dire «diventare da giovane vecchio».

Sta diventando buio. It's getting **dark**.
che vuol dire «passare dalla luce al buio».

Gianni: Posso prendere in prestito la tua macchina?
Tom: Ok, ma non sporcarla.

Gianni: Can I borrow your car?
Tom: Ok, but don't get it **dirty**.
che vuol dire «passare da pulito a sporco».

Get the dog **off** the bed. Fai scendere il cane dal letto.
che vuol dire «andare da sopra il letto a giù/via dal letto».

I will get the file **done**. Completerò il documento.
che vuol dire «passare da una cosa da fare a una cosa fatta».

Get the people **here**. Porta la gente qui.
che vuol dire «spostare/portare la gente da là a qua».

I got the bottle **open**. Ho aperto la bottiglia.
che vuol dire «portare la bottiglia da chiusa ad aperta».

Andrea: I'll take Granny to the park…
Marc: Ok don't get her **tired**.
Andrea: Porto la nonna al parco…
Marc: Ok, non farla stancare.
che vuol dire «passare da riposato a stanco».

Nella vita le cose cambiano di continuo, quindi quando una cosa passa da uno stato a un altro c'è di sicuro un modo per dirlo con *to get*.
To get merita una lezione dedicata, perché non è un nemico, ma anzi, in inglese è il miglior amico che tu possa avere!
To get è un verbo irregolare (*to get-got-got*) dai molteplici significati:

RAGGIUNGERE

Visto che si implica sempre un movimento, qui è indispensabile la preposizione ***to***. (Molto raramente si usa il verbo ***to arrive at***, più formale del verbo ***to get to***.)

He got to me at 12. Mi ha raggiunto alle 12.
There will be no buses and his car is broken, so he can't get to work. Non ci saranno gli autobus e la sua macchina è rotta, quindi non può raggiungere l'ufficio.

She called you, faxed you and e-mailed you, but she couldn't get to you. Ti ha chiamato, ti ha faxato e ti ha mandato e-mail, ma non è riuscita a contattarti.

We got to the stadium late. Abbiamo raggiunto lo stadio tardi.

"BECCARE"
Ovvero PRENDERE, RICEVERE INVOLONTARIAMENTE

He is in hospital because he got hit by a bottle at the stadium. (*hit by* è «colpito da»; *by* introduce l'autore dell'azione di colpire) È in ospedale perché è stato colpito da una bottiglia allo stadio.

He got a cold working in the cold. Si è beccato un raffreddore lavorando al freddo.

He's getting sued by his ex-wife for 3,000 Euro. Si sta beccando una causa dalla sua ex moglie per 3.000 euro.

I got bit by a dog. Mi sono beccato un morso da un cane.

OTTENERE/RICEVERE

You'll get a nice gift, if you paint well. Riceverai un bel regalo se dipingi bene.

He'll get a promotion for that project. Otterrà una promozione per quel progetto.

If you're lucky, you'll get 5,000 Euro for that car. Se sei fortunato, otterrai 5.000 euro per quella macchina.

I get results. Ottengo risultati.

CAPIRE
La differenza tra i verbi *to understand* e *to get* è che il primo è più formale, linguistico (con *I don't understand Russian* intendo che non capisco una lingua).

To get è più informale e anche più concettuale, si riferisce alla sfera del significato, dei concetti, di ciò che si vuole ottenere e del perché si fa una certa cosa.

I can't get what she wants from me. Non capisco cosa voglia da me.

I want you to wash the car, feed the cat, then fix the oven, did you get that? Voglio che lavi la macchina, dai da mangiare al gatto, poi ripari il forno, hai capito? (povero marito!)

The plans are crazy... I don't get what he wants. I piani sono pazzi... non capisco che cosa voglia. (Ho capito quello che dice, ma non quello che vuole!)

You don't get it! Non capisci (il concetto in questione)!

E ora, vediamo se sei in grado di comprendere, *let's see how much you understand!*

The swimmer
The swimmer got into the water.
He wanted to get across the pool in less than a minute.
While he was getting across, he got cramps in his legs.
The swimmer was getting nervous and agitated because he was gradually getting slower.
When he got to the other side, he got out of the water.
«I don't get it!» he said. «I never got cramps in my legs before!»
He got dry, dressed, then got out of the building.
That night, his temperature got up to 40 degrees! He had got a cold in the pool.
«My head is getting light» he said.

TO GET, TAKE and BRING

Gli italiani fanno confusione quando si parla di portare e prendere! E questo accade anche perché *to take* vuol dire sia «prendere» che «portare», a seconda della situazione.

to get-got-got
to bring-brought-brought
to take-took-taken

PRENDERE (*to take/to get*)

Se l'oggetto da prendere è presente nel luogo in cui parli e mentre parli, devi usare *to take*; in caso contrario userai *to get*.

Gianni: Can I borrow your pen? Posso prendere in prestito la tua penna?

(La penna è sul tavolo davanti a lui.)
Tom: Yes, take it! Sì, prendila!

(La penna è in un altro ufficio.)
Tom: Yes, get it from my office. Sì, prendila nel mio ufficio!

PORTARE (*to take/to bring*)

Se l'oggetto va portato vicino a chi parla o ascolta, devi usare to bring, se invece lo devi allontanare da chi parla o ascolta, devi usare to take.

Sei mai andato a un take-away? Si chiama così perché ti danno il cibo «da portar via».

Marta: I have to go to the dentist, today, can you take the dog to the park for a walk? Devo andare dal dentista oggi, puoi portare il cane a fare una passeggiata al parco?
(Il cane va portato al parco, lontano/via da Marta.)

Marta: Can you bring the dog? Puoi portare il cane?
(Marta sta chiedendo di portare il cane da lei.)

Lo so, lo so… non stai più nella pelle, va bene, dai! Traduciamo!

ESERCIZIO n. 64

1.

Carlo: Questa sera faccio una festa, vieni? (azione programmata)

Lucy: Sì, ma prima devo prendere mio figlio a scuola (il figlio non è presente), portarlo da sua nonna, poi prendere una bottiglia di vino (non c'è vino in casa) da portare alla festa.

2.

Carlo: Questa sera faccio una festa, vieni? (azione programmata)

Tracy: No, mi dispiace, devo prendere lo shampoo al supermercato, lavarmi i capelli e poi portare mio marito a teatro.

2. **TO SET**

È un verbo irregolare (*to set-set-set*) e significa:

IMPOSTARE, FISSARE

I must set the alarm for 6 a.m. Devo impostare la sveglia alle 6.

They set my leg, when I broke it. Mi hanno "fissato" la gamba quando l'ho rotta.

They will set the date for the event, tomorrow. Fisseranno la data dell'evento domani.

The picture is set on the wall. Il quadro è fissato al muro.

3. **TO LET**

È un verbo irregolare (*to let-let-let*) e significa:

LASCIARE CHE..., PERMETTERE

Let me in! Lasciami entrare!

Will you let me kiss you? Mi permetti di baciarti?

We let him take control of our house! Gli abbiamo permesso di prendere il controllo della nostra casa!

Let può essere anche usato nella forma IMPERATIVA (quindi senza alcun soggetto davanti) con il significato di dare un suggerimento, un incitamento. *Let's* traduce esattamente la forma imperativa italiana alla prima persona plurale (Andiamo! Balliamo!).

Let's dance! Balliamo!
Let's go! Andiamo!
Let's eat! Mangiamo!
Let it be! Lascialo stare!

Che cosa? Cosa stai dicendo? Hai ancora voglia di fare un po' di esercizio di traduzione? Eccoti accontentato...

ESERCIZIO n. 65

1. Vediamo cosa c'è al cinema questa sera. ....
2. Giochiamo a calcio! ....
3. Chiediamo a Susan dove vanno questa sera. ....
4. Dormiamo un po'. ....
5. Ascoltiamo un po' di musica. ....

4. TO KEEP

È un verbo irregolare (*to keep-kept-kept*) e ha tre significati:

TENERE

I keep my keys in my pocket. Tengo le chiavi nella borsa.

She kept his photograph for many years. Lei tenne la sua foto per molti anni.

I won't keep your books, anymore. Non terrò più i tuoi libri.

MANTENERE

She kept the house, when I worked. Lei mantenne la casa quando io lavoravo.

I will keep the swimming pool clean. Manterrò pulita la piscina.

She can't keep herself. Non riesce a mantenersi (economicamente).

INSISTERE, CONTINUARE A...

In questo caso, *KEEP* deve essere seguito dal gerundio (*-ING*).

We kept going home, late. Continuammo ad andare a casa tardi.

I will keep trying to find it. Insisterò per trovarlo.

I won't keep asking you, if you answer! Non insisto nel chiedertelo, se mi rispondi!

PHRASAL **VERBS** 1.5.2

Cos'è un *phrasal verb*? Un verbo seguito da una preposizione!
Semplice, no?! Nei *phrasal verbs* la preposizione costituisce parte integrante del verbo, in quanto è indispensabile perché esso stesso assuma un particolare e nuovo significato.

Per fare un esempio, *to fall* vuol dire «cadere» e *out* vuol dire «fuori», ma insieme, *to fall out* significa «non andare più d'accordo».

Non spaventarti adesso; ci sono centinaia di *phrasal verbs*, ma io ti insegnerò solo quelli più importanti in assoluto.
Prima di cominciare, voglio aggiungere le ultime due cose:

Se c'è un verbo **dopo** il *phrasal verb* deve essere al **gerundio** (-ING).
I am used to see**ing** him there. Sono abituato a vederlo lì.

A volte il soggetto può prendere posto **tra il verbo e la preposizione**.
The shop will **close down**, if this recession continues.
We will **close** the shop **down** if this recession continues.

A

TO ACCOUNT FOR

Spiegare/giustificare qualcosa

You went to Rome for three days and you spent 2,000 euros?! How can you account for that? Sei andato a Roma per tre giorni e hai speso 2.000 euro?! Come puoi giustificarlo?
at work:
The file is missing and I can't account for it! Il file manca e non riesco a darne spiegazione!

TO AIM AT/FOR

Mirare a/avere un obiettivo

She is aiming at los**ing** five kilos before the holiday. Ha l'obiettivo di perdere cinque chili prima delle vacanze.
at work:
The project is aim**ing*** for increased productivity within the next three years. Il progetto ha l'obiettivo di incrementare la produttività nei prossimi tre anni.

* Quando è seguito da un altro verbo, questo deve essere al gerundio (-*ING*).

TO ANSWER FOR

Rispondere/prendersi la responsabilità/pagare per qualcosa

Voglio paragonare due cose qui per fare vedere bene la differenza:

to answer to: è usato per indicare chi ha responsabilità per te, il tuo capo. Spesso sento gli italiani dire: «*He is my responsible.*», ***THIS IS NOT ENGLISH!*** Dovresti dire: «*I answer to Mr. Rossi*» (lui è il tuo capo).

to answer for: è usato, per esempio, quando fai qualcosa di sbagliato e devi prendere la responsabilità e pagare per quello che hai fatto.
In English, you must answer for your errors!

Oliver, you will answer for this lipstick on your shirt, when I return from work! Oliver, dovrai dare spiegazioni/risponderai/pagherai per il rossetto sulla tua camicia, quando ritorno dal lavoro.
at work:
The boss will ask you to answer for the days you were at home. Il capo ti chiederà di rispondere/dare spiegazioni per i giorni che sei stato a casa.

B

TO BACK DOWN

Rinunciare, fare un passo indietro

He wants 5,000 euros for his car, but I offered him 3,000 euros; he will have to back down, if he wants to sell it. Vuole 5.000 euro per la sua macchina, ma io gli ho offerto 3.000 euro, dovrà fare un passo indietro se vuole venderla.
at work:
He said he would support me, but he backed down when things got difficult. Disse che mi avrebbe appoggiato, ma fece un passo indietro quando le cose diventarono difficili.

TO BEEF UP

Irrobustire, rafforzare

Deriva da *beef* che significa «manzo» e proviene dal mondo dell'agricoltura, dove certi alimenti particolari venivano dati alle mucche per farle ingrassare.

You should beef up your curriculum; it is too short. Dovresti mettere più cose nel tuo curriculum, è troppo corto.

at work:
We need to beef up our advertising campaign; sales are low. Abbiamo bisogno di rafforzare la nostra campagna pubblicitaria, le vendite sono basse.

TO BUILD UP
Costruire, sviluppare

We didn't get on last year, but then we built up a good relationship. Non siamo andati molto d'accordo lo scorso anno, ma abbiamo costruito un buon rapporto.
at work:
He built up his company from one shop to a chain of 500. Ha sviluppato la sua società da un negozio fino a una catena di 500.

C
TO CLOSE DOWN
Chiudere definitivamente, non aprire mai più

Run and buy a new coat! They are selling them at half price because they are closing down! Corri a comprarti un nuovo cappotto! Li stanno vendendo a metà prezzo perché chiudono!
at work:
Our old supplier closed down, so we had to find a new one. Il nostro vecchio fornitore ha chiuso così abbiamo dovuto cercarne uno nuovo.

TO CROP UP
Succedere all'improvviso, accadere un imprevisto

Questo verbo serve per indicare qualcosa che salta fuori all'improvviso, che è implicitamente più importante di quello che stai facendo o quello che hai in piano di fare. È dunque un imprevisto. Solitamente si usa *something has cropped up* per dire che è accaduta una cosa personale e non è il caso di dare dettagli, oppure non c'è tempo per spiegare. Il bello è che, a differenza degli italiani, nessun inglese mai ti chiederà particolari che tu non vuoi fornire! Questo verbo si utilizza quasi sempre al *present perfect*, perché esprime un'azione che è una conseguenza di una cosa appena successa, nel passato.

He couldn't come to the party; I think something cropped up at home. Non è potuto venire alla festa, credo che sia successo qualcosa a casa.

at work:
We will not meet the deadline; things keep cropping up. Non saremo in grado di rispettare la scadenza, continuano a succedere imprevisti.

TO CUT BACK
Ridurre

Questo *phrasal verb* è interessante per le preposizioni che può reggere: *on* si usa quando si indica che cosa va ridotto, *by* indica il valore di riduzione di solito espresso in percentuale, ma anche in cifre.

They cut back on funds for students by 15 million euros per year. Hanno ridotto i fondi per gli studenti di 15 milioni di euro all'anno.
at work:
If we cut back on the advertising budget, how can we create more awareness for our products? Se riduciamo i costi del budget pubblicitario, come possiamo creare più consapevolezza del nostro prodotto?

crisis	crisi
less	in meno
profit	profitto

Traduci ora la storiella che segue, usando tutti i *phrasal verbs* visti fino a questo momento!

ESERCIZIO n. 66

Anne: La crisi spiega 1 milione di euro in meno di profitto, quest'anno.
Boss: Ma il nostro target era 50 milioni in più! Allora dobbiamo ridurre il personale del 30%.
Anne: Sì, ma dobbiamo anche irrobustire il budget per la pubblicità, se vogliamo costruire un rapporto migliore con i clienti.
Boss: Non possiamo più spendere altrimenti chiuderemo per sempre, e non faccio un passo indietro questa volta! Non voglio prendere io la responsabilità se chiudiamo. (suona un allarme!)
Anne: Oh no, è successo qualcosa e devo prendermi la responsabilità! Devo correre!

F

TO FALL OUT
Non andare d'accordo

Qui voglio introdurre una catena di tre *phrasal verbs* che, secondo me, aiuta meglio a capire:

to get on (andare d'accordo)
to fall out (non andare più d'accordo)
to make up (fare pace, riconciliarsi)

Immaginiamo un rapporto come una corsa in una bicicletta a due posti: all'inizio la coppia *get on* (andare d'accordo, ma anche salire) poi si comincia a *fall out* (non andare d'accordo, ma anche cadere). Alla fine, si può *make up* (andare d'accordo di nuovo, fare la pace, ma anche tornare sulla bici).

I didn't go to my mother's house this Christmas because we fell out. Non sono andata a casa di mia madre per questo Natale perché non andiamo più d'accordo.

TO FIND OUT
Scoprire, venire a conoscenza

I found out that my wife was not going to yoga on Friday evenings. Ho scoperto che mia moglie non andava a yoga il venerdì sera.
at work:
We found out that our competitors were stealing our ideas. Scoprimmo che i nostri concorrenti stavano rubando le nostre idee.

TO FIT IN
Trovare il tempo, combinare

TO FIT vuol dire «starci» (come misura).
My father is very big and so he can't fit into my small car.
FIT IN riguarda il tempo, fare stare un appuntamento nell'agenda della vita e del lavoro, trovare del tempo per.

Can we fit in some time to rest?! Possiamo trovare del tempo per riposarci??!
at work:
Hello, Doctor Smith, can you fit me in, tomorrow? Buongiorno, dottor Smith, può trovare del tempo per me domani?

TO FOCUS ON
Concentrare, concentrarsi

I will focus on my son's education, when he starts school. Mi concentrerò sull'educazione di mio figlio quando comincerà la scuola.
at work:
In my presentation, I will focus on our need to improve customer service. Nella mia presentazione, mi concentrerò sulle nostre necessità di migliorare il servizio clienti.

G
TO GET ACROSS
Farsi capire

When you do a presentation, it is important to get across to the audience. Quando fai una presentazione è importante arrivare bene al pubblico/essere ben capito/farsi capire.

Ricordati di aggiungere *to* dopo *get across* per indicare la persona che deve capire o alla quale deve arrivare il tuo discorso.

TO GET AWAY
Scappare, fuggire

I have to get away from the office by five. Devo scappare dall'ufficio entro le 17.
The prisoner got away by car. Il prigioniero è scappato via in macchina.

TO GET ON
Andare d'accordo

I get on with my Boss. Vado d'accordo con il mio capo.
Do you get on with your father? Vai d'accordo con tuo padre?

K
TO KEEP AROUND
Avere a portata di mano, avere intorno

Il verbo può essere separato dalla preposizione.

I smoke, so I always keep my lighter around. Fumo per cui tengo sempre l'accendino a portata di mano.
He was very sick, so he always kept his medicines around. Stava molto male, quindi teneva sempre le sue medicine a portata di mano.

L

TO LET DOWN

Deludere, non mantenere una promessa

Il verbo può essere separato dalla preposizione.

I promised to take her dancing, but I let her down. Le avevo promesso di portarla a ballare, ma l'ho delusa.
Please help me get away from here; don't let me down! Per favore aiutami a scappare da qui, non deludermi!

TO LET OFF

Perdonare

Il verbo può essere separato dalla preposizione.

The judge let him off, because he was from Birmingham. Il giudice lo perdonò perché era di Birmingham.
I'll let you off, if you clean my room. Ti perdonerò se pulisci la mia camera.

TO LOOK AFTER

Prendersi cura di qualcuno o qualcosa

Who will look after my children, if I go out this evening? Chi si prenderà cura dei bambini se io esco questa sera?
at work:
We got successful because we looked after our clients' interests. Abbiamo avuto successo perché ci siamo presi cura degli interessi dei clienti.

TO LOOK INTO

Indagare, informarsi

È quasi sempre seguito da *it* perché, quasi sempre, si sa di cosa si parla.

Janet: Is there a bus that goes to the Duomo from here? C'è un autobus che va al Duomo da qui?
Kevin: I don't know; I'll look into it. Non lo so, mi informo.
at work:
We looked into the possibility of expanding our business in America. Ci siamo informati sulla possibilità di ampliare il nostro business in America.

M

TO MAKE UP FOR
Compensare, rimediare, recuperare

I let her down, so to make up for this, I will take her to the cinema. L'ho delusa quindi per rimediare la porterò al cinema questa sera.
at work:
If we work extra-hard this year, we can make up for the low sales results of last year. Se lavoriamo molto duramente quest'anno possiamo rimediare allo scarso risultato delle vendite dell'anno scorso.

P

TO POINT OUT
Evidenziare, fare notare una cosa in particolare

I let her borrow my car, then her mother pointed out that she hasn't got a license! Ho lasciato che prendesse in prestito la mia macchina, poi sua madre ha fatto notare che non ha la patente!
at work:
In his presentation, he pointed out the most important area to focus on. Nella sua presentazione ha evidenziato l'area più importante sulla quale concentrarsi.

TO PUT BACK/OFF and TO BRING FORWARD
Posticipare e anticipare

Questi due verbi vanno fatti insieme, in quanto sono in stretta relazione:

to put back (to) vuol dire rimandare a un'altra ora o a una data successiva;
to bring forward (to) vuol dire anticipare un appuntamento o un evento.

We put back our wedding to August, when the weather is better. Abbiamo rimandato il nostro matrimonio ad agosto quando il tempo è migliore.
They brought the trial forward. Hanno anticipato il processo.
at work:
They put the meeting back to Tuesday because Hans can't make it, today. Hanno rimandato la riunione a martedì perché Hans non può venire oggi.
Can we bring the meeting forward to 3 o'clock? I have to leave early; something has cropped up. Possiamo anticipare la riunione alle 3? Devo uscire presto, mi è successo un imprevisto.

R

TO RUN OUT OF
Finire, consumare

In inglese non puoi dire *I finished the petrol* (mi è finita la benzina) perché questo significherebbe che l'hai finita tu, cioè che l'hai bevuta!

The pen has run out of ink.

È vero che è l'inchiostro a essere terminato, ma è la penna che non ne ha più e che diventa il SOGGETTO della frase. In questo caso, di nuovo, ci vuole il *past perfect*, perché quando una cosa finisce diventa importante ora, nel presente, giusto no? Guarda come funziona questo *phrasal verb*:

contenitore	***phrasal verb***	**contenuto**
The pen	has run out of	ink.
The car	has run out of	petrol.
My company	has run out of	money.
persona	***phrasal verb*/presente**	**contenuto**
I	have run out of	patience.
She	has run out of	time.
They	have run out of	ideas.
persona	***phrasal verb*/passato**	**contenuto**
I	ran out of	things to say.
We	ran out of	food.
Everybody	ran out of	energy.
persona	***phrasal verb*/futuro**	**contenuto**
I	will run out of	energy.
You	will run out of	paper.
The world	will run out of	oil.

S

TO SET ASIDE
Mettere da parte

I set aside some money for the holidays. Ho messo da parte un pò di soldi per la vacanza.

You should set aside your work problems, when you are with me at home. Dovresti lasciare da parte i tuoi problemi di lavoro quando sei con me a casa.

TO SET UP
Montare, impostare, organizzare

We are setting up the tents. Stiamo montando le tende.
at work:
I'll set up a meeting with our new colleagues. Organizzerò una riunione con i nostri nuovi colleghi.

TO SORT OUT
Questo *phrasal verb* è davvero importantissimo e ha tre significati:

1. Sistemare, mettere a posto

She doesn't know what to do; she has many problems at work and at home. She must sort out her life. Non sa cosa fare, ha molti problemi sia al lavoro che a casa. Deve sistemare la sua vita.
at work:
We have some problems with our internet connection. I hope we can sort it out soon. Abbiamo dei problemi con la connessione a Internet. Spero che possiamo sistemarli presto.

2. Organizzare

His birthday is on Sunday. Let's sort out a party! Il suo compleanno è domenica. Organizziamo una festa!
at work:
Can we sort out a meeting for the end of the month? Possiamo organizzare una riunione per la fine del mese?

3. Occuparsi di

When we write songs together, I sort out the words and he sorts out the music. Quando scriviamo delle canzoni insieme, io mi occupo delle parole e lui si occupa della musica.
at work:
She sorts out the employees' salaries. Lei si occupa dei salari degli impiegati.

PHRASAL **VERBS**

bad day	brutta giornata
birthday	compleanno
angry	arrabbiato
by the time	per ora che
already	già
lawyer	avvocato

Traduci ancora la storiella che segue, usando alcuni dei *phrasal verbs* visti sopra!

ESERCIZIO n. 67

Andy: È una brutta giornata.

Jake: Perché?

Andy: Non sono andato alla festa di compleanno di mia moglie, e devo sistemare le cose perché è arrabbiata.

Jake: Perché non sei andato?

Andy: Perché è finita la benzina nella macchina e, ora che sono arrivato, la festa era già finita.

Jake: Non poteva aspettare?

Andy: No, l'ho chiamata e ho detto «Puoi rimandare la festa di due ore che arrivo?»

Jake: Hai evidenziato che la macchina era ferma?

Andy: Sì, ma lei ha detto solo «No, anticipo... il nostro divorzio!!», volevo rimediare con i fiori, ma niente.

Jake: Quindi ti devi procurare un avvocato adesso.

Andy: Non posso, mi sono finiti i soldi!

T

TO TAKE OVER
Prendere il controllo di qualcosa, continuare qualcosa al posto di un altro

Prima di fare gli esempi relativi a questo *phrasal verb* voglio che immagini un volante, tipo quello della macchina. Se tu sei il passeggero e sta male chi guida, tu prendi il volante... *you take over the car.*

The aliens are taking over the planet!!! Gli alieni stanno prendendo il controllo del pianeta!!!
at work:
I might not finish this project in time; something has cropped up. Can you take over, please? Potrei non finire questo progetto in tempo, è successo un imprevisto. Puoi prendere il controllo?

TO TURN DOWN
Rifiutare una proposta, dire di no a una proposta

To turn down significa anche «abbassare» (il volume della radio per esempio), ma non è questo il significato che voglio affrontare qui.

Il verbo può essere separato dalla preposizione.

I asked her to come with me to New York, but she turned me down. Le ho chiesto di venire con me a New York, ma ha rifiutato la mia proposta.
at work:
There is a strike because the company turned down the workers' conditions. C'è uno sciopero perché la compagnia ha rifiutato le condizioni dei lavoratori.

W

TO WORK ON
Concentrarsi su una cosa per migliorare, lavorare su qualcosa

He could be a great footballer; he must work on his style. Potrebbe essere un grande giocatore di calcio, deve lavorare sul suo stile.
at work:
We are working on a new project. Stiamo lavorando su un nuovo progetto.

RITARDO

Questo concetto per gli italiani è piuttosto complicato da capire: crea infatti confusione quello che ora definisco **"il ritardo in inglese"**. Più di una volta, è capitato che uno studente arrivasse in ritardo per una lezione dicendo: «*Sorry for the delay!*». Ma il fatto è che non c'era nessun *delay*!

Cerco di spiegare meglio la "catena" di un ritardo:

hold up è un sostantivo, è il motivo del ritardo, l'inizio della catena.

Supponiamo che io sia sul treno con il mio amico Dave: il treno dovrebbe partire alle 9. Guardo il mio orologio e vedo che sono le 9.20. Passa il controllore e chiedo «*What's the hold up*?» (Qual è il motivo?) e lui mi risponde che un albero è caduto sul binario. Quindi, l'albero sul binario è l'*hold up*, il motivo del ritardo.

delay è un sostantivo, ed è il ritardo espresso in tempo, la sua entità.

Tolgono l'albero e il treno riparte alle 9.30. Questo vuol dire che c'è stato un *delay* di 30 minuti.
MA guarda la differenza tra *delay* e *late*.

late è sia un sostantivo che un avverbio e si riferisce al ritardo rispetto a un impegno.

Io, che sono sul treno con il mio amico Dave, ho un appuntamento a Milano e io arrivo *late* (in ritardo) perchè il treno doveva arrivare alle 10, ma arriva alle 10.30. In questo senso anche il treno è *late*, ma non Dave, in quanto lui non ha un appuntamento, quindi anche se io e il treno siamo *late*, lui non lo è. Perché non ha nessun appuntamento/orario da rispettare.
Hold up: tree on the track
Delay: 30 minutes
Late: 30 minutes late (for me and the train!)
Per concludere, quando il mio studente è arrivato 15 minuti in ritardo LUI era in ritardo, ma io avevo cominciato la lezione con gli altri, puntualmente, e non c'era stato nessun *delay*. Lui doveva semplicemente dire: «*Sorry, I'm late*!».

PASSIVE **FORM** 1.5.3

Per continuare con il discorso del box precedente... spesso quando si parla di ritardi si usa la forma passiva, come potrai notare dagli esempi che trovi di seguito.

hold up
The train was held up by a tree on the track. Il treno è stato trattenuto da un albero sul binario.

delay
The train was delayed for 30 minutes. Il treno ha subito un ritardo di 30 minuti.

late
The train arrived at Central Station 30 minutes late. Il treno è arrivato alla Stazione Centrale in ritardo di 30 minuti.

Ecco un altro esempio...
Dovevi mandare un pacco a Londra. Il pacco doveva arrivare il lunedì, ma c'era uno sciopero delle poste e il pacco è rimasto fermo all'ufficio postale per 3 giorni.
What is the hold up? The hold up is the strike (lo sciopero).
The delay? The package (il pacco) is delayed for 3 days.
Will the package be late? Yes, it will arrive 3 days late!

Hold up: the strike
Delay: the package is delayed for 3 days
Late: the package will arrive 3 days late

Allora, è necessario scrivere una e-mail per avvisare Londra.

Dear Chris,
The package we sent is being held up by a postal strike.
Il pacco che abbiamo spedito è stato trattenuto per uno sciopero.
The package will be delayed for 3 days, so it will arrive 3 days late.
Il pacco avrà un ritardo di 3 giorni, quindi arriverà 3 giorni dopo.
Sorry for the inconvenience!
Mi dispiace per l'inconveniente!

John

INSTANTENGLISH

ENGLISH IN USE

AT WORK

GOING ABROAD

AT WORK

Da diversi anni, ormai, mi sono specializzato sul tema della comunicazione al lavoro e ho collaborato con importanti multinazionali in Italia proprio su questo argomento.
Ho usato la mia esperienza come attore per preparare delle *presentations* di alto livello e ho assistito a numerose *conference calls* internazionali, aiutando molti dirigenti italiani a gestire questo evento stressante e difficile.
Di seguito ti fornisco un valido aiuto, suggerendoti dei consigli che potranno essere molto utili anche per comunicare quotidianamente al lavoro in italiano.

RECEIVING **SOMEONE** 2.1.1

Quando ricevi un collega dall'estero, è molto importante essere sciolto e amichevole.

Non pensare che devi essere serio e professionale: puoi essere così quando si comincia a lavorare, ma ricordati che il collega che ospiti è ugualmente stressato per la situazione e sarà molto più contento di avere di fronte una persona sorridente e allegra, che lo mette a suo agio.

Vediamo una scena tipica:
Arriva un *visitor* (non intendo una lucertola che striscia attraverso i corridoi, ma un ospite: se vedi, invece, una lucertola, stai lavorando troppo!).

Offrigli la mano e salutalo:
«Hello, Mr. Grant, I'm Roberto and I'm very pleased to meet you.»
(Salve, sig. Grant, sono Roberto e sono molto lieto di conoscerla.)

oppure, se l'hai già conosciuto o incontrato prima:
«Hello, Mr. Grant, I'm very pleased to see you again.»
(Salve, sig. Grant, sono molto contento di rivederla.)

A questo punto, sento spesso dire *«follow me»* (seguimi).
Questa espressione va bene se fai il poliziotto di mestiere e hai arrestato un criminale, ma al lavoro è meglio:

«If you'd like to come this way, I'll show you to my office/Mr. Rossi's office...»
(Se vuole venire da questa parte, le mostro il mio ufficio/l'ufficio del sig. Rossi...)

PLEASE?

Se c'è da prendere l'ascensore, NON DIRE *please* per dire «prego» quando giustamente fai entrare una persona prima di te. Si dice, invece, ***after you!*** Se dici *please* il tuo ospite si aspetterà che tu gli faccia una domanda e chiederà *«please what?»*... Prima che capisca cosa stai intendendo con "prego", l'ascensore si sarà già aperto, richiuso e sarà andato...

SMALL **TALK** 2.1.2

Ovvero, le chiacchiere...

Mentre tu e il tuo ospite camminate insieme, prova a sdrammatizzare la situazione con un po' di *small talk*. Vediamo qualche esempio:

«So, how was your flight?» (Allora, come è andato il volo?)

«Have you been to Milan, before?» (È già stato a Milano?)

«I love London/Berlin/Kabul; I would like to spend more time there.»
(Io adoro Londra/Berlino/Kabul, mi piacerebbe passare più tempo lì.)

«Mr. Rossi won't be long, now.» (Il sig. Rossi non ci metterà molto ora.)

«Mr. Rossi will be with you in a moment.» (Il sig. Rossi sarà da lei tra breve.)

«Can I get you anything?» (Posso offrirle qualcosa?)

Ricordati che, se anche in italiano si dà del lei, in inglese la forma di cortesia non esiste e si usa sempre *you*.

1. **ICE BREAKERS**

Queste sono delle frasi "rompighiaccio" che contengono un pizzico di umorismo, per aiutare a sdrammatizzare la situazione. Mostra anche simpatia e sicurezza mentre le pronunci!

«Don't worry, Mr. Rossi speaks better English than I (do)!»
(Non si preoccupi, il sig. Rossi parla un inglese migliore del mio!)

«You should visit the Duomo; it took 500 years to build. Like my new garage!»
(Dovrebbe visitare il Duomo, ci sono voluti 500 anni per costruirlo. Come il mio nuovo garage!)

«I would advise you to take a taxi in Milan; there is a terrible one-way system. Some people have been trapped in it for weeks. Our HR manager is still in there, somewhere.» (Le consiglierei di prendere un taxi a Milano, c'è un terribile sistema di sensi unici. Alcune persone ci sono rimaste intrappolate per settimane. Il nostro responsabile HR è ancora lì da qualche parte.)

Se offri qualcosa da bere:

«Sorry, we have only tea, coffee or water; someone finished the whisky after Inter won the cup.» (Mi dispiace abbiamo solo tè, caffè o acqua; qualcuno ha finito il whisky dopo che l'Inter ha vinto la coppa.)

«Something to drink, maybe?» (Qualcosa da bere, magari?)

«We have tea, coffee... or water.» (Abbiamo tè, caffè… o acqua.)

«Certainly. A glass of water. Still or sparkling?» (Certamente. Un bicchiere d'acqua. Naturale o gassata?)

«Certainly. A cup of tea/coffee. Sugar? Milk?» (Certamente. Una tazza di tè/caffè. Zucchero? Latte?)

2. **HOW TO SAY GOODBYE**

Se è giunta l'ora dei saluti, ecco come puoi congedarti dal tuo ospite:

«It was a pleasure meeting you (*again* se non è la prima volta) and I hope you enjoy your stay in our city.» (È stato un piacere incontrarla [di nuovo] e spero che la sua sosta nella nostra città sia stata piacevole.)

«Have a nice week, Mr. Grant.» (Passi una buona settimana, sig. Grant.)

«Would you like me to call you a taxi?» (Desidera che le chiami un taxi?)

«Let me take you back to the entrance, this way...» (Lasci che la accompagni all'uscita, da questa parte...)

BYE

NON *bye bye*, che è da bambini, e nemmeno *goodbye*, che sembrerebbe la fine di una storia sentimentale importante (addio, Mr. Grant).

COMMUNICATE AT **OFFICE** 2.1.3

Il segreto è una *checklist*!

C'è un nuovo approccio alla comunicazione sul lavoro ed è l'unico approccio! La buona notizia per te è che ora non si usano più frasi lunghe, complicate e piene di gergo. Anzi, nella corrispondenza moderna si usa un inglese semplice, diretto e amichevole.
Gli italiani hanno una leggera paranoia riguardo a cosa è educato o non educato, ma ti assicuro che non è maleducato essere concisi e semplici. Anzi, è molto più apprezzato in questo mondo sempre più veloce e frenetico.

Prima di scrivere una e-mail, una presentazione o fare una telefonata, dovresti sempre preparare una scaletta con i punti più importanti da comunicare, una *check-list*, almeno puoi essere sicuro al 100% di ricordare tutti gli argomenti che devi affrontare. Ecco alcuni consigli che ti saranno davvero utili, raccolti in alcune parole chiave:

SINTESI E IMMEDIATEZZA
- taglia parole e frase inutili;
- taglia la prima parte se si riferisce a una corrispondenza precedente;
- separa le informazioni diverse: se hai 3 cose da dire, dille una alla volta.

CHIAREZZA E SEMPLICITÀ
- usa parole facili, righe corte e paragrafi corti;
- tieni il soggetto il più semplice possibile;
- usa parole e frasi chiare e concrete, non vaghe.

CONCRETEZZA E DISPONIBILITÀ
- rispondi subito alle domande;
- prima dai la risposta a una domanda, in seguito dai le spiegazioni;
- usa uno stile amichevole, colloquiale.

SINCERITÀ E CONVINZIONE
- rispondi rapidamente;
- cerca di essere comprensivo e disponibile;
- scrivi come se avessi il tuo destinatario davanti.

E-**MAIL** 2.1.4

Non è una lettera, quindi non servono le frasi lunghe e piene di ricami che si usavano "una volta"

Nel business moderno non si usano più certe frasi vecchie e inutili:

I regret to inform you (meglio *I am sorry, but...*)
Please do not hesitate to contact me (meglio *Feel free to ask me any questions*)
Please advise (meglio *Please let me know*)

Questo perché il modo vecchio non è naturale: se non diresti una cosa a una persona, perché mai dovresti scriverla?
Se ti chiedessi: «C'è Rita in ufficio?», mi risponderesti forse: «*Regarding your enquiry dated November 21 as to whether or not Rita is present in her office, I regret to inform you that...*»??! NON LO FARESTI MAI! Sembreresti un pazzo... Quindi, non scriverlo! Diresti: «*I have checked Rita's office and she isn't in there*», quindi scrivi così!

Le e-mail sono un mezzo rapido di informazione, quindi fai in modo che siano corte e concise.

Dear Barney,

I will send the file tonight.
Cheers (se hai confidenza)
Speak to you soon (se hai meno confidenza)

Fred Flintstone

Usa uno stile colloquiale, così è più credibile e il lettore si renderà conto di avere a che fare proprio con una persona in carne e ossa! A volte sento frasi del tipo "Mi sembra di essere maleducato così": non è maleducato comunicare in maniera semplice e amichevole, ANZI è ben accettato dai colleghi, fidati!

Hi, Tom,
There are a few things I'm not sure about, could you help me?

GLI SPAZI SONO IMPORTANTI!

Who sorts out the invoice for delivery 804?
When will we know how much we need for next month?
Who must I contact for approval?
Thanks a lot,

Rita

Il lettore ti apprezzerà per la tua chiarezza e leggerà volentieri i tuoi messaggi in futuro. Per lo stesso motivo, per risultare il più chiaro possibile, evita la FORMA PASSIVA:

NO: It was agreed by the committee... (passiva)
SI: The committee agreed... (attiva)

NO: At the last meeting, a report was made by the Secretary... (passiva)
SI: At the last meeting, the Secretary reported... (attiva)

NO: This form should be signed and should be returned to me. (passiva)
SI: You should sign the form and return it to me. (attiva)

1. IL "PANINO" (inizio positivo-brutte notizie-conclusione forte)

Quando hai una cosa "bruttina" da dire o devi scusarti, usa sempre il sistema "panino" (© john peter sloan). L'inizio di una e-mail è come l'introduzione di una canzone, imposta il *mood*...

Se una e-mail comincia negativamente, è difficile poi recuperare. Facciamo un esempio...

ORANGE COMPANY SRL

Un siciliano, il sig. Dipinto, manda 17 tonnellate di arance al suo miglior cliente, Mr. Jones. Mentre il traghetto attraversa la Manica, c'è una tempesta, il frigorifero nel camion si spegne e tutte le arance vanno a male. Il sig. Dipinto non ha la possibilità di contattare Mr. Jones per avvisarlo, se non via e-mail.

Questo è successo veramente e questa è stata la e-mail disastrosa che è stata mandata:

Dear Mr. Jones,
I'm really sorry, but your load of oranges can't be delivered (già il sig. Jones cade dal cielo ed è disperato).
There was an accident during the journey across the sea and all of the oranges went bad (ora il sig. Jones si sta sentendo svenire...).
We have prepared a new load and I hope nothing happens this time.

ECCO, INVECE, COME DOVEVA ESSERE FATTA LA E-MAIL:

Dear Mr. Jones,
I have just finished loading your new delivery. (azione-soluzione)
We had an unexpected problem (non andare nei dettagli del problema, al sig. Jones non interessa, lui vuole solo sentire le soluzioni!), but I will do all I can to make sure this never happens again! (azione-soluzione)
Please, accept this new load as our gift for any inconvenience caused. (compensazione)
Feel free to call me for any details (così, se a lui interessa cosa è successo, ti chiama e te lo chiede).
I look forward to a great future partnership! (non usare hope che è debole, dai per scontato che tutto andrà bene e sarà così)
Sincerely,

Mr. Dipinto

MR. and MS.

Le donne del mondo non ritenevano giusto che gli uomini rimanessero anonimi, nascosti dietro a un generico *Mr.* (usato ugualmente per uomini sposati e non sposati), mentre loro rivelavano il loro stato coniugale (*Miss* era usato per le donne non sposate mentre *Mrs.* per le donne sposate). Ora non si usano più *Mrs.* e *Miss*, ma soltanto *Ms.* (che si usa solo nella comunicazione scritta! Quando si parla a una signora in modo cortese e formale ci si rivolge a lei con *madam*), che è neutrale.

Se ti riferisci a un uomo, usa sempre *Mr.*
Se ti riferisci a una donna, usa sempre *Ms.*
Se scrivi a un gruppo di persone, usa *Dear Sirs.*
Se non sai chi leggerà la e-mail, usa *To whom it may concern.*

2. **SIGNING OFF**

Quando finalmente hai scritto l'intera e-mail, a volte ti trovi a pensare a lungo proprio alla conclusione. Come terminare? Quali sono i saluti corretti? Quale la giusta formula? Facciamo un po' di chiarezza...

Sincerely
quando hai sbagliato o ti dispiace per una cosa importante, è meglio usare *sincerely*: il messaggio che dai è che prendi seriamente la cosa.

Regards
da solo non vuol dire niente, infatti io lo uso quando sono incavolato, perche è il minimo indispensabile, pur rimanendo educato.
(eccezione: se scrivi spessissimo a una persona, va bene *regards* per non dover variare ogni volta!)

Best regards
è come dire "ciao" in modo formale.

Kind regards
è una bella espressione, da usare sopratutto se vuoi qualcosa!

Warm regards
quando conosci bene il tuo interlocutore, questa espressione è il massimo d'affetto, pur rimanendo formale.

Cheers
non esiste una vera e propria traduzione di questa parola in italiano: la si usa, infatti, anche quando si fa un brindisi per dire "salute".

Take care
equivale all'italiano "stammi bene".

Speak to you soon
significa esattamente «a presto».

3. **EXAMPLES**

Vediamo di seguito alcuni esempi di e-mail, ipotizzando diverse situazioni in cui sia necessario inviarle.

SITUAZIONE: INVIARE UN FILE IN RITARDO

FORMALE

Dear Mr. Collins,

The file you requested is attached; sorry it's late.
There is a lot going on at the moment.
Kind regards,

Rocco Sacci
Accounts Manager
S&S London

INFORMALE

Hi Peter,

I'm really sorry for being late, but the file you wanted is attached!
It's crazy around here at the moment.
I hope you're well,

Rocco

SITUAZIONE: SOLLECITARE UNA RISPOSTA

FORMALE

Dear Mr. Regan,

Would you please confirm that you received my question about the Saturn project and if your answer is positive or not.
Sorry for pressing you, but there is some urgency.
Thank you for your understanding.

Karl Manner
IT dept
Delware Electronics

INFORMALE

Oliver,

I hate to bug you (darti fastidio), *but I really need an answer, my friend.*

HUMOROUS ALTERNATIVE:
I think your answer to my question got lost (si è persa) *in cyber space.*
Can you send it again, please?
Waiting patiently,

Karl

SITUAZIONE: RICHIEDERE UN APPUNTAMENTO

FORMALE

Dear Mr. Lieber,

I'd like to know if I could make an appointment with you to discuss some issues concerning the Saturn project.
I have some ideas and I think you'll find them interesting.
Please let me know when it would be convenient.
Kind regards,

Sarah Thompson
Head Publisher
Taylor & Taylor Ltd

INFORMALE

Hi Ricky,

I was wondering (mi chiedevo) *if we could meet and talk about the Saturn stuff* ("roba" su Saturno).
I have a few ideas you might be interested in.
Let me know when it would be convenient.

Sarah

E-MAIL

SITUAZIONE: DOMANDA DIRETTA

FORMALE

Dear Ms. Chambers,

Thank you for the new list of regulations. I'd just like to ask you for a little more clarity concerning point 3.
It isn't clear to us what we need to do here. Thanks in advance for your time and help.

Jennifer Palin
Security Manager
Kraft Foods

INFORMALE

Hi Diane,

We are a little confused about these new regulations.
Would you explain point 3 in more detail, please? We don't really get it (capire il concetto).
Thanks for your patience!

Jennifer

SITUAZIONE: "TIRARE UN PACCO"

FORMALE

Dear Mr. Rosenthal,

I have just (appena) *learned that I won't be able to attend the meeting on Friday.*
I hope this doesn't inconvenience you and I hope to exchange ideas with you at a later date.
Sincerely,

Tanya Buhnik
Marketing Manager
Salty Biscuits srl

INFORMALE

Hey Jim,

I'm really sorry, but I can't make the meeting. Something has cropped up in the office that I really have to sort out.
Hope to see you at the next one!

Tanya

SITUAZIONE: ORGANIZZARE UNA TRASFERTA

FORMALE

Dear Mr. Regis,

I can confirm that I am arriving in London at 3 P.M. on Monday. Please let me know if there will be someone at the airport to receive me.
I can also confirm that I'll be staying at the Victoria Hotel in Abbey Road for my three days in London.
I look forward to seeing you there,

Bill Summers
Customer Service
Currys Ltd

INFORMALE

Hi Colin,

I am landing in London at 3 P.M., so if anybody is kind enough (abbastanza gentile) *to come and meet me at the airport that would be great. If not, I'll take a taxi.*
I'm staying in the Victoria Hotel, it was the nearest we could sort out at short notice (con poco avviso), *hope it has a mini-bar!*

Bill

SITUAZIONE: AVVISO DI CONSEGNA

FORMALE

Dear Ms. Hollins,

I can confirm that the delivery of goods (merce) *will arrive on Monday morning at your warehouse. We request that someone is there to receive it. Best regards,*

Joseph Lamer
Logistics Manager
Hollyoaks srl

INFORMALE

Tara,

Your load (carico) *will be delivered* (consegnato) *on Monday morning. Please have someone at the warehouse* (magazzino) *ready for the truck* (camion)*!*
Thanks dear,

Joe

E-MAIL

SITUAZIONE: RICERCA DI LAVORO

FORMALE
(SAI CHE C'È UN POSTO LIBERO)

Object: FAO (For the Attention Of)
Human Resources

To whom it may concern, (se non hai il nome diretto di una persona a cui riferirti, meglio se riesci ad averlo, però!)

I am writing to you about the vacant (libero) *position in your accounts dept.*
I am very interested in this position and ask you kindly to have a look at my CV, which is attached to this message.
Thank you very much for your time,

Linda Rizzi

FORMALE
(TI INTERESSA LA DITTA,
MA NON SAI DI UN POSTO LIBERO)

Object: FAO Human Resources

To whom it may concern,

I am writing to you to express my interest in joining your company.
I feel your company is perfectly suited (adatta) *to my studies/professional experience and I kindly ask you to view my CV, attached, for future consideration.*
Thank you for your time and help,

Linda Rizzi

SITUAZIONE: MUTLIPLE QUESTIONS

FORMALE

Dear Ms. Harris,

A few questions, if I may,
- What is the delivery deadline (scadenza) *for these orders?*
- Can we send the goods part by part, or do you need them all together?
- Should we send them all to the same address, or are there different addresses for different orders?
Thank you for clarifying,

Tim Roth - United Fruits

INFORMALE

Hi Myriam,

A few questions, please:
- What is the delivery deadline for these orders?
- Can we send the goods bit by bit (un po' alla volta), *or do you need them all together?*
- Should we send them all to the same address, or are there different addresses for different orders?
Thanks mate,

Tim

ON THE **TELEPHONE** 2.1.5

Ora ti mostrerò il testo di una tipica conversazione telefonica di lavoro, e in questa conversazione inserirò delle espressioni inglesi molto importanti.

London: «Hello, Simms' Fruit Farm.»
Anna: «Good morning, this is Anna from Kraft, Milan.»
L: «Good morning, how can I help you, Anna?» (in teoria dovrebbero risponderti così!)
Anna: «I'd like to speak to the person in charge of (responsabile di) accounts, please.»
L: «Certainly, hold on (attendere) a minute, I'll just put you through.»

(*to put* + soggetto + *through*: connettere telefonicamente)

MUSICA IRRITANTE

Di solito c'è una musica irritante mentre si aspetta, e si deve per forza tollerarla!

L: «Sorry to keep you waiting. I'm afraid, Mr. Jones isn't **in his office*** at the moment, but if you leave your number I will ask him to call you back.»
Anna: «That would be great, thanks... it's Anna Rossi from Kraft (Italy) and the number is 0039 for Italy then 024456.»
L: «Ok, I'll make sure he gets that, as soon as possible.»
Anna: «Thanks a lot, bye.»
L: «Bye.»

*IN (MY) OFFICE

NON si dice "*he is in office*", perché il Presidente degli Stati Uniti è "*in office*" (in carica)... si usa "*in my/his/her office*" per dire che si è o non si è in ufficio in quel momento.

1. A MESSAGE ON AN ANSWERING MACHINE (lasciare un messaggio in segreteria telefonica)

Vediamo di seguito le fasi fondamentali da tenere presenti se ti troverai a dover lasciare un messaggio a una segreteria telefonica.

INTRODUZIONE

Hello, this is Ken. OR Hello, My name is Ken Beare (più formale).

DIRE L'ORA DEL GIORNO E LA RAGIONE DELLA CHIAMATA

It's ten in the morning. I'm phoning/calling/ringing to see if.../to let you know (per informarti) that... to tell you that...

FARE UNA RICHIESTA

Would you call/ring/telephone me back? OR Would you mind (ti dispiacerebbe)...?

LASCIARE IL PROPRIO NUMERO DI TELEFONO

My number is... OR You can get me at... OR Call me at... OR You can reach me at...

COME TERMINARE

Thanks a lot, bye. OR I'll talk to you later, bye.

Facciamo ora un esempio per chiarire quali sono le dinamiche che intervengono quando si lascia un messaggio in segreteria telefonica.

Ring... Ring... Ring... (il telefono)

Tom's answering machine: Hello, this is Tom. I'm afraid, I'm not in at the moment. Please leave a message after the beep.....

Beep... (il telefono)

Hello, Tom, this is Ken. It's about noon and I'm calling to see if you would like to go to the Birmingham game on Friday. We are sure to win, again. Would you call me back? You can reach me at 367-8925 until five this afternoon. I'll talk to you later, bye.

SLOWLY

Una delle lamentele più comuni che sento è: "Parlano così velocemente, non riesco a stargli dietro!". Non devi avere paura... tante volte gli inglesi non si rendono conto della velocità che usano e non si offendono se glielo fai notare, ANZI, è molto peggio se fai finta di capire o se cerchi d'intuire; in taluni casi anche pericoloso.
Se non sei sicuro di aver capito, INTERROMPI! E tieni a mente questo suggerimento: chiedi immediatamente alla persona di parlare più lentamente.

«Sorry, could you speak slowly, please, I am still learning.»

Il tuo interlocutore apprezzerà l'impegno che metti nell'imparare la sua lingua e, volentieri, ti aiuterà a capire.

2. THE GAME RULES

Ora ti svelo alcuni segreti da tenere bene a mente quando usi il telefono, soprattutto per lavoro.

RIPETERE

Quando si sta prendendo nota del nome di una persona o di un'informazione importante, è fondamentale ripetere ogni parte dell'informazione ricevuta mentre la persona parla. Questo è un metodo molto efficace: ripetendo ogni parte rilevante o ogni numero che ci viene dato oppure ciascuna lettera, nel caso di uno *spelling*, si porta automaticamente l'interlocutore a parlare più lentamente, perché lui penserà che stai scrivendo tutto e anche qui farai bella figura perché uno che scrive tutto fa capire che ci tiene a comprendere bene l'informazione ricevuta.

NON FINGERE DI CAPIRE

Non dire mai di aver capito se non hai capito... Chiedi alla persona di ripetere finché non ti è tutto davvero chiaro. Ricorda che è l'altra persona che ha bisogno di farsi capire, ed è quindi sicuramente suo interesse essere certa che tu capisca correttamente. Se chiedi a una persona di spiegare o ripetere per più di due volte, questa comincerà a parlare più lentamente.

CONFERENCE **CALLS** 2.1.6

Ricordati, se hai difficoltà o paura di queste *conference calls*, che non sei l'unico, te lo assicuro.
Immagina, però, che, quando sei lì connesso con altre persone tutte collegate da posti diversi, una di loro dica: *«Please, I would like to ask everybody to speak in a slow, clear and simple way, because it is important to me to understand».*

Questa persona diventerrebbe il tuo eroe, non è vero? Manderesti cioccolatini e fiori a Natale a questa persona, o no? Allora perché non diventi tu questo mito!?
E non pensare: "Non voglio interrompere perché rompo le scatole!", questo non è vero! Anzi, sia nel caso delle chiamate *one-to-one* che per le *conference calls*, prima o poi le persone con cui sei collegato capirebbero che non stai o non state seguendo al 100%... gli inglesi non sono stupidi!

PER ESSERE PIÙ TRANQUILLO E A TUO AGIO, CERCA DI RIFLETTERE SU QUESTI PUNTI CHIAVE:

- le *conference calls* sono in genere uno strumento non molto utilizzato per il lavoro, ma hanno un valore elevato, a basso costo, sono veloci e facili da organizzare;

- fai in modo che la *conference call* non diventi noiosa. Per posta, per fax o per e-mail invia un ordine del giorno (come già detto) ma anche volantini, immagini, grafici se disponibili. Questi sono elementi utili per illustrare e spiegare ciò che verrà discusso, soprattutto se la maggior parte delle persone nel corso della conference call sono presenti fisicamente in una sala conferenze in cui tale materiale può essere utilizzato. Sicuramente in questo modo il coinvolgimento e l'interesse saranno totali;

- un gruppo composto da tre fino a sei persone è la dimensione ottimale per effettuare una *conference call* in cui si sta tentando di prendere una decisione o risolvere un problema. I gruppi più grandi sono più difficili da gestire, ma con una buona organizzazione preventiva ci si può comunque riuscire;

- si può prevedere anche una registrazione della *conference call* per le persone che non possono partecipare in tempo reale.

CONFERENCE **CALLS**

1. INTRODUCTION

Molte persone si fanno venire l'ansia quando sanno di dover affrontare una *conference call* e l'attendono con lo stesso entusiasmo di una visita dal dentista. Questo perché hanno avuto un'esperienza mediocre o addirittura terribile.
Questo non mi sorprende affatto, perché ci sono così tante mediocri o addirittura terribili *conference calls* che si potrebbe andare avanti a parlarne per un giorno intero!!! Questo è un peccato, perché questo strumento è utilizzato meno spesso delle e-mail, ma ha un valore più elevato per aiutare il team di lavoro ad avere una collaborazione diretta e immediata.
Lo scopo di questi consigli sulle *conference calls* è quello di aiutarti a capire quali possono essere gli aspetti negativi e positivi, cosa devi evitare, ma soprattutto di darti suggerimenti specifici in modo tale da rendere la tua *conference call* invitante, efficace e di successo, facendo, quindi, buon uso del tempo che hai a disposizione.

2. HOW IT IS DONE

Ecco alcune indicazioni per segnalarti gli atteggiamenti corretti da tenere e gli errori in cui non devi incappare. Ovvero, cosa fare e cosa non fare!

TROVA UN AMBIENTE TRANQUILLO

Le *conference calls* possono essere abbastanza rumorose e possono esserci notevoli distrazioni causate dai rumori di fondo. Chiudi la porta, utilizza il telefono in una zona tranquilla (nasconditi sotto la giacca, se serve!), o fai qualcosa per tenere lontano il rumore. Inoltre, evita il fruscio dei documenti, di masticare il pranzo rumorosamente, di sorseggiare il caffè, di russare, di scrivere al computer, di masticare la gomma o, comunque, di produrre qualsiasi altro suono o rumore (!!!). Se possibile, spegni il segnalatore di una chiamata in attesa così queste piccole interferenze non creeranno interruzioni.

NOMINA UN MODERATORE DELLA CONFERENCE CALL

Tutte le riunioni devono avere un leader, e gli appuntamenti telefonici non fanno eccezione. Una persona dovrebbe gestire la chiamata. In genere è la persona che si decide di nominare per parlare che deve necessariamente mantenere il controllo ed evitare il caos.

CONFERENCE **CALLS**

UTILIZZA LA TUA VOCE, NON I TUOI OCCHI

È una *conference call*! Se sei a un incontro con un'altra persona, è facile guardarla negli occhi per cercare di comprendere il feeling della conversazione e magari rispondere nel modo migliore, più conveniente, in base agli indizi che puoi ottenere avendo la persona presente di fronte a te. Ma quando stai facendo una *conference call* non hai questa possibilità, hai solo la voce, quindi devi sempre chiedere il parere dell'interlocutore. Parla lentamente, con parole semplici e ben scandite, e con voce forte. Imposta il ritmo della chiamata e gli altri ti seguiranno.

ASPETTA IL TUO TURNO

Ricordati sempre quello che ti hanno insegnato la mamma o la maestra: anche se hai voglia di dire qualcosa, bisogna sempre che aspetti il tuo turno ed eviti la tentazione di iniziare a parlare. Ci sono due ragioni per questo: in primo luogo, è una semplice questione di gentilezza, di rispetto per il buon andamento della riunione e anche dei propri colleghi. In secondo luogo alcuni telefoni, altoparlanti o microfoni permettono solo a una persona per volta di parlare: se si interviene sopra la voce di un'altra persona, si rischia inconsapevolmente di tagliare parte della sua esposizione/spiegazione/frase.

RISPETTA L'ORDINE DEL GIORNO

Segui l'ordine del giorno, che deve essere preparato in anticipo. Per tutte le *conference calls* si prepara un ordine del giorno da rispettare, in modo da avere così la certezza di esaurire tutti i punti in programma. E ricordati di inviare l'ordine del giorno prima della riunione tramite fax o e-mail a tutti i partecipanti della *conference call*. Anche un last minute dell'ordine del giorno è meglio di niente.

PRESENTATIONS 2.1.7

Inizia lo spettacolo

Essendo un attore, mi rendo conto quanto sia importante la mia preparazione teatrale per aiutare i dirigenti a preparare le loro *presentations*. Come in uno spettacolo, devi comunicare a tutti in modo bello e chiaro e farli divertire...
Qui ci sono dieci suggerimenti per aiutarti a garantire un buon risultato quando devi fare una presentazione:

1. non utilizzare eccessivamente il MATERIALE VISIVO che hai a disposizione come i manifesti, i grafici e le diapositive. Qualunque siano le immagini a tua disposizione, devono essere semplici, senza l'aggiunta di troppe parole. Il pubblico non è lì per leggere le diapositive... è lì per ascoltare la tua presentazione;

2. guarda il PUBBLICO. Se ti sei chiesto dove si dovrebbe guardare durante la presentazione, la soluzione si trova di fronte a te. Non devi concentrarti su una sola persona nel pubblico, ma piuttosto cercare di stabilire un contatto visivo con numerose persone in tutta la stanza. Devi fare questo per evitare di isolare il resto del pubblico e rischiare così di perdere l'attenzione di parte della platea;

3. mostra la tua PERSONALITÀ. Non importa se ti presenti a una folla aziendale o a degli anziani: è necessario mostrare un po' di carattere quando fai la tua presentazione;

4. falli RIDERE. Anche se sei lì per insegnare o spiegare qualcosa (di importante) al pubblico, è necessario farlo divertire. In questo modo si manterrà viva la sua attenzione e i concetti espressi nella tua presentazione verranno più facilmente assimilati e ricordati;

5. parla con il pubblico, non al pubblico. INTERAGISCI con il pubblico e crea un colloquio: un modo semplice per farlo è quello di porre loro delle domande, ma anche chiedere a loro di fartene;

6. sii onesto. Di' sempre quello che devi dire e non quello che il pubblico ha bisogno di sentire. Assicurati di dire la VERITÀ: per questo ti rispetteranno maggiormente e avranno più fiducia in te;

7. non esagerare con la PREPARAZIONE. È sicuro che devi essere preparato abbastanza per sapere di che cosa stai andando a dire, ma nello stesso tempo assicurati che la tua presentazione suoni in modo naturale, non recitata a memoria;

8. mostra qualche movimento. Assicurati di fare alcuni piccoli GESTI, di tenere un certo RITMO (non troppo) quando stai parlando. Ricordati che a nessuno piace guardare una statua rigida: le persone sono più impegnate e coinvolte con uno "*speaker* animato";

9. stai attento alle REAZIONI del pubblico. Di solito non si notano espressioni tipo "Uhm!", "Ah!" o qualsiasi altra espressione spesso inutile, ma il pubblico le fa. A volte diventano piuttosto irritanti. Non ti scoraggiare e continua;

10. sii unico. Se non fai qualcosa di UNICO rispetto a tutti gli altri relatori, il pubblico non si ricorderà di te. Assicurati di fare qualcosa di unico e memorabile.

1. A FUNNY START

Quando cominci una presentazione SORRIDI... se sei sorridente esprimi simpatia. Non avere paura di cominciare con una battuta per mettere a proprio agio il tuo pubblico. Io ho assistito a delle *presentations* di alcuni tra i più importanti e bravi dirigenti che ci sono in giro, e quelle che rimangono più in mente sono quelle che cominciano facendo ridere il pubblico. Io ho imparato facendo cabaret che la gente apprezza tantissimo l'ironia e l'autoironia.

Per quanto riguarda l'inglese, mantienilo sempre il più semplice e più colloquiale possibile (il tuo pubblico ti sarà molto grato!).

Ecco qualche esempio di battute che puoi usare per rompere il ghiaccio; sono tutte mie, quindi hai la mia piena autorizzazione a usarle:

- Hello everyone, my presentation today is clear and well organized. Unlike my English! (Ciao a tutti, la mia presentazione oggi è chiara e ben organizzata... a differenza di mio inglese!)

- If you have any questions, please ask at the end, I don't guarantee I can answer them, but ask anyway. (Se avete delle domande per favore fatemele alla fine, non garantisco di potervi rispondere, ma chiedete lo stesso.)

PER I CORAGGIOSI, QUESTA È UNA BOMBA:

- Somebody advised me to take a theatre course to improve my presentation skills so I did. The problem is it specialized in musicals... I don't think it helped much with my presentation, but I can sing you a song at the end. (Qualcuno mi ha consigliato di fare un corso di teatro per migliorare le mie capacità di fare presentazioni. Il problema è che era per un musical... non penso che mi abbia aiutato molto, ma posso comunque cantarvi un canzone alla fine.)

GOING ABROAD

Se vai all'estero per lavoro, per vacanza o semplicemente per far pratica con il tuo inglese, ti serviranno di certo questi consigli.

BOOKINGS 2.2.1

Chi ben comincia...

Quando pianifichi o stai programmando una viaggio all'estero, è molto importante cominciare con il piede giusto, ovvero conoscere le cose fondamentali che ti permetteranno di organizzare i tuoi spostamenti, scegliere l'alloggio, ordinare la cena, e di non ritrovarti a dormire in un autobus, a prenotare una sala fumatori al ristorante quando in realtà proprio non sopporti il fumo, o fare un viaggio romantico pernottando in un ostello, in una camerata con 20 letti a castello, tu e la tua dolce metà...

1. FLIGHTS

Il metodo migliore per capire come devi prenotare un volo aereo è quello di simulare una conversazione tipo con l'addetto della compagnia aerea. Presta molta attenzione al dialogo che ho preparato per te!

Y = *you*
TA = *travel agency* (agenzia di viaggi)

Y: Hello, I'd like to know if there are any flights to London this Tuesday.
Salve, vorrei sapere se ci sono dei voli per Londra questo martedì.

TA: Yes, there is one at 10,00 a.m. and one at 3 p.m.
Sì, ce n'è uno alle 10 di mattina e uno alle15.

Y: And how much are they?
E quanto costano?

TA: They both cost the same: 200 Euros one way or 300 Euros return (or round trip).
Costano entrambi 200 euro solo andata o 300 euro andata e ritorno.

Y: Okay, I'd like to book two seats on the 10,00 a.m. flight, please.
Ok, allora vorrei prenotare due posti sul volo delle 10, grazie.

TA: Sorry, but there are no seats available on that flight.
Mi dispiace, ma non ci sono posti disponibili su quel volo.

Y: So why did you mention it?! Ok, two tickets on the later flight.
Allora perché ne hai parlato?! Ok, due posti sul volo seguente.

TA: Hey, relax!
Hey, calma!

Y: YOU relax!
Si calmi lei!

TA: Thank you for choosing Hooligan Airlines.
Grazie per aver scelto Hooligan Airlines.

BY

Quando viaggi, per dire con quale mezzo di trasporto ti stai spostando, devi usare sempre la preposizione by + il veicolo.
By car, *by ship*, *by train*... (con la macchina, con la nave, col treno).

2. **TRAINS**

Ti propongo una conversazione anche per prenotare un viaggio in treno: immagina di essere tu a dover partire e ad aver bisogno di un biglietto per Londra!

Y = *you*
C = *clerk* (impiegato)

Y: What time does the next train to London leave?
A che ora parte il prossimo treno per Londra?
C: At 4 p.m., from platform 8.
Alle 16 dal binario 8.

Y: Is it a direct train to London?
È un treno diretto per Londra?

C: No, you have to change trains at Birmingham.
No, deve cambiare a Birmingham.

Y: I see. One ticket to London, please.
Capito, un biglietto per Londra, per favore.

C: One way or return, sir?
Solo andata o anche ritorno, signore?

Y: One way, please.
Solo andata, per favore.

C: 64 pounds, please.
64 sterline, prego.

Y: Here you are.
Ecco a lei.

3. HOTELS

Per prenotare una stanza in un albergo bisogna essere davvero preparati: molto spesso ti potresti far confondere da chi sta alla reception, persone che non sono molto gentili con te o che, anziché aiutarti, cercano proprio di fregarti! Per questo, faccio di seguito due diversi esempi che ti potranno tornare utili, perché includono tutte le cose fondamentali di cui potresti avere bisogno.

Y = *you*
R = *receptionist*

Y: Hello, is this the King George Hotel?
Salve, è l'albergo King George?

R: Yes, sir, how can I help you?
Sì, signore, come posso aiutarla?

Y: I'd like to know if you have a double room available for one week from Friday the 13th to Friday the 20th.
Vorrei sapere se avete una camera matrimoniale disponibile per la settimana da venerdì 13 a venerdì 20.

R: Just a minute, let me check...
Solo un momento, mi faccia controllare...

(PAUSA)

R: Yes, we do have a room available, Sir.
Sì, abbiamo una camera disponibile, signore.

Y: Great, and how much does it cost per night?
Bene, e quanto costa per notte?

R: 200 pounds, Sir.
200 sterline, signore.

Y: Are you crazy?
Ma è pazzo?

R: You are Italian, aren't you?
Lei è italiano, vero?

Y: Does the room have a shower or a bath tub/minibar/balcony?
La camera ha una doccia o la vasca/il minibar/un balcone?

R: It has a shower and a minibar, but no balcony.
Ha una doccia e un minibar, ma niente balcone.

Ora faccio anche l'esempio di una conversazione telefonica, perché potrebbe, a volte, essere necessario prenotare l'albergo prima di partire, per essere certi di non avere brutte sorprese e non trovare un posto dove dormire!

R: Good afternoon, Sunny London Hotel. May I help you?
Buon pomeriggio, albergo Sunny London, posso aiutarla?

Y: Yes. I'd like to book a room, please.
Sì. Vorrei prenotare una camera, per favore.

R: Certainly. When for, madam?
Certamente. Per quando, signora?

Y: March the 23rd, 24th and 25th.
Per il 23, 24 e 25 marzo.

R: How long will you be staying?
Per quanto si ferma?

Y: Three nights.
Tre notti.

R: What kind of room would you like, madam?
Che tipo di camera vuole, signora?

Y: Er... double with a bath tub, please.
Ehm… una doppia con la vasca, per favore.

BOOKINGS

R: Certainly, madam. I'll just check what we have available... Yes, we have a room on the 4th floor with a really splendid view.
Certamente, signora. Verifico quello che abbiamo disponibile... Sì, abbiamo una camera al quarto piano con una vista davvero fantastica.

Y: Fine. How much does it cost per night?
Bene. Quanto costa a notte?

R: Would you like breakfast?
Gradisce la prima colazione?

Y: No, thanks.
No, grazie.

R: It's 84 pounds per night, excluding VAT.
Sono 84 sterline per notte, IVA esclusa.

Y: That's fine.
Va bene.

R: Who's the booking for, please, madam?
A nome di chi prenoto, signora?

Y: BANFI, that's B-A-N-F-I.
BANFI, cioè B-A-N-F-I.

R: Okay, so, a double with bath tub for March the 23rd, 24th and 25th. Is that correct?
OK, quindi, una doppia con vasca per il 23, 24 e 25 marzo. Giusto?

Y: Yes, it is. Thank you.
Sì, grazie.

R: Let me give you your booking number. It's: 7576385. I'll repeat that: 7-5-7-6-3-8-5. Thank you for choosing Sunny London Hotel and have a nice day. Bye.
Lasci che le dia il numero di prenotazione: 7576385. Lo ripeto: 7-5-7-6-3-8-5. Grazie per aver scelto l'albergo Sunny London e buona giornata. Arrivederci.

Y: Bye.
Arrivederci.

4. RESTAURANTS

E dopo aver prenotato il tuo albergo, con la sicurezza di un tetto sopra la testa e un comodo letto in cui riposare, puoi pensare tranquillamente a riempirti la pancia…

Y = *you*
MPP = *Mario's Pizza Palace*

Y: Hello? Is that Mario's Pizza Palace?
Pronto, Mario's Pizza Palace?

MPP: Yes, Sir, good evening.
Sì, signore, buonasera.

Y: Good evening. I'd like to book a table for one, please.
Buonasera. Vorrei prenotare un tavolo per una persona, per favore.

MPP: Certainly, Sir, for what time?
Certamente, signore, per che ora?

Y: For 8 o'clock, please.
Per le 20, per favore.

MPP: Ok, that's fine, and your name, please?
Ok, va bene, e il suo nome, per favore?

Y: Popular, Mr. Popular. That's P-O-P-U-L-A-R.
Popular, signor P-O-P-U-L-A-R.

MPP: Ok, your table for only one person will be ready at 8, Mr. Popular.
Ok, il suo tavolo per una persona sarà pronto alle 20, signor Popular.

Y: Thank you. Bye.
Grazie. Arrivederci.

MPP: Bye, Sir.
Arrivederci, signore.

M.U.Q.

More Useful Questions

Excuse me, where is the…?
Mi scusi, dov'è…?

How far is the "x" from here…?
Quanto è lontano "x" da qui…?

At what time does the "x" close/open?
A che ora chiude/apre "x"?

PLACES **AND DIRECTIONS** 2.2.2

Come raggiungere la tua destinazione

Se ti trovi all'estero e devi raggiungere un determinato posto, ti capiterà certamente di dover chiedere indicazioni stradali per farti indirizzare e guidare nella giusta direzione. Ricorda che questo è un ottimo esercizio per mettere alla prova la tua conoscenza della lingua inglese...

T = *tourist*
P = *policeman*

T: Excuse me! Where is Buckingham Palace, please?/How do I get to Buckingham Palace, please?
Mi scusi! Dov'è Buckingham Palace, per favore?/Come faccio ad arrivare a Buckingham Palace, per favore?

P: Go straight on, turn left at the traffic lights, straight on for about 50 meters, then turn right and you can't miss it.
Vada dritto, giri a sinistra al semaforo, vada dritto per circa 50 metri, poi giri a destra e non può non vederlo.

Di seguito vediamo se le indicazioni le dovessi chiedere a un passante anziché a un poliziotto, o comunque a un funzionario pubblico.

IT = *italian tourist*
E = *Englishman*

IT: Excuse me, where can I find a post office?
Mi scusi, dove posso trovare un ufficio postale?

E: It is far from here; you need to take a bus.
È lontano da qui, deve prendere un autobus.

IT: Which bus and where can I take it?
Quale autobus devo prendere, e dove posso prenderlo?

E: The 33, the bus stop is at the end of the road.
L'autobus 33, la fermata è alla fine della strada.

IT: And how much is the ticket?
E quanto costa il biglietto?

E: About 1 pound.
Circa 1 sterlina.

IT: And where can I buy the ticket?
E dove posso comprare il biglietto?

E: You pay on the bus.
Paga sull'autobus.

IT: Why?
Perché?

E: STOP! No more questions! I am very late for work!
STOP! Basta domande! Sono molto in ritardo per il lavoro!

IT: What is your job?
Che lavoro fai?

E: AAaaaggrhhhhrr!

L'esempio che hai appena visto ripropone una situazione che ti potrebbe capitare, ma sono certo che quello che stai per leggere ti sarà accaduto sicuramente almeno una volta. Magari non solo te lo sei sentito dire, ma l'hai pure detto tu stesso…

IT: Excuse me, where can I find a post office?
Mi scusi, dove posso trovare un ufficio postale?

E: Sorry, I'm not from around here.
Mi dispiace, non sono di qui.

PLACES AND DIRECTIONS

PLACES

ufficio postale, posta	post office
museo	museum
banca	bank
polizia, stazione di polizia	police station
ospedale	hospital
farmacia	chemist's
negozio	shop
ristorante	restaurant
scuola	school
chiesa	church
bagni, servizi	bathroom
strada, via	street
piazza	square
montagna, monte	mountain
collina	hill
valle	valley
lago	lake
fiume	river
piscina	swimming pool
torre	tower
ponte	bridge

PLACES AND DIRECTIONS

TRADUCIAMO!

WORDS		VERBS	
second	seconda	to take	prendere
until	fino a/finché	to turn	girare/svoltare
traffic lights	semaforo	to go straight on	andare dritto
roundabout	rotonda	to drive	guidare
island	isola		
first	prima		

DIALOGO TRA UN TURISTA ITALIANO E UN INGLESE

IT: Mi scusi! Dov'è Buckingham Palace, per favore?

E: Da qui?

(Mi sconvolge questa cosa, ma a Londra fanno veramente questa domanda; incredibile... Resisti dal rispondere: «No, da casa mia a Milano!!!».)

IT: Sì, da qui.

E: Ok, deve andare diritto, poi prende la seconda strada a destra, va avanti finché vede il semaforo, al semaforo gira a sinistra poi va diritto fino a una rotonda. Da lì, prende la prima strada sulla sinistra poi chiede ancora.

IT: Perfetto, grazie!

Poi, troverai sempre un simpatico vecchietto, che alla tua domanda risponderà:

It's where it has always been! Ah Ah Ah! È dove è sempre stato! Ah Ah Ah!

Sei stato avvisato.

TRAVEL

2.2.3

Segreti di viaggio

TAKE

Quando indichiamo quanto tempo ci vuole per un viaggio, corto o lungo, usiamo il verbo *to take.*

Ci vuole un ora per arrivare a Londra.
It takes one hour to get to London.
Il volo è durato due ore.
The flight took two hours.
Ci abbiamo messo venti minuti per arrivare.
We took twenty minutes to arrive.
La nave ci ha messo due settimane per arrivare.
The ship took two weeks to get here.

TRAVEL

TRADUCIAMO!

WORDS

air	aria
airport	aeroporto
check-in	check-in
flight	volo
landing	atterraggio
plane	aereo
destination	destinazione
journey	viaggio
passenger	passeggero
route	rotta
captain	capitano
crew	personale di bordo
trip	viaggio corto
luggage	bagaglio
land	terra
bike	bicicletta
bus	autobus
car	automobile
motorbike	motocicletta
train	treno
motorway	autostrada
train station	stazione del treno
underground/tube	metropolitana
road	strada
traffic	traffico
traffic lights	semaforo
boat	barca
coast	costa
ferry	traghetto
port	porto
sea	mare
ship	nave

VERBS

to board	imbarcare
to check in	fare il check-in
to fly	volare
to land	atterrare
to take off	decollare
to travel	viaggiare
to stop	fermarsi

PHRASAL VERBS

to get ready	prepararsi
to get on	salire
to get off	scendere

I BELLISSIMI UOMINI DI BIRMINGHAM (DIARIO DI ALICE)

Alle sei del mattino ci siamo preparati e abbiamo chiamato il taxi.
C'era tanto traffico sulla strada e ci abbiamo messo (it took us) venti minuti per arrivare alla stazione del treno.
Abbiamo preso i biglietti e il treno è arrivato dieci minuti dopo.
Il treno si è fermato a sette stazioni prima di arrivare a quella centrale.
Da lì abbiamo preso l'autobus per l'aeroporto.
Ci abbiamo messo tre minuti per salire sull'autobus con tutte le valigie.
Dopo trentacinque minuti siamo scese dall'autobus davanti all'aeroporto.
Ci sono voluti quindici minuti per il check-in.
Il nostro aereo è atterrato a Londra alle undici.
A Londra abbiamo preso la metropolitana per arrivare in albergo.
Alla reception ho parlato io:
«Buongiorno, c'è una camera matrimoniale, per favore?»
«Certo, per quanto rimanete?»
«Solo questa notte, grazie.»
«Ok, abbiamo una camera con doccia per cento sterline a notte.»
«Ok, va bene, grazie.»
Il giorno dopo abbiamo preso un treno per la destinazione del mio cuore, Birmingham.
La città di Birmingham è al centro dell'Inghilterra ed è famosa per i suoi uomini, che sono tutti bellissimi e intelligenti… e per la sua fantastica squadra di calcio.
Dopo il paradiso di Birmingham, abbiamo preso un treno per la costa. Prossima destinazione: Irlanda.
Sulla costa abbiamo preso un traghetto per l'Irlanda.
Il mare era calmo e bello.
Al porto siamo scese e abbiamo girato tutto il giorno.
Quella sera siamo tornate in Italia e io ho dormito sull'aereo, sognando gli uomini bellissimi di Birmingham.

EATING **OUT** 2.2.4

Non solo pizza!

Come è risaputo, noi inglesi siamo famosissimi in tutto il mondo per tre cose:
the Beatles,
i bellissimi uomini di Birmingham,
la nostra deliziosa cucina.

Quindi, è davvero importante ordinare bene...
Simuliamo una situazione in cui stiate entrando in un ristorante.

Y = you
P = your partner
W = waiter (cameriere)

Y: Good evening, a table for two, please.
Buonasera, un tavolo per due, per favore.
(o sei hai già prenotato: Good evening. I reserved a table for two, under the name ROSSI/Buona sera, ho prenotato un tavolo per due a nome ROSSI.)

W: Of course, I'll show you to your table.
Certo, vi mostro il vostro tavolo.

W: Can I get you something to drink, while you read the menu?
Posso portarvi qualcosa da bere mentre leggete il menu?

Y: Yes, thank you. I'll have a glass of white wine.
Sì, grazie, prendo un bicchiere di vino bianco.

W: Sweet or dry?
Dolce o secco?

Y: Dry, thank you.
Secco, grazie.

P: And I'll just have a glass of mineral water, please.
E io prendo solo un bicchiere di acqua minerale, per favore.

W: Sparkling or still?
Frizzante o naturale?

P: Still, thank you.
Naturale, grazie.

E adesso siete pronti per ordinare...

STARTER (antipasto)

W: What will you have for your starter, Sir?
Cosa desidera come antipasto, signore?

Y: I'll have the prawn cocktail, please.
Prendo il cocktail di gamberi, per favore.

P: Just a salad for me, please.
Per me solo un'insalata, per favore.

MAIN COURSE (pasto principale/secondo piatto)

W: And for your main course?
E come secondo?

Y: What do you recommend?
Cosa suggerisce?

W: I recommend a different restaurant!
Vi suggerisco un altro ristorante!

Y: Ah Ah Ah! No, but seriously…
Ah Ah Ah! No, scherzi a parte...

W: The fish, it is very fresh, today.
Il pesce è molto fresco oggi.

Y: Then I will have the fish and chips!
Allora prendo pesce con patatine!

W: Very good, Sir!
Molto bene, signore!

P: I'll have a steak with vegetables, please.
Io prenderò una bistecca con le verdure, per favore.

W: Certainly, and how would you like your steak cooked? Rare, medium or well done?
Certamente, e come vuole la sua bistecca? Al sangue, normale o ben cotta?

P: Rare, please.
Al sangue, per favore.

(Noi inglesi usiamo spessissimo *please* anche per le cose banali. È importante metterlo in ogni richiesta, per non sembrare maleducati.)

DESSERT (il dolce)

W: Dessert?
Dolce?

Y: I'll have a slice of cheesecake.
Io prenderò una fetta di torta al formaggio.

P: And I'll have the apple pie with cream.
E io prendo la torta di mele con la panna.

W: Enjoy your meal!
Buon appetito!

ALLA FINE…

Y: Excuse me, could I have the bill, please?
Mi scusi, potrei avere il conto, per favore?

W: Certainly, Sir. How would you like to pay?
Certamente, signore, come vuole pagare?

Y: Credit card? Cash?
Carta di credito? Contanti?

W: That's fine.
Va bene.

Y: Could I have a receipt?
Potrei avere una ricevuta?

W: Certainly, Sir.
Certamente, signore.

FOOD AND DRINK

cibo	food
pane	bread
caffè	coffee
tè	tea
succo	juice
sale	salt
pepe	pepper
manzo	beef
carne di maiale	pork
pesce	fish
pollo	chicken
verdure	vegetables
patate	potatoes
carote	carrots
piselli	peas
patatine	chips
insalata	salad
frutta	fruit
mela	apple
arancia	orange
pera	pear
ananas	pineapple
fragola	strawberry
banana	banana
pompelmo	grapefruit
anguria	water melon
melone	melon
dolci	desserts
gelato	ice cream
torta di mele	apple pie
torta di cioccolato	chocolate cake
torta al formaggio	cheesecake
zuppa inglese	trifle
budino	pudding

INSTANTENGLISH

SITUATIONS AND WORDS

REAL LIFE

IDIOMS

REAL LIFE

Ti ho svelato i trucchi per utilizzare l'inglese quando lavori e per potertela cavare se vai all'estero per un breve periodo, per viaggio o come turista. Ma se ti trovassi a dover fare tutte le attività che normalmente fai qui in Italia, ti sentiresti pronto? Sapresti comperarti il giornale o un paio di calze? Riusciresti a fare la spesa o a discutere del tempo? Vediamo…

SHOPPING 3.1.1

Lo sport preferito di ogni donna!

Ai tempi delle caverne l'uomo andava a caccia e le donne andavano in gruppi a raccogliere la frutta, la verdura e tante cose belle per decorare la caverna. Ora le cose non sono cambiate molto. Una donna, però, non deve mai portare il suo uomo con sé! E se decidesse di farlo, per cominciare con il piede giusto a fare shopping, iniziamo a vedere come si chiamano i negozi e cosa ci si può comprare!

Per dire che si va a comprare il pane in panetteria, si può usare il sostantivo *bakery*, che è proprio il negozio, oppure dire che si va *baker's*, ovvero «dal panettiere». Questo è uno degli svariati usi del **genitivo sassone**, che, posto dopo una professione, fa acquisire alla stessa il significato del negozio o comunque del luogo dove l'attività di quella professione viene normalmente svolta o esercitata.

DIFFERENT SHOPS

chemist's/dal farmacista
I buy my medicine AT the chemist's. (Compro le mie medicine dal farmacista.)

clothes shop/negozio di vestiti
My wife can walk around in the clothes shop for five hours and she doesn't get tired! (Mia moglie riesce a camminare in un negozio di vestiti per cinque ore e non si stanca!)

laundrette/lavanderia
When my wife is angry, I have to wash my clothes in the local laundrette. (Quando mia moglie è arrabbiata, devo lavare i miei vestiti nella lavanderia di zona.)

newsagent's/dall'edicolante
I buy my newspapers and sweets AT the local newsagent's. (Compro i giornali e le caramelle all'edicolante di zona.)

hairdresser's/dal parrucchiere
My Mom goes to the hairdresser's every Saturday afternoon, so she looks nice in the evening. (Mia madre va dal parrucchiere ogni sabato pomeriggio, così è bella di sera.)

SHOPPING

greengrocer's/dal fruttivendolo
I get my greens from the greengrocer's; they don't cost much, there. (Prendo verdure e insalate dal fruttivendolo. Non costano molto lì.)

post office/ufficio postale
There are always many people waiting to send letters in the post office. (Ci sono sempre molte persone che aspettano di spedire le lettere all'ufficio postale.)

barber's/dal barbiere
I go to the barber's to talk about football and to have my hair cut. (Vado dal barbiere per parlare di calcio e farmi tagliare i capelli.)

off license/negozio di alcolici
In the off license, you can buy beer all day! (Nel negozio di alcolici puoi comprare birra tutto il giorno!)

bookshop/libreria
I bought a book in the bookshop about how to have a nice garden with minimum effort. (Ho comprato un libro in libreria che tratta di come avere un bel giardino con il minimo sforzo.)

hardware store/ferramenta
I need to go to the hardware store to buy a drill. (Ho bisogno di andare dal ferramenta per comprare un trapano.)

general store/emporio
The general store has practically everything! (L'emporio ha praticamente tutto!)

shoe shop/negozio di scarpe
I have nothing to say about the shoe shop; it is a terrible place! (Non ho nulla da dire sul negozio di scarpe: è un posto terribile!)

sports shop/negozio di attrezzatura sportiva
I buy my trainers here. (Compro qui le mie scarpe da tennis.)

butcher's/dal macellaio
My wife likes to go to the butcher's because she imagines that it's me hanging from the ceiling. (A mia moglie piace andare dal macellaio perché si immagina che sia io che penzolo dal soffitto.)

baker's/dal panettiere
I love the smell of fresh bread in the baker's! (Amo il profumo del pane fresco dal panettiere.)

SHOPPING

SHOPPING CENTRE
(CENTRO COMMERCIALE)

cash point	bancomat
money	soldi
bank account	conto in banca
shop	negozio
customer	cliente
cashier	cassiera
shop assitant	commessa
till	cassa
wallet	portafoglio per uomini
purse	portafoglio per signore
shelf/shelves	scaffale/i
trolley	carrello
parking lot	parcheggio
lift	ascensore
bag	sacchetto
changing room	spogliatoio
cheque/check	assegno
cash	contanti
coin	moneta
credit card	carta di credito
clothes	vestiti
tear	lacrima
by the time	ora che
full	pieno

VERBS

to withdraw	prelevare
to pay	pagare
to push	spingere
to fill	riempire
to empty	svuotare

SHOPPING

1. GROCERY

Facciamo la spesa in drogheria…

TRADUCIAMO!

WORDS		VERBS	
supermarket	supermercato	to show	far vedere/mostrare
since	da quando	to find	trovare
shopping list	lista della spesa	to laugh	ridere
salad	insalata	to suffer	soffrire
vegetables	verdure		
fruit	frutta		
apples	mele		
bananas	banane		
the only thing	l'unica cosa		
food	cibo		
detergent	detergente		
soap	sapone		
queue	fila		
torture	tortura		
beef	manzo		
sausages	salsiccia		
fish	pesce		
cake	torta		

GROCERY SHOPPING

Da quando fanno vedere *Dottor House* al pomeriggio devo fare io la spesa.
Ho preso la lista della spesa e sono andato al supermercato.
Mentre prendevo il carrello, l'ho guardata. "Ok, prima cosa insalata, poi verdure."
Non riuscivo a trovare la frutta, quindi ho chiesto a un altro uomo. Lui ha riso.
Quando ho trovato la frutta, ho preso due mele e due banane.
Poi ho preso la carne, il manzo, la salsiccia e un pesce.
Poi, l'unica cosa che mi interessava. La torta.
Non c'era più cibo sulla lista.
Ora dovevo trovare il detergente e il sapone. Nessun problema.
Quando il carrello era pieno, ho fatto la fila alla cassa.
In Italia non amano molto fare la fila, soffrono proprio. È una tortura per loro.
Per me è la spesa la tortura, sono felice quando sono in fila perché è finita.

WEARING

Quando in italiano si dice "indosso una camicia", in inglese invece si dice *I am wearing a shirt*, perché in questo contesto *to wear* è un verbo usato in forma progressiva, anche se in realtà non sta succedendo niente!

2. **CLOTHES**

Rifacciamoci il guardaroba…

DRESSING	
clothes	abiti
lingerie	biancheria intima
bikini	bikini
socks	calze
blouse	camicetta
hat	cappello
shirt	camicia
coat	cappotto
cardigan	cardigan
tights	collant
suit	completo
tie	cravatta
jacket	giacca
skirt	gonna
jeans	jeans
jumper	maglione
t-shirt	maglietta
underpants	mutande
knickers	mutandine
trousers	pantaloni
bra	reggiseno
dress	vestito
wardrobe mistress	costumista
except	tranne
ready	pronto
enormous	enorme

VERBS	
to put on	mettere/indossare
to take off	togliere
to wear	vestire/avere addosso
to get dressed	vestirsi
to get undressed	spogliarsi
to try on	provare un vestito
to decide	decidere

EXAMPLES:

Jane is wearing a red hat. (Jane indossa un cappello rosso.)

He wore black trousers at the wedding. (Indossava pantaloni neri al matrimonio.)

I will wear my best shirt for the party. (Indosserò la mia camicia migliore alla festa.)

John is putting on his shoes. (John sta mettendo le scarpe.)

It was cold, so we put on our coats. (Faceva freddo, così abbiamo messo i nostri cappotti.)

They will put on their hats at the funeral. (Metteranno i loro cappelli al funerale.)

Take off your tie! You're not in the office! (Togliti la cravatta! Non sei in ufficio!)

Did she take off her bra on the beach? (Si è tolta il reggiseno sulla spiaggia?)

I will take off my shoes in the new house. (Toglierò le mie scarpe nella nuova casa.)

I will be there in ten minutes. I am still getting dressed. (Sarò lì in dieci minuti. Mi sto ancora vestendo.)

I got dressed in five minutes; she got dressed in thirty five minutes! (Mi sono vestito in cinque minuti, lei si è vestita in trentacinque minuti!)

Will you get dressed to answer the door, please?! (Ti vestirai per rispondere alla porta per piacere?!)

She tried on every pair of trousers in the shop! (Ho provato ogni paio di pantaloni nel negozio!)

I am trying on a new coat. (Sto provando un nuovo cappotto.)

Will you try on this new shirt I bought for you? It might be too long. (Proverai questa nuova camicia che ti ho comprato? Potrebbe essere troppo lunga.)

JOBS

3.1.2

Cosa farai da grande?

Prima di tutto, voglio spiegarti la differenza tra *work* e *job*. Quello che identifichi con *job* è il compito che hai, quello per il quale sei pagato. Con *work* si intende invece il lavoro che fai, ovvero le mansioni di cui ti occupi nello svolgimento del tuo *job*.

EXAMPLES:

What do you do?
I am a policeman; that is my job.

What do you do in your job?
I work with other policemen to keep public order.

DIFFERENT JOBS

accountant/contabile o commercialista
An accountant sorts out my money and taxes. He works in an office. (Un contabile si occupa dei miei soldi e delle tasse. Lavora in un ufficio.)

baker/panettiere
The baker makes bread and we buy it in the morning. He works in a bakery. (Il panettiere fa il pane e noi lo compriamo la mattina. Lavora in una panetteria.)

barman OR barmaid/barista uomo O barista donna
The barman serves drinks in the pub. - He is my hero! - He works in a pub. (Il barista serve da bere al pub. - È il mio eroe! - Lavora in un pub.)

builder/muratore
The builder builds buildings and houses. He works on a building site. (Il muratore costruisce edifici e case. Lavora in un cantiere.)

butcher/macellaio
The butcher prepares and sells meat. He works in a butcher's. (Il macellaio prepara e vende la carne. Lavora in una macelleria.)

chef/cuoco
The chef prepares and cooks food. He works in a kitchen. (Il cuoco prepara e cucina il cibo. Lavora in una cucina.)

cleaner/persona addetta alle pulizie
The cleaner cleans. He/She works in offices, bars and houses. (La persona addetta alle pulizie pulisce. Lavora in uffici, bar e case.)

JOBS

dentist/dentista
The dentist looks after people's teeth. He works in a dentist's. (Il dentista si prende cura dei denti delle persone. Lavora in uno studio dentistico.)

doctor/medico
The doctor looks after people's health. He works in a hospital or surgery. (Il medico si prende cura della salute delle persone. Lavora in un ospedale o in ambulatorio.)

fireman/pompiere
The fireman extinguishes fire. He works in a fire station and in buildings. (Il pompiere spegne il fuoco. Lavora nella caserma dei pompieri e negli edifici.)

hairdresser/parrucchiere
The hairdresser cuts and styles people's hair. He works in a hairdresser's. (Il parrucchiere taglia e modella i capelli delle persone. Lavora in un salone.)

judge/giudice
The judge judges and sentences people. He works in a court. (Il giudice giudica ed esprime sentenze alle persone. Lavora in un tribunale.)

lawyer/avvocato
The lawyer defends and prosecutes people. He works in a court and in his office. (L'avvocato difende e accusa le persone. Lavora in un tribunale e nel suo uffcio.)

nurse/infermiera O infermiere
The nurse looks after patients. She/He works in a hospital. (L'infermiera/e si prende cura dei pazienti. Lavora in un ospedale.)

policeman/poliziotto
The policeman keeps public order. He works in the police station and in the city. (Il poliziotto mantiene l'ordine pubblico. Lavora nella stazione di polizia e in città.)

plumber/idraulico
The plumber sorts out problems with the water system. He works in all types of buildings. (L'idraulico mette a posto i problemi con l'impianto idraulico. Lavora in ogni tipo di edificio.)

postman/postino
The postman delivers letters. He works on the streets. (Il postino consegna le lettere. Lavora nelle strade.)

JOBS

receptionist/chi sta alla reception
The receptionist receives visitors. He/She works in a reception. (Chi sta alla reception riceve i visitatori. Lavora alla reception.)

shop assistant/commesso O commessa
The shop assistant sells products and helps customers. He/she works in a shop. (Il commesso/La commessa vende prodotti e aiuta i clienti. Lavora in un negozio.)

secretary/segretaria
The secretary sorts out appointments, meetings and writes e-mails. She works in an office. (La segretaria organizza appuntamenti, riunioni e scrive e-mail. Lavora in un ufficio.)

vet/veterinario
The vet looks after animals. He works in a veterinary. (Il veterinario si prende cura degli animali. Lavora in una clinica veterinaria.)

waiter OR waitress/cameriere O cameriera
The waiter takes orders and brings food. He/She works in restaurants. (Il cameriere/La cameriera prende le ordinazioni e porta il cibo. Lavora nei ristoranti.)

TRADUCIAMO!

WORDS

letters	lettere
good smell	profumo
newspaper	giornale
court	tribunale
stolen	rubato
understandable	capibile
thief	ladro
interview	colloquio
system	impianto
quote	preventivo
sum	cifra
immediately	subito
pain	dolore
compliment	complimento
to pay a compliment	fare un complimento
in trouble	nei guai
fire	fuoco
hero	eroe
stairs	scale
kind	gentile
coward	codardo
flames	fiamme
loser	perdente
tale	storiella

VERBS

to daydream	sognare a occhi aperti
to start	cominciare
to pass	passare
to take on	assumere
to introduce	introdurre/presentare
to escape	scappare

JOBS

A DAY OUT

Alle sette del mattino il postino è arrivato con tre lettere.
Erano tutte per mia moglie.
Alle sette e mezza sono andato a prendere il pane dal panettiere. Mi piace il profumo del pane la mattina.
Dopo sono andato a prendere il giornale, ma quando sono entrato nel negozio non c'era la commessa.
Ho preso un giornale e stavo uscendo quando ho visto un poliziotto.
In quel momento ho cominciato a sognare a occhi aperti.
Ero in tribunale, il mio avvocato stava facendo vedere il giornale rubato al giudice e io ero in mezzo a due poliziotti.
Poi ha parlato il mio contabile: «Forse pensate che sia stupido rubare un giornale che costa solo una sterlina, ma è comprensibile... perché lui ha finito i soldi! E, perché non ha soldi? Perché ha bisogno di un lavoro… e, perché non ha un lavoro?».
«Perché è un ladro!» ha urlato il giudice.
Ho deciso di pagare il giornale.
All'una di pomeriggio avevo un colloquio per un nuovo lavoro, quindi sono andato dal parrucchiere.
Sì! Ci vogliono due ore per mettere a posto i miei capelli.
Mentre andavo dal parrucchiere ho visto dei muratori in un cantiere e ho chiesto cosa stavano costruendo.
«Una clinica veterinaria» ha detto un muratore.
E io ho chiesto: «E lei cosa fa?».
«Sono un idraulico» mi ha detto «metto a posto tutto l'impianto dell'acqua.»
Dopo venti minuti mi faceva male un dente, quindi sono andato dal dentista per

avere un preventivo. Lui mi ha detto la cifra e mi è passato subito il dolore.
Dopo il parrucchiere era ora di pranzo e sono andato al pub per una birra veloce, poi al ristorante.
Il cameriere mi ha portato un piatto di pasta e mi ha fatto i complimenti per i miei capelli.
Dopo io ho fatto i complimenti allo chef e sono andato al mio colloquio.
Mentre entravo nel palazzo dove dovevo fare il colloqio, mi è arrivato un SMS. Era il mio contabile.
«Se non ti assumono, sei nei guai!»
Alla reception ho dato il mio nome ed è venuta a prendermi la segretaria del capo.
Nell'ufficio del capo mi sono presentato e lui mi ha fatto i complimenti per i miei capelli.
Stavo parlando con il capo quando ho sentito una donna gridare "al fuoco!".
Il capo ha chiamato i pompieri e io, cercando di essere un eroe, sono scappato.
Mentre correvo giù dalle scale sono caduto.
In ospedale l'infermiera mi ha portato un giornale, era molto gentile.
Incredibilmente: ero sulla prima pagina!
«Codardo si rompe una gamba scappando da un edificio in fiamme!»
Il dottore mi ha detto che dovevo rimanere in ospedale quattro giorni.
Dopo è arrivata la donna delle pulizie.
«Sei un perdente!» mi ha detto.
«C'era il fuoco!» ho risposto.
«Non perché sei scappato!» ha detto. «Perché non sei riuscito a mettere dentro il macellaio in questa storiella stupida!»

MONEY 3.1.3

Paese che vai, moneta che trovi?

Una volta scelto il negozio giusto per comprare frutta, verdura, dei pantaloni o un paio di scarpe… avrai comunque e sempre bisogno dei soldi!

cents	centesimi
euro	euro

SOLDI INGLESI

pence	centesimi di sterlina
pound	sterlina (100 pence)

SOLDI AMERICANI

cents	centesimi
dollar	dollaro (100 cents)

ABOUT MONEY

account/conto
I have nothing in my bank account. (Non ho nulla sul mio conto corrente.)

bank/banca
The bank opens at five. (La banca apre alle cinque.)

banknote/banconota
I keep my banknotes in my wallet. (Tengo le mie banconote nel portafoglio.)

cash/contanti
I always pay in cash. (Pago sempre in contanti.)

change/resto
I gave the shop assistant one pound for the chewing gum and she only gave me four pence change! (Ho dato alla cassiera una sterlina per la gomma da masticare e lei mi ha dato solo quattro pence di resto!)

MONEY

cheque OR check/assegno
I will write a cheque/check for the new car. (Farò un assegno per la nuova macchina.)

cheque OR check book/libretto degli assegni
I need a new cheque/check book; is the bank open? (Ho bisogno di un nuovo libretto degli assegni: è aperta la banca?)

credit card/carta di credito
I need to block my credit card; I can't find it! (Ho bisogno di bloccare la mia carta di credito, non riesco a trovarla!)

cash point/bancomat
Is there a cash point near the hotel? (C'è un bancomat vicino all'hotel?)

coin/moneta
Every English coin has the Queen's head on it. (Ogni moneta inglese ha sopra il volto della regina.)

PIN number/numero PIN
I can never remember my PIN number!
(Non riesco mai a ricordare il mio numero PIN!)

WEATHER 3.1.4

Che tempo farà

Ora che hai acquistato la tua borsa e le tue scarpe nuove, e magari sei anche andata dal parrucchiere, devi proprio informarti delle previsioni metereologi che, affinché un acquazzone non ti colga impreparato...

Qual è l'unica cosa al mondo piu imprevedibile di una donna? Il tempo in Gran Bretagna. Giusto!

METEO

In inglese ci riferiamo al tempo sempre con *it*:
it's raining, it's snowing, it's sunny;
it rained, it snowed, it was sunny;
it will rain, it will snow, it will be sunny.

WEATHER

TRADUCIAMO!

WORDS

cloud	nuvola
cloudy	nuvoloso
damp	umido
fog	nebbia
foggy	nebbioso
rain	pioggia
rainy	piovoso
snow	neve
snowy	nevoso
storm	tempesta
stormy	tempestoso
sun	sole
sunny	soleggiato
thunder	tuono
wind	vento
windy	ventoso

LA TEMPERATURA

chilly	frescolino
cold	freddo
freezing	freddissimo/gelo
hot	caldissimo
warm	tiepido
very warm	caldo

A WEEKEND IN GREAT BRITAIN

Il tempo in Gran Bretagna è veramente pazzo!
Siamo arrivati a Londra, era molto nuvoloso e faceva frescolino.
La famosa nebbia di Londra non c'era.
Solo trenta minuti dopo pioveva e noi eravamo senza ombrello.
Ma non era un problema, perché cinque minuti dopo c'era il sole.
Due ore dopo siamo arrivati a Manchester ed era nevoso!
Il giorno dopo siamo andati in Scozia e lì era freddissimo!
Noi dormivamo in montagna e quella notte c'era una tempesta di neve.
Il giorno dopo fuori era bellissimo. Tutti gli alberi erano coperti di neve e faceva caldo. Dopo pranzo è arrivato un vento incredibile e abbiamo visto che tutti gli alberi erano di nuovo verdi.
Abbiamo visto tutte le quattro stagioni in due giorni!!

PLACES 3.1.5

Dove sei diretto?

Ora sei in grado di muoverti liberamente, di comperare dei vestiti nuovi, delle scarpe, del cibo, di chiedere informazioni in merito al tempo, e puoi andartene a passeggio per la città... ma diretto dove?

TRADUCIAMO!

WORDS

car park	parcheggio
castle	castello
cathedral	cattedrale
church	chiesa
park	parco
railway station	stazione dei treni
town hall	comune
city	città
capital	capitale
village	villaggio/paesino
centre	centro
city centre	centro città
suburbs	periferia
beach	spiaggia
cliff	scogliera
coast	costa
countryside	campagna
forest	foresta
hill	collina
lake	lago
river	fiume
sea	mare
seaside	riva del mare
shore	riva
stream	ruscello
woods	bosco
near	vicino
waves	onde
so much	così tanto
noise	rumore
milk	latte
cheese	formaggio
blackberry	mora
vast	vasto
at least	almeno
difficult	difficile
historic	storica/o
soul	anima
sometimes	ogni tanto

VERBS

to live	abitare/vivere
to wash	lavare
to win	vincere
to flow	scorrere
to pick	cogliere

NEAR MY HEART

In Inghilterra abito in campagna.
Vicino a casa mia c'è un ruscello dove mi lavo la mattina.
Se segui il ruscello arrivi a un fiume. Il fiume scorre attraverso una foresta e arriva al mare.
Mi piace andare al mare. Mi piace camminare sulla riva con mia moglie.
Le onde fanno così tanto rumore che non sento la sua voce.
È bellissimo.
Se guardi in su dalla spiaggia vedi il vecchio castello sulla collina.
Vicino alla spiaggia c'è un piccolo villaggio, dove compro il latte e il formaggio.
Dietro il villaggio c'è un bosco dove colgo le more.
Quando ero bambino amavo guardare il mare. Così grande, così vasto.
A Milano abito in periferia, ma lavoro in centro città.
Davanti al mio uffico c'è il comune.
Dalla finestra vedo solo macchine e caos, ma almeno vicino a casa mia c'è il parco.
A Milano è difficile trovare un parcheggio per la macchina, quindi vado a lavorare in tram.
Milano è una città importante in Italia, ma la capitale è Roma.
Roma è una città storica, perché è lì che il Liverpool ha vinto la Champions.
Io amo l'Italia ma dico sempre ai miei amici che vivono a Milano: «Vai ogni tanto in campagna, senza pc, senza cellulare e vivi un po' con la tua anima. Solo per un weekend».
Ma non hanno mai il tempo.

IDIOMS

AMERICAN ENGLISH

Prima di cominciare con gli *idioms*, voglio "uccidere" una leggenda.

Spesso, quando insegno, mi sento chiedere: «Ma anche in americano è così?».
Ascoltami bene, per favore:
L'AMERICANO NON ESISTE!
Lo so che a tanti americani piace che tu lo pensi, ma non è così. Gli americani hanno certamente delle parole slang o altri modi di dire le cose, per esempio, "ascensore" è *lift* in inglese, ma si dice *elevator* negli Stati Uniti. Ma *elevator* è «qualcosa che eleva», ed **è sempre inglese!**

Ogni regione della Gran Bretagna ha il suo slang, così come ogni regione dell'Italia, e il caso dell'America è solo un'estensione di questo...
Noi inglesi cresciamo con cartoni animati e film americani e nessun bambino inglese ha mai avuto problemi a capirli, perché sono in lingua inglese!
Anzi, io stesso faccio più fatica a capire uno di Liverpool rispetto a uno di New York!

Questo falso concetto di "americano" è stato talmente rinforzato che c'è anche un dizionario di americano, che non è altro che un dizionario inglese, ovviamente!
Ripeto: loro hanno qualche parola diversa (poche in realtà) e fanno lo spelling un po' diverso di alcune parole, ma negli Stati Uniti parlano la lingua che io sto per insegnarti:
l'inglese fatto di *idioms*!
Noi inglesi amiamo i nostri *idioms* e li usiamo spessissimo. È molto importante conoscere quelli più diffusi per poterli usare, ma anche per poter capire gli inglesi e la loro lingua. Ora ti faccio un elenco di quelli più importanti!

IDIOMS

A

ALL EARS

(tutto orecchie)
Equivale all'italiano: essere tutt'orecchi

Se si è *all ears* vuol dire che si è molto attenti e concentrati su quello che sta per dire l'altra persona, perché lo si ritiene molto importante.

Bob: Your idea was stupid! La tua idea era stupida!
Kevin: Well, if you have a better idea, I'm all ears! Bene, se hai un'idea migliore, sono tutt'orecchi!

ALL HELL BROKE LOOSE

(tutto l'inferno si è liberato)
Equivale all'italiano: è successo un finimondo

Se si dice che *all hell broke loose* vuol dire che si è davvero scatenato l'inferno, che è accaduto qualcosa di veramente tremendo e grave.

Pino: What's wrong? Qualcosa non va?
Oliver: My wife found lipstick on my shirt and all hell broke loose. Mia moglie ha trovato del rossetto sulla mia camicia ed è successo il finimondo.

APPLE OF MY EYE

(mela del mio occhio)
Equivale all'italiano: luce dei miei occhi, tesoro mio

Se si dice a qualcuno *apple of my eye* vuol dire che si stravede per quella persona!

Don't criticise Angela in front of the boss: she is the apple of his eye. Non criticare Angela davanti al capo, lei è la luce dei suoi occhi.

ASK FOR TROUBLE

(chiedere guai)
Equivale all'italiano: andarsela a cercare, essere in cerca di guai

Si usa per riferirsi a qualcuno che fa ogni cosa con il rischio di combinare guai, o a chi quasi "invita" i guai e cerca problemi.

If you go out with Lucy tonight, you're asking for trouble. She's married! Se esci con Lucy stasera te la vai proprio a cercare. È sposata!

A BAD EGG

(un uovo cattivo/marcio)
Equivale all'italiano: persona inaffidabile

Attenzione a non confondere questo idiom con l'espressione "una mela marcia", che è assai diffusa in italiano, ma con un altro significato.

His accountant was a bad egg and he lost all his money. Il suo commercialista era inaffidabile e lui ha perso tutti i soldi.

A PIECE OF CAKE

(un pezzo di torta)
Equivale all'italiano: un gioco da ragazzi, una passeggiata

Se lo si dice di qualcosa, significa che quella cosa è davvero semplicissima, come mangiare una fetta di torta!

James: I don't know how to finish with Suzy. Non so come chiudere con Suzy.
Joe: Just say «Goodbye!»; it's a piece of cake. Dille solo: «Ciao, ciao!», è semplicissimo.

A CASH COW

(una mucca da soldi)
Equivale all'italiano: essere una mucca da mungere

Se lo si dice di qualcosa o qualcuno è perché si pensa che questa cosa o persona renda soldi in continuazione, come la mucca che dà il latte ogni giorno. Si usa soprattutto nel business e nel marketing.

Arabian countries export coal and plastic, but their cash cow remains their oil. I Paesi arabi esportano carbone e materie plastiche, ma la loro mucca da mungere resta il petrolio.

IDIOMS

A FLASH IN THE PAN

(un lampo nella padella)
Equivale all'italiano: essere una meteora

Si usa per indicare qualcuno che ha avuto un momento di gloria e poi è subito sparito.

That man had one good idea, but nothing after that. He was a flash in the pan.
Quell'uomo ha avuto una buona idea, ma niente dopo quella. È stato una meteora.

A PAIN IN THE NECK

(un dolore al collo)
Equivale all'italiano: essere un rompiscatole

Sta a indicare una persona o una situazione che reca fastidio, noiosa o insistente, che rompe le scatole, insomma.

Lenny: How is your boss with you, now? Come si comporta il tuo capo con te adesso?
David: He's a pain in the neck! He's always telling me to do this or to do that… È un rompiscatole! È sempe lì a dirmi di fare questo o quello…

IDIOMS

TRADUCIAMO!

WORDS		VERBS	
dangerous	pericoloso	to kill	uccidere
drastic	drastico	to forget	dimenticare
ago	fa (in senso temporale)	to do on purpose	fare apposta
		to suffocate	soffocare
shut up!	stai zitto!	to know	conoscere/sapere
thank goodness	meno male	to find out	venire a sapere/ scoprire

PINO, LINO AND GINO (THE LETHAL PLAN)

Lino e Pino stanno complottando per fare fuori Gino.

L: Dobbiamo uccidere Gino, è un rompiscatole.
P: Ma non è un po' drastico?
L: L'ha fatto apposta, se l'è cercata.
P: E come lo uccidiamo? Sono tutt'orecchi!
L: Facilissimo. Quando dorme, lo soffoco.
P: Ma è pericoloso, lo conoscono tutti!
L: Lo conoscevano: era famoso, ma tanti anni fa. È stato una meteora.
P: Eh?
L: Niente.
P: Quando lo verrà a sapere sua mamma, si scatenerà l'inferno…
L: Quindi?
P: Sua mamma ci aiutava, è la nostra fonte di soldi!
L: Quella donna è inaffidabile, uccidiamo anche lei!
P: Non toccare la mamma di Gino, io stravedo per lei!
L: Stai zitto!
P: Meno male che sono finiti gli idioms… Altrimenti uccidevi anche me!

IDIOMS

B

BACK TO SQUARE ONE

(tornare a quadro uno)
Equivale all'italiano: punto e a capo

Quest'espressione trae la sua origine da molti giochi di società, in cui si parte dal primo quadrato del tabellone e si deve arrivare in fondo, all'ultimo, per vincere. In molti di questi giochi, quando si sbaglia si torna all'inizio e si riparte. Come nella vita!

Our plan didn't work and so it's back to square one. Il nostro piano non ha funzionato e così siamo punto e a capo.

BELOW THE BELT

(sotto la cintura)
Equivale all'italiano: un colpo basso

Noi uomini abbiamo un punto "sotto la cintura" che è molto delicato e sensibile: un colpo lì provoca tante tante lacrime, diciamo...
Se si dice qualcosa di crudele, soprattutto insulti personali gratuiti, questo in inglese è un commento sotto la cintura, ovvero è considerato un colpo basso. Nonostante la premessa, l'espressione si usa molto ed è riferita sia agli uomini che alle donne.

Toby: I will never forgive Ali. Non perdonerò mai Ali.
Carl: Why not? Perché no?
Toby: He insulted me and that was Ok, but he also insulted my mother, which was totally below the belt. Ha insultato me, e va bene, ma ha insultato anche mia madre, il che è assolutamente un colpo basso.

BETWEEN THE DEVIL AND THE DEEP BLUE SEA

(tra il diavolo e il profondo mare blu)
Equivale all'italiano: tra l'incudine e il martello

Esattamente come in italiano, quest'espressione descrive una situazione in cui è difficile scegliere, trovandosi esattamente nel mezzo tra due possibilità.

Laura: So, are you taking the job in Glasgow or Baghdad? Quindi accetterai il lavoro a Glasgow o a Baghdad?
Tom: I don't know; it's between the devil and the deep blue sea. Non lo so, sono tra l'incudine e il martello.

BEND THE TRUTH

(piegare la verità)
Equivale all'italiano: dire una mezza verità

Si usa per riferirsi alle occasioni in cui si dice la verità, ma solo in parte (quindi si dice una mezza verità).

Anna: Why did you tell John that you are a natural blonde? Perché hai detto a John che eri bionda naturale?
Antonietta: Because I am a natural blonde. I just didn't tell him that my hairdresser helps me to keep my hair natural blonde! Perché io sono bionda naturale. Non gli ho detto solo che il mio parrucchiere mi aiuta a mantenere il mio biondo naturale!
Anna: So, you bent the truth? Così gli hai detto una mezza verità?
Antonietta: A little. Un po'.

BENEFIT OF THE DOUBT

(beneficio del dubbio)
Equivale all'italiano: concedere il beneficio del dubbio

Si concede il beneficio del dubbio a qualcuno quando gli si lascia una possibilità di dimostrare che le cose non sono come sembrano, quando si permette all'altro di dire la sua verità.

John: So, what did my wife say? Quindi, cos'ha detto mia moglie?
Olive: She thinks you are not going to the gym, but I think she will give you the benefit of the doubt. Pensa che tu non stia andando in palestra, ma io penso che ti concederà il beneficio del dubbio.
John: If she finds out about us, we're dead! Se viene a sapere di noi siamo morti!
Violin music Suono di violini
The end. Fine.

IDIOMS

BEYOND ME

(oltre me)
Equivale all'italiano: "mah!"

Ora devo rivelare una cosa: gli italiani hanno delle espressioni bellissime, che noi inglesi non abbiamo, come "boh". Quanto è bella la parola "boh"?! Dice tutto. Se dovessi tradurla in inglese, scriverei una riga lunghissima e noiosa.
Ancora più bella è l'espressione "mah", che io considero "un boh all'ennesima potenza".
Quel "mah" in inglese è *beyond me*: questa espressione, infatti, significa molto più che «oltre me», significa che non si ha proprio alcuna idea, che la cosa in oggetto va oltre la propria capacità di capire, non è un semplice *I don't know*, è molto di piu, è... «mah!».

Earl: How does a computer work? Come funziona un computer?
Jonny: Don't ask me, it's beyond me! Non chiedermelo... Mah!

BITE YOUR TONGUE

(mordersi la lingua)
Equivale all'italiano: mordersi la lingua

Quando si vorrebbe tanto dire qualcosa, ma si decide che è meglio non farlo.

She will insult you, but, please, just bite your tongue! Lei ti insulterà, ma, ti prego, morditi la lingua!

TRADUCIAMO!

WORDS		VERBS	
against	contro	to pay	pagare
bonnet	cofano	to save	risparmiare
imbecile	imbecille	to stop	smettere
ugly	brutto		
honest	onesto/sincero		
dangerous	pericoloso		

THE ACCIDENT

Tre amici vanno a una festa in macchina. Guida Simon, ma gli altri non sanno che Simon non sa guidare; sono i campagna quando l'auto esce di strada e si scontra con un albero.

Joe: Perché sei andato contro un albero?
Simon: Non lo so.
Joe: Gnnnnnnff!
Simon: Cosa ha detto?
Terry: Mah! Aspetta. Ah sì, si sta mordendo la lingua.
(Terry guarda sotto il cofano)
Terry: Quanto hai pagato per questa macchina?
Simon: Cinquanta euro.
Terry: Ok, ti concedo il beneficio del dubbio.
Simon: Ragazzi, forse non sono stato completamente sincero con voi.
Joe: Che cosa?
Simon: Io non so guidare.
Joe: Abbiamo visto! Sei un imbecille, non solo brutto, ma anche stupido!
Simon: Aspetta! Questo è molto crudele e gratuito! Volevo venire con voi perché se stavo a casa dovevo lavare il cane, quindi ero tra l'incudine e il martello.
Terry: Capisco.
Simon: Ho risparmiato tanto per comprare questa macchina, e adesso torno punto a capo.
Joe: Comunque sei un imbecille.
Terry: Smettila di essere così rompiscatole, Joe!

C

CAN'T MAKE AN OMELETTE WITHOUT BREAKING A FEW EGGS

(non puoi fare una frittata senza rompere qualche uovo)
Equivale all'italiano: non si può ottenere un risultato senza fare qualche sacrificio

Questo, in pratica, vuol dire che ogni tanto è necessario fare delle cose spiacevoli per ottenere un grande risultato. Ricorda la filosofia di Machiavelli, per cui "il fine giustifica i mezzi".

John: In order to have my book published, I had to kiss everybody in Gribaudo! Per farmi pubblicare il libro ho dovuto baciare tutti alla Gribaudo!
Terry: I know, John, but your book is horrible! And you can't make an omelette without breaking a few eggs! Lo so, John, ma il tuo libro è orribile! E non puoi arrivare a grandi risultati senza qualche sacrificio.

CLEAR THE AIR

(pulire l'aria)
Equivale all'italiano: chiarirsi

Dopo una litigata, l'aria è pesante. Per sistemare le cose (*sort out*) è meglio parlare, sfogarsi e ripulire, appunto, l'aria pesante.

I shouted a lot, she shouted a lot, but at least we cleared the air. Io ho gridato un sacco, lei ha gridato molto, ma almeno ci siamo chiarite.

COME WHAT MAY

(venga quello che può)
Equivale all'italiano: succeda quel che succeda

Questo vuol dire che, sebbene si sia consapevoli della presenza di molti rischi nel fare qualcosa, la si fa ugualmente, perché si pensa che ne valga la pena.

Tracy: I want to get a tattoo. Voglio farmi un tatuaggio.
Cheryl: But you're only 16; your father will kill you! Ma hai solo 16 anni, tuo padre ti ucciderà!
Tracy: I don't care! I'm doing it, come what may. Non m'importa! Io lo faccio, succeda quel che succeda.

COUGH UP

(tirare fuori tossendo)
Equivale all'italiano: tirar/strappar/cavar fuori

Quest'espressione è davvero brutta, ma noi la usiamo tanto!
To cough significa «tossire». *To cough up* si usa per descrivere l'azione di tossire per espellere il catarro: si usa parlando di cose che la gente fa fatica a dare, tipo soldi o informazioni.

During the war, the Germans tortured English soldiers to make them cough up information. Durante la guerra i tedeschi torturarono gli inglesi per obbligarli a tirar fuori le informazioni.

TO MAKE +

Ricordati che il verbo *to make* in generale significa «fare», ma quando si usa:
***to make* + pronome personale complemento**
significa «obbligare», «costringere» .

In inglese, non si usa QUASI MAI il verbo *to oblige*, preferendo esprimere lo stesso significato con *to make* seguito dal pronome personale complemento.

I will make you stay here. Ti costringerò a stare qui.

IDIOMS

CREAM OF THE CROP

(la crema del raccolto)
Equivale all'italiano: la crema, il meglio

Semplicemente il migliore o i migliori di tutti, il meglio che esista.
Il termine inglese *the crop* (il raccolto) si riferisce al grano che i contadini producono annualmente.

Real Madrid bought the best players in the world, the cream of the crop, but Birmingham City is still a better team. Il Real Madrid ha comprato i giocatori più bravi del mondo, i migliori, ma il Birmingham City è ancora una squadra migliore.

CRASH COURSE

(corso d'urto)
Equivale all'italiano: corso accelerato/intensivo

Un corso intensivo è necessario quando si vuole apprendere qualcosa in pochissimo tempo, quindi si sceglie il percorso più rapido.

Yuri: I got a job with Microsoft. Ho ottenuto un lavoro alla Microsoft.
Dylan: Great, aren't you happy? Fantastico, non sei contento?
Yuri: Yes, but I bent the truth. I told them that I could program an operating a system. Sì, ma ho detto la verità solo in parte. Ho raccontato che ero capace di programmare un sistema operativo.
Dylan: Are you crazy? Sei matto?
Yuri: Don't worry. I'm taking a crash course in operating systems tonight! Non preoccuparti. Stanotte farò un corso intensivo in sistemi operativi!

IDIOMS

TRADUCIAMO!

WORDS		VERBS	
dead	morto	to happen	succedere/accadere
it is worth it	vale la pena		
mess	macello/casino		
ridiculous	ridicolo		

FALLING IN LOVE

Due teenager, Steve e Billy, discutono del fatto che Billy è innamorato della sua insegnante di letteratura.

Billy: Voglio dirle che la amo e che voglio portarla in America con me.
Steve: Ma sei pazzo? Se lo viene a sapere tua mamma sei morto.
Billy: E chi glielo dirà?
Steve: Io, se non tiri fuori 100 euro!
Billy: Tu sta' zitto! Comunque, lei è la migliore, la migliore che c'è, quindi ne vale la pena.
Steve: Succederà un macello.
Billy: Succeda quel che succeda, io la amo, e non si può ottenere niente di grande senza qualche conseguenza spiacevole.
Steve: Sei proprio ridicolo, lo sai?
Billy: Steve, ascolta…
Steve: Sono tutt'orecchi!
Billy: Dobbiamo chiarirci, io e te. Mi dispiace averti deluso l'anno scorso.
Steve: Penso che tu dovresti fare un corso accelerato di vita, amico mio!

D

DELIVER THE GOODS

(consegnare la merce)
Equivale all'italiano: soddisfare le aspettative, mantenere le promesse

Naturalmente quest'espressione è usata nel commercio, ma non solo. *To deliver the goods* vuol dire fare quello che la gente si aspetta che tu faccia, ovvero che verranno soddisfatte le aspettative.

The boss wants us to increase sales by 50% this year, but with the global crisis it will be difficult to deliver the goods! Il capo vuole che incrementiamo le vendite del 50% quest'anno, ma con la crisi globale sarà difficile soddisfare le aspettative!

Noi inglesi usiamo talmente tanto questo idiom, che spesso utilizziamo solo il verbo *to deliver*:

My husband promised me a nice holiday for our anniversary. I hope he delivers. Mio marito mi ha promesso una bella vacanza per il nostro anniversario. Spero mantenga la promessa.

DIE IS CAST (THE)

(il dado è tratto)
Equivale all'italiano: il dado è tratto, non si può tornare indietro

A me piace molto questo modo di dire! Un esempio della grande saggezza di Giulio Cesare, per cui non penso serva la mia traduzione.

Bill: Why did you send Gianna to the London meeting? She doesn't understand English! Perché hai mandato Gianna alla riunione a Londra? Non capisce l'inglese!
Colin: Too late! The die is cast. Troppo tardi! Il dado è tratto.

DOG EAT DOG

(cane mangia cane)
Equivale all'italiano: morte tua, vita mia (*mors tua, vita mea*)

Quest'espressione si usa quando una persona schiaccia l'altra per avere dei vantaggi. È una giustificazione per dei brutti comportamenti che portano a favorire la propria posizione, è la sopravvivenza, la legge dei forti che mangiano i deboli. Naturalmente è molto popolare nel business.

Ian: David, you sacked Toby? But he has a family! David, hai licenziato Toby? Ma ha una famiglia!
Joe: I know and I'm sorry, but it's a dog eat dog world, Ian. Lo so e mi dispiace, ma è un mondo dove sopravvive il più forte, Ian.

DOGHOUSE (IN THE)

(nel canile)
Equivale all'italiano: in castigo

Quando qualcuno l'ha fatta grossa e ha fatto arrabbiare qualcun altro, in inglese si dice che "si è nel canile". In Italia quest'espressione si usa spessissimo, perché sai come sono le donne italiane, no? Se fai qualcosa di sbagliato, loro smettono di parlarti per giorni e quando chiedi cosa c'è che non va, rispondono: «Niente!». Ho capito presto che era una bugia: ora so che se una donna italiana ti dice che non c'è niente, sei in guai molto seri!

Olive: Jessica, your little boy looks sad, is he ok? Jessica, il tuo bambino sembra triste, sta bene?
Jessica: He ate all my biscuits, so he's in the doghouse. Ha mangiato tutti i miei biscotti, quindi è in castigo.

DOWN TO EARTH

(giù per terra)
Equivale all'italiano: con i piedi per terra

Si dice di una persona realistica, pratica, posata e diretta.

I like my boss. He doesn't make empty promises; he is very down to earth. Mi piace il mio capo: non fa promesse a vuoto, è molto realistico.

DRESSED TO KILL

(vestito per uccidere)
Equivale all'italiano: "mettersi in tiro", farsi notare

IDIOMS

Una donna, generalmente, quando desidera che la gente rimanga a bocca aperta indossa i vestiti migliori, gli accessori più belli e vistosi e le ultime scarpe acquistate. Quando una donna si veste per essere guardata e notata, in inglese si dice che "si veste per uccidere".

C'e una frase di una canzone dei Roxy Music che per me è geniale. La canzone è Dance Away e il protagonista piange per una donna persa. A un certo punto, vede lei con un altro e canta «You dressed to kill, and guess who is dying?» (Ti sei vestita per uccidere e indovina chi sta morendo?).
Wow!!!

DYING FOR SOMETHING (TO BE)

(morire per qualcosa)
Equivale all'italiano: morire dalla voglia di...

In inglese, si dice che "si sta morendo per qualcosa" quando non si vede l'ora che questa cosa accada.

So, what did he say? I'm dying to know! Quindi, cosa ha detto? Sto morendo dalla voglia di saperlo!

IDIOMS

TRADUCIAMO!

WORDS		VERBS	
without	senza	to happen	succedere
doubt	dubbio	to promise	promettere
		to keep	tenere

THE LYING GAME

Due bambini di 10 anni, Freddy e Jonny, stanno giocando ma Freddy è un po' triste.

Jonny: Che cosa è successo?
Freddy: Sono in castigo.
Jonny: Perché?
Freddy: Perché ho promesso a mia mamma di sistemare la mia camera e poi non l'ho fatto.
Jonny: Non ti farà venire al cinema sabato?!
Freddy: Non lo so, il dado è tratto.
Jonny: Dille che non hai sistemato la camera perché ti ha chiamato Paul e ti ha tenuto al telefono per un'ora.
Freddy: Ma poi Paul sarà messo in castigo da sua mamma.
Jonny: Quindi? Morte sua, vita tua. Dai! Non puoi perdere il film. Io voglio vederlo tantissimo! Poi ci sarà anche Lilly, quindi devo proprio mettermi in tiro per fare colpo.
Freddy: Wow, Lilly? Quella bambina così posata a scuola?
Jonny: Questa è senza dubbio la peggiore storiella che John abbia mai scritto!
Freddy: Lo so, dovrebbe parlare con qualche professionista.

F-G

FACE THE MUSIC

(affrontare la musica)
Equivale all'italiano: affrontare/assumersi le proprie responsabilità

Quando si sbaglia e l'errore porta delle conseguenze, arriva l'ora in cui si deve affrontare la propria responsabilità per l'accaduto. "La musica", in questo caso, rappresenta le accuse, i commenti, i problemi per ciò che si è combinato…

My wife found Lucy's telephone number in my jeans, so I'm in the doghouse. I'll have some more beer, then I'll go home and face the music. Mia moglie ha trovato il numero di telefono di Lucy nei miei jeans, quindi sono in castigo. Bevo ancora qualche birra poi vado a casa ad affrontare le mie responsabilità.

FIND YOUR FEET

(trovarsi i piedi)
Equivale all'italiano: ambientarsi

All'inizio di una nuova esperienza c'è sempre da imparare. Ed è proprio all'inizio che si può incontrare il maggior numero di problemi. Per un nuovo lavoro, una nuova attività o anche nell'imparare una nuova lingua, all'inizio si è come sul ghiaccio e scivolano i piedi, poi, quando si riesce a tenerli fermi, si può andare avanti con meno problemi.

He is still finding his feet with the new team, but he's a great player! Si sta ancora ambientando con la nuova squadra, ma è un grande giocatore!

FLOG A DEAD HORSE

(frustare un cavallo morto)
Equivale all'italiano: è una causa persa

Innanzitutto, in inglese, per dire che si frusta un cavallo si usa il verbo *to whip*, e non il verbo to flog, che è usato qui come eccezione. Quest'espressione si riferisce a quando si spendono un sacco di energie per niente, perché quello che si vuole ottenere è impossibile, non c'é niente da fare, non c'é nessuna speranza, è come frustare un cavallo morto.

Erica: Joe said he doesn't love me anymore, but tonight I will wait for him with roses and wine. Joe ha detto che non mi ama più, ma questa sera lo aspetterò con rose e vino.
Janet: You're flogging a dead horse, Erica, he doesn't want you! Non hai speranza, Erica, non ti vuole!

FULL OF HOT AIR

(pieno di aria calda)
Equivale all'italiano: pallone gonfiato, "un mucchio di balle/palle"

Quest'espressione si usa per descrivere una situazione in cui non c'è niente di vero, oppure una persona che è "piena di aria calda" in quanto dice un sacco di cose, ma non combina niente... Come cantava Mina: «Parole, parole, parole... Parole soltanto parole, parole tra noiiiiiii....».

You promised me a promotion, you promised me an increase in my salary, but nothing... it was all hot air! Mi hai promesso una promozione, mi hai promesso un aumento dello stipendio, ma nulla... erano tutte balle!

Kylie: Samuel is taking me to Venice this summer! Samuel mi porta a Venezia quest'estate!
Yasmin: Samuel is full of hot air, Kylie. Please: be more down to earth. Samuel è un pallone gonfiato, Kylie. Per favore: cerca di essere più realistica.

GET THE MESSAGE

(capire il messaggio)
Equivale all'italiano: "Ci siamo intesi?"

La differenza tra il verbo *to get* e il verbo *to understand* è che il primo significa più esattamente «capire o comprendere un concetto», anche se lo stesso non è stato esplicitamente chiarito.
L'espressione che analizziamo si riferisce alle occasioni in cui si afferra un messaggio, anche se non è stato detto direttamente, ma lo si deve cogliere tra le righe.

Antonio: David, I heard that you are going out with my daughter. I hope you don't hurt her, because I don't want to hurt you... do you get the message? David, ho

sentito che esci con mia figlia. Spero che tu non la faccia soffrire, perché non voglio farti del male… ci siamo intesi?
David: Yes, I get the message. Si, ci siamo intesi.

GO BANANAS

(andare nello stato di Bananas)
Equivale all'italiano: perdere la testa

Vuol dire andare completamente fuori di testa, per rabbia o per gioia.

Oh my God! I have broken my mother's favourite vase… she will go bananas!
Oh mio Dio! Ho rotto il vaso preferito di mia mamma… andrà fuori di testa!

GO DOWN WELL

(andare giù bene)
Equivale all'italiano: prendere bene

Si usa quest'espressione per riferirsi a un'idea o una proposta che è ben accettata.

Mike: So, did you ask the boss if you can work less for more money? And did your idea go down well? Quindi, hai chiesto al capo se puoi lavorare meno per più soldi? E la tua idea è stata presa bene?
Bob: No, it didn't go down well. He sacked me! No, non è stata presa bene. Mi ha licenziato!

TRADUCIAMO!

WORDS		VERBS	
disaster	disastro	to convince	convincere
pointless	inutile	to offer	offrire
less	meno		
rent	affitto		

TIME TO PAY

Jim e Ken sono due coinquilini che parlano tra loro: Ken ha perso il lavoro e non può pagare l'affitto.

Jim: Cosa è successo?
Ken: Per avere quel lavoro, non ho detto tutta la verità. Comunque tutto era difficile e non riuscivo a trovarmi con il lavoro. Poi ho fatto un disastro e mi ha chiamato il capo. Sono andato nel suo ufficio per sentirlo. Ho cercato di convincerlo che imparavo bene il mio lavoro, ma è stato totalmente inutile. Lui ha detto che ero solo bravo con le parole. Allora mi sono offerto di lavorare per meno soldi, ma la mia proposta non è stata accettata per niente.
Jim: Ma sei incredibilmente stupido!
Ken: Dai, Jim, non andare fuori di testa!
Jim: Ascoltami, se tu non paghi l'affitto devo trovare qualcuno che possa farlo, ci siamo intesi?
Ken: Si, ci siamo intesi.

IDIOMS

H

HAND IN GLOVE

(mano nel guanto)
Equivale all'italiano: "culo e camicia"

Quest'espressione si usa per descrivere due persone che si frequentano spesso, quindi sono molto affiatate e unite, a volte complici.

Be careful what you say, when Judy is here. She is hand in glove with the boss.
Stai attento a quello che dici quando Judy è qui. È culo e camicia con il capo.

HARD UP

(duro su)
Equivale all'italiano: essere in bolletta, essere al verde

Se ci si riferisce a qualcuno descrivendolo con l'espressione *hard up*, significa che ha pochissimi soldi. Anche una ditta, se non ha molti soldi, è detta *hard up*: in realtà le ditte hanno sempre soldi, ma dicono comunque di essere in bolletta, è una regola!

I would like to come with you to Paris, but I'm hard up at the moment!
Mi piacerebbe venire con te a Parigi, ma sono in bolletta al momento!

HEAD IN THE CLOUDS

(la testa nelle nuvole)
Equivale all'italiano: avere la testa tra le nuvole

Se qualcuno ha la testa tra le nuvole, significa che è un sognatore, è distratto e non sta con i piedi ben piantati a terra.

She's a dreamer. When I talk to her, I feel she isn't there. She has her head in the clouds. Lei è una sognatrice. Quando le parlo ho l'impressione che non sia lì. Ha la testa tra le nuvole.
Get your head out of the clouds and listen! Scendi dalle nuvole e ascoltami!

HEART IN THE RIGHT PLACE

(avere il cuore nel posto giusto)
Equivale all'italiano: avere buone intenzioni

Questo si dice quando una persona sbaglia, ma le sue intenzioni sono buone e sincere, quando una persona agisce convinta di essere nel giusto e mossa da buoni fini.

Olive: My little Tommy tried to cook dinner and he burned the whole kitchen! Il mio piccolo Tommy ha cercato di cucinare la cena e ha bruciato tutta la cucina!
Anna: Ah, poor little boy, at least his heart was in the right place. Ah, povero piccolo, almeno l'ha fatto con buone intenzioni.

HEART ON YOUR SLEEVE (to wear your)

(indossare il cuore sulla manica)
Non esiste in italiano un'espressione equivalente, che è riconducibile al concetto di essere una persona molto sensibile ed emotiva.

Quest'espressione si usa per riferirsi a una persona che ha il cuore aperto, non nasconde i propri sentimenti ed è emotiva e spontanea.

He gets very emotional at weddings. He has always worn his heart on his sleeve. Si emoziona sempre molto ai matrimoni. È sempre stato molto emotivo.

HOT POTATO

(patata calda)
Equivale all'italiano: argomento tabù

Attenzione a non confondere questo *idiom* con l'espressione "patata bollente", che è assai diffusa in italiano, ma con un altro significato.

Nobody talked about the reduction in staff at the meeting. I think it's still a hot potato for everybody. Nessuno ha parlato della riduzione del personale alla riunione. Penso che sia ancora un argomento tabù per tutti.

IDIOMS

TRADUCIAMO!

WORDS		VERBS	
actor	attore	to think	pensare
famous	famoso	to buy	comprare
director	regista	to work	lavorare
affair	storia (in senso intimo)	to explain	spiegare
way	modo	to understand	capire
favour	favore		

CONVERSATION NEAR THE LAKE

Toby e il suo amico Gerry parlano vicino al lago.

Toby: Gerry? Gerry?!!
Gerry: Huh? Cosa?
Toby: Scusa, ma avevi la testa tra le nuvole. A cosa stavi pensando?
Gerry: Stavo pensando a quando sarò un attore famoso. Ho fatto un casting oggi.
Toby: Com'è andata?
Gerry: Non lo so, uno degli attori era culo e camicia con il regista, poi aveva un bellissimo vestito. Se non fossi così povero, lo comprerei anche io.
Toby: Perché non lavori ancora con Mr. Jennings?
Gerry: Perché dopo quella storia con la sua ragazza non mi vuole più vedere.
Toby: Hai avuto una storia con la sua ragazza?!
Gerry: Sì, ma con buone intenzioni!
Toby: Cosa?
Gerry: Lei non andava bene per lui, in qualche modo gli ho fatto un favore.
Toby: Perché non spieghi questo a lui?
Gerry: Non posso, è un punto da non toccare con lui.
Toby: Vai lì con il cuore aperto e vedrai!

I

IF IT ISN'T BROKE DON'T FIX IT!

(se non è rotto non ripararlo)
Attenzione, in quest'espressione il verbo *broke* è sbagliato grammaticalmente: perché la frase fosse corretta, ci dovrebbe essere *broken*, ma questo *idiom* è così!

A me piace tantissimo questo modo di dire e lo usavo spesso quando lavoravo nelle ditte americane; in molte occasioni la gente deve cambiare o modificare le cose e non capisci perché: insomma, va tutto bene, perché cambiare le cose? Se non è rotto, perché ripararlo?! Assomiglia e richiama l'espressione italiana: "Squadra che vince non si cambia".

Writer (scrittore): I am going to change the story. Ho intenzione di cambiare la storia.
Fan: But the story is wonderful! Please, if it isn't broke, don't fix it! Ma la storia è favolosa! Per favore, se va bene, perché cambiarla?

IGNORANCE IS BLISS

(l'ignoranza è paradiso)
Equivale all'italiano: non sapere è meglio

Se una persona non sa una cosa brutta sta meglio. Rimanere ignorante su certe cose, a volte, è meno doloroso e ci fa stare meglio.

I didn't know the neighbour was a hooligan, until the police arrived. Ignorance is bliss! Non sapevo che il vicino fosse un hooligan fino a che non è arrivata la polizia. Non sapere è meglio!

IN A NUTSHELL

(nel guscio di una noce)
Equivale all'italiano: in sintesi, in poche parole

Questa espressione si usa quando si vuole dare un breve riassunto di qualcosa, per esprimere "il succo", poche informazioni che descrivono un discorso lungo.

Boss (Capo): Did you send the e-mail? Hai mandato la e-mail?
Linda: I wanted to, but I was out of the office. Volevo mandarla, ma ero fuori ufficio.

Boss (Capo): So, in a nutshell, no! Quindi, in poche parole, no!
Linda: Exactly. Esattamente.

IN THE LONG RUN

(nel lungo corso)
Equivale all'italiano: a lungo termine

Si usa per parlare di qualcosa che adesso è difficile, ma a lungo termine avrà risultati positivi.

I am buying a house, which is killing me financially, but in the long run it is worth it. Sto comprando una casa che mi sta uccidendo finanziariamente, ma a lungo termine ne sarà valsa la pena.

IN THE BAG

(nel sacco)
Equivale all'italiano: "È fatta!"

Questo *idiom* è troppo bello. Supponiamo che devi catturare un topo. Il topo è il tuo scopo. Quando lo prendi lo metti in un sacchetto. *It's in the bag!*

Simon: Did you ask Judy to go out with you? Hai chiesto a Judy di uscire con te?
Len: Yes. It's in the bag! Si. È fatta!

TRADUCIAMO!

WORDS		VERBS	
share	azione (della Borsa)	to sell	vendere
sure	sicuro	to see	vedere
rich	ricco	to leave alone	lasciare stare (qualcuno o qualcosa)
sand	sabbia		
happy	felice/contento		

THE PRICE OF THE SAND

Tre amici Pino, Dino e Kino stanno parlando. Pino ha comprato delle azioni in una nuova società che vuole vendere sabbia ai Paesi arabi!

Dino: Quante azioni hai comprato?
Pino: 200! Sarò ricco!
Dino: Sei sicuro?
Pino: Molto sicuro! È fatta!
Dino: Ma perché le hai comprate?
Pino: In breve, loro vendono sabbia agli arabi per quasi niente. Sicuramente ne venderanno tanta! Non vedrò i soldi subito, ma a lungo termine vedrai!
(Pino va via ballando)
Dino: Ma gli arabi hanno già tanta sabbia, Kino!
Kino: Lo so, ma lui è felice. A volte non sapere è meglio.
Dino: No, devo dire qualcosa a Pino.
Kino: Ascolta! Lui è felice, se è contento così, lascialo stare!

IDIOMS

K-L

KILL TWO BIRDS WITH ONE STONE

(uccidere due uccelli con un sasso)
Equivale all'italiano: prendere due piccioni con una fava

I gentili italiani candidamente prendono due uccelli con una favetta, mentre noi inglesi barbarici li uccidiamo con un sassone! Ma il significato è lo stesso.

I am going to the supermarket near David's house because I need to speak to him. That way, I can kill two birds with one stone. Sto andando al supermercato vicino alla casa di David perché ho bisogno di parlare con lui. Così prendo due piccioni con una fava.

LAST RESORT

(l'ultima spiaggia)
Equivale all'italiano: l'ultima spiaggia

Esattamente come in italiano, questo *idiom* dice che, quando tutte le altre possibilità se ne sono andate, e non si ha più scelta, ci si deve accontentare dell'ultima spiaggia!

William: Would you work as a Funeral director? Lavoreresti come responsabile di funerali?
Jonathan: Only as a last resort. Solo come ultima spiaggia.

LEARN THE ROPES

(imparare le corde)
Equivale all'italiano: farsi le ossa

Anche questo *idiom* mi piace un sacco: viene dal mondo delle navi. Si riferisce al fatto che un nuovo marinaio doveva imparare a conoscere le corde da utilizzare per dirigere la nave e potervi navigare. Si usa per riferirsi al periodo in cui una persona sta imparando una nuova cosa, quando sta facendo la gavetta.

My job was difficult at the beginning because I was learning the ropes. It is easy, now. Il mio lavoro era difficile all'inizio, perché mi stavo facendo le ossa. È facile ora.

LET SLEEPING DOGS LIE

(lascia che i cani dormano sdraiati)
Equivale all'italiano: non svegliare il can che dorme

Come in italiano, è un invito a non tirare fuori certi argomenti delicati, a godersi la pace ed ignorare le cose che possono causare conflitto.

Robert: I will never forgive Bill for telling the Boss I am lazy. I must tell him what I think of him! Non perdonerò mai Bill per aver detto al capo che sono pigro. Devo dirgli cosa penso di lui!
Jody: Oh, come on Robert, let sleeping dogs lie, please. Oh, dai Robert, non svegliare il can che dorme, per favore.

LIGHT AT THE END OF THE TUNNEL

(luce alla fine del tunnel)
Equivale all'italiano: veder la luce alla fine del tunnel

Anche nelle situazioni difficili e disperate, molto spesso arriva finalmente una speranza: un raggio di sole alla fine del tunnel, un modo per uscire da una situazione disperata, una soluzione.

Boss (Capo): The crisis is very bad; this time I can't see the light at the end of the tunnel. La crisi è molto brutta; questa volta non riesco a vedere la luce in fondo al tunnel.

LIGHTS ARE ON, BUT NOBODY IS AT HOME (THE)

(le luci sono accese, ma non c'è nessuno in casa)
Equivale all'italiano: essere sovrappensiero

Questo è il mio preferito in assoluto! *I love it!* E lo uso spesso.
Se vedi una casa con le luci accese pensi che ci sia qualcuno dentro, giusto? Supponiamo che una testa sia una casa e gli occhi siano le finestre. Questa espressione si usa quando una persona è sovrappensiero o molto, molto stanca: gli occhi sono aperti, le luci sono accese… ma non c'è nessuno in casa, il cervello non è presente.

Laura: Are you coming to the party, Sarah? Vieni alla festa, Sarah?
Sarah: Eh? Eh?
Laura: The party, tonight! La festa, stasera!
Sarah: What? Cosa?
Laura: Oh dear, the lights are on, but nobody is at home! Oddio, sei tra noi?

LICK SOMEONE'S BOOTS

(leccare gli stivali di qualcuno)
Equivale all'italiano: leccare, fare il ruffiano

In italiano c'è un'espressine simile a quella inglese, ma non sono gli stivali che vanno leccati! Comunque, questo *idiom* descrive chi fa il ruffiano…

I worked in that company for twenty years and I never licked the manager's boots. That is why he respected me! Ho lavorato in quella compagnia per 20 anni e non ho mai fatto il ruffiano con il capo. È per questo motivo che mi rispetta!

LOOK ON THE BRIGHT SIDE

(guarda dal lato luminoso)
Equivale all'italiano: guarda il lato positivo

Quest'espressine è un invito a cogliere il lato luminoso e positivo di ogni cosa, persona o situazione.

Lenny: I have lost all my hair! Ho perso tutti i capelli!
Charles: Well, look on the bright side… you will save money on shampoo! Beh, guarda il lato positivo… risparmierai soldi in shampoo!

TRADUCIAMO!

WORDS		VERBS	
wrong	sbagliato	to sack	licenziare
confuse	confuso	to send	spedire
hope	speranza	to need	avere bisogno di
car	macchina	to break	rompere

LOOKING FOR A JOB

Beppe e Fede discutono sul fatto che Beppe ha perso il lavoro.

Fede: Perché ti hanno licenziato?
Beppe: Ho mandato i file sbagliati alle persone sbagliate.
Fede: Perché?
Beppe: Ero confuso, stavo ancora imparando il lavoro!
Fede: Perché non hai fatto il ruffiano con il capo? Come ultima spiaggia?
Beppe: No!
Fede: Ok, ma guarda il lato positivo, avrai più tempo per la play-station.
Beppe: Ho bisogno di soldi!
Fede: Forse c'è un lavoro dal panettiere.
Beppe: Davvero? Meno male! C'è speranza per il futuro!
Fede: Sì, ma anche Rocco lavora lì.
Beppe: Rocco? Ma ho rotto la sua macchina. Non mi parla.
Fede: Meglio non toccare il discorso.
Beppe: Eh?
Fede: La macchina di Rocco che hai rotto!
Beppe: Quando?
Fede: Non ci sei proprio oggi, eh?
Beppe: Eh?
Fede: Ascolta, puoi fare il meccanico! Così lavori e metti a posto anche la macchina di Rocco, e così prendi due piccioni con una fava!

M

MADE OF MONEY

(fatto di soldi)
Equivale all'italiano: pieno di soldi

Questo modo di dire si usa per descrivere e parlare di una persona che ha molti soldi.

Little boy (Ragazzino): Mom, I want a new bike and a new pair of tennis shoes and a new toy car! Mamma, voglio una bicicletta nuova e un nuovo paio di scarpe da tennis e una nuova macchina giocattolo!
Mother (Mamma): Steven, I'm not made of money! Steven, non sono piena di soldi!

AFFORD

Dopo aver visto questa espressione, vorrei insegnarti una cosa importante: to be able to afford (essere in grado di/permettersi finanziariamente).

Qualche esempio:
I am going to America for a holiday. I can afford it, now.
Vado in vacanza in America. Posso permettermelo ora.

I love the jacket, but I can't afford it.
Amo la giacca, ma non posso permettermi di comprarla.

John: Why didn't you come to the pub with us, last night? Perché non sei venuto al pub con noi ieri sera?
Jack: I couldn't afford it; I am not working. Non potevo permettermelo, non sto lavorando.

IDIOMS

MAKE A KILLING

(commettere un omicidio)
Equivale all'italiano: fare fortuna

Questa espressione significa fare tanti, tanti soldi da qualcosa.

Gary had an idea. He sold hamburgers outside the discos at night. He made a killing! Gary ha avuto un'idea. Ha venduto hamburger fuori dalle discoteche la sera. Ha fatto una fortuna!

MAKE A MOUNTAIN OUT OF A MOLE HILL

(fare una montagna dal mucchietto della talpa)
Equivale all'italiano: fare un dramma/di un sassolino una montagna

Questa espressione si usa quando una persona ha una reazione sproporzionata riguardo a una cosa. Un piccolo problema che è paragonabile al mucchiettino di terra che solleva una talpa viene percepito come una montagna.

Timothy: I didn't go to work, today, because I was ill. My wife called my doctor and asked him to come immediately with an ambulance! I only had a cold!... She always makes a mountain out of a mole hill! Non sono andato al lavoro oggi perché ero malato. Mia moglie ha chiamato il mio medico e gli ha chiesto di venire immediatamente con un'ambulanza! Ho solo un raffreddore!... Lei fa sempre di un sassolino una montagna!

MAKE UP FOR LOST TIME

(recuperare per il tempo perso)
Equivale all'italiano: recuperare il tempo perso

Questo *idiom* si riferisce semplicemente all'azione di recuperare il tempo perso. Se si arriva al lavoro con un'ora di ritardo, magari ci si ferma un'ora in più la sera, per recuperare l'ora persa.

Andrew: I'm going to America next week with my daughter. We are staying there for three months. Vado in America con mia figlia la prossima settimana. Stiamo là per tre mesi.
Bert: Three months? Just you and your daughter? Tre mesi? Solo tu e tua figlia?
Andrew: Yes, I was never around in recent years because of my job. I want to make

up for lost time with her. Sì, non ero mai a casa negli anni scorsi a causa del mio lavoro. Voglio recuperare il tempo perso con lei.

MISS THE BOAT

(perdere la barca)
Equivale all'italiano: perdere il treno, perdere l'occasione

Si riferisce semplicemente al fatto di perdere un'opportunità, che forse non si avrà mai più.

Charles: Boss, I heard that there is a chance to work in the American branch of our company. I talked to my wife and she understands that it's a great opportunity for me. Capo, ho sentito che c'è una possibilità di lavorare nella filiale americana della nostra compagnia. Ho parlato con mia moglie e lei capisce che è una grande opportunità per me.
Boss (Capo): Well, it isn't really a problem because the opportunity is for Mr. Smith, not for you. Bene, non è davvero un problema, perché l'opportunità è per Mr. Smith, non per te!
Charles: Oh no, so have I missed the boat? Oh no, quindi ho perso il treno?
Boss (Capo): No, Charles, there was no boat to miss for you! And, stop making a mountain out of a mole hill! No, Charles, non c'era nessun treno da perdere per te! E smettila di farne una tragedia!

MIXED FEELINGS

(emozioni miste)
Equivale all'italiano: essere combattuti

Quando una cosa è da una parte positiva e dall'altra no, provoca un misto di emozioni, appunto.

Mark: Sally is going to work in America. Well, on the one hand I am happy for her, but on the other hand I will miss her enormously. I have mixed feelings about it... Sally andrà a lavorare in America. Bene, da una parte sono felice per lei, ma dall'altra parte mi mancherà enormemente. Ho sensazioni in conflitto a riguardo.

MORE THAN MEETS THE EYE

(più che incontra l'occhio)
Equivale all'italiano: c'è sotto qualcosa, gatta ci cova

Questa espressione si usa quando si sospetta che in una certa situazione, in realtà, ci sia qualcosa sotto, qualcosa di più di quanto raccontino o di quanto si veda.

Alan: At work, nobody is talking to me. What did I do wrong? Al lavoro nessuno mi parla. Che cosa ho fatto di sbagliato?
William: Nothing, everything is fine. Niente, va tutto bene.
Alan: No, William, everything is calm, but there is more than meets the eye. No William, tutto è calmo, ma c'è sotto qualcosa.

TRADUCIAMO!

WORDS		VERBS	
rich	ricco	to invest	investire
loser	perdente	to lose	perdere
relationship	rapporto	to change	cambiare
sometimes	a volte/ogni tanto	to die	morire
scooter	motorino	to exaggerate	esagerare

FROM RAGS TO RICHES

Thomas va via dal paesino. Porta solo dei vestiti e pochi soldi. Dopo un anno torna guidando una Mercedes, vestito Armani e accompagnato da una supermodella. Va a bere qualcosa nel pub del paesino, per la prima volta dopo un anno.

Bill: Guarda Thomas! È pieno di soldi.
Bob: Lo so, ha fatto una botta di soldi a Wall Street.
Bill: Io non posso permettermi un motorino e lui viene in Mercedes!
Thomas: Ciao, ragazzi! Vi avevo detto di investire a Wall Street... avete perso una grande opportunità.
Bill: Io vado a Wall Street! Devo recuperare il tempo perso… Vieni, Bob?
Bob: Non lo so, sono combattuto… Da una parte mi piace l'idea di diventare ricco, ma dall'altra non voglio cambiare.
Bill: Sei un perdente! E morirai qui con tutti gli altri perdenti!
Bob: Non esagerare, per favore. Vai tu, io sto qui con la tua ragazza.
Bill: Perché? Che rapporto hai con la mia ragazza? C'è qualcosa che non so?
Bob: Non dire cose stupide… siamo solo amici, amici molto vicini e ogni tanto ci baciamo vicino al lago di notte.
Bill: Ah, ok.

N

NEST EGG

(uovo nel nido)
Somiglia all'espressione italiana "gallina dalle uova d'oro", che non è esattamente sostituibile a questo *idiom*.

Hai messo da parte un po' di soldi, un gruzzolo? Hai fatto un investimento che ti renderà dei soldi per il futuro? Questo è il tuo uovo nel nido. Una sicurezza per il futuro.

Samuel: I want to buy a new motorbike, but I can't afford it, now. Voglio comprare una nuova moto, ma non posso permettermela ora.
Tom: Sell your stamp collection! Vendi la tua collezione di francobolli!
Samuel: Are you crazy? That collection is my nest egg for when I get old. Sei matto? Quella collezione è il mio gruzzolo per quando diventerò vecchio.

NEXT TO NOTHING

(accanto a niente)
Si potrebbe rendere con l'espressione "quasi niente", ma non esiste una vera frase sostituibile a questo *idiom*.

Quest'espressione vuol dire «pochissimo», «quasi niente».

Hey, there are holidays to Cuba that cost next to nothing! I love Cuba... the beaches are full of girls wearing next to nothing! Ehi, ci sono delle vacanze a Cuba che costano pochissimo! Io adoro Cuba... le spiagge sono piene di ragazze che indossano quasi niente!

NOT FOR ALL THE TEA IN CHINA

(non per tutto il tè della Cina)
Equivale all'italiano: neanche per tutto l'oro del mondo

Quando non si farebbe una cosa per nessun prezzo.

Terry: Suzie, will you please go out with me for one evening? Please. Suzie, usciresti per favore con me per una sera? Per favore.
Suzie: Not for all the tea in China! Neanche per tutto l'oro del mondo!

NOTHING DOING

(niente facendo)
Equivale all'italiano: niente da fare

Quest'espressione rappresenta un rifiuto assoluto a un'offerta.

John: Please, darling, the World Cup is only every four years! And it's the final! Per favore, cara, la Coppa del Mondo è solo ogni quattro anni! Ed è la finale!
Wife: Big Brother is on now, nothing doing! Il *Grande Fratello* è in onda ora, niente da fare!

TRADUCIAMO!

WORDS

only/just	solo
come on!	dai!
reason	motivo

ON HOLIDAY

È quasi estate e la moglie vuole pensare alle vacanze.

Moglie: Guarda! La Spagna a solo 800 euro in due, albergo a 5 stelle! La Spagna costa quasi niente adesso.
John: Non possiamo.
Moglie: Perché no? Abbiamo 5.000 euro in banca!
John: Quelli sono per il futuro!
Moglie: Dai!
John: No, neanche per tutto l'oro del mondo.
Moglie: Per favore...
John: Niente da fare.
Moglie: Allora vado da sola!
John: Perfetto.

O

OUT OF ORDER

(fuori ordine)

Out of order vuol dire due cose in inglese:

guasto
Se un ascensore è rotto vedrai un cartello con scritto «*Out of order*».

persona che ha assolutamente torto
Come si dice in italiano "ha torto marcio", "ha superato ogni limite", oppure "è fuori luogo". Se si offende pesantemente o si fanno battute che imbarazzano la gente o la umiliano, si è "fuori dall'ordine", appunto.

That man asked my wife to go to dinner with him in front of me! He was totally out of order! Who is he?! Quell'uomo ha chiesto a mia moglie di cenare con lui di fronte a me. Era completamente fuori luogo. Ma chi è?!

OUT OF THE QUESTION

(fuori dalla questione)
Equivale all'italiano: fuori questione

Esattamente come in italiano, una cosa è fuori questione se non è assolutamente possibile prenderla in considerazione e valutarla come una delle opzioni tra cui scegliere.

Boss: I want you to work on Saturdays from now on. Voglio che lavori i sabati da ora in avanti.
Sally: I'm sorry, but that is out of the question; that is my shopping day! Mi dispiace, ma è fuori questione, quello è il mio giorno per lo shopping!

ON THE MAP

(sulla mappa)
Si potrebbe rendere con l'espressione "sulla bocca di tutti", ma non esiste una vera frase sostituibile a questo *idiom*.

Le informazioni sulla mappa solitamente sono importanti. Sono visibili, conosciute. Se tu o il tuo business siete stati messi sulla mappa, vuol dire che siete diventati importanti.

Pino: Hey, Sara, everybody is talking about your banana and fish sandwiches. Ehi, Sara, tutti stanno parlando dei tuoi panini con la banana e il pesce.
Sara: See, I am putting us on the map. Vedi, ci sto facendo conoscere!
Pino: Yes, but they are saying that they are horrible! Sì, ma dicono che fanno schifo!

OUT OF THIS WORLD

(fuori da questo mondo)
Equivale all'italiano: la fine del mondo

Se si dice che qualcuno o qualcosa è la fine del mondo, significa che si considera quella persona o cosa molto bella, imperdibile.

You have to see the new Spielberg movie. It is out of this world! Devi vedere il nuovo film di Spielberg. È la fine del mondo!

TRADUCIAMO!

WORDS

everywhere ovunque

THE FILM

Una compagnia cinematografica vuole girare un film in un piccolo bar di campagna. Il giovane Dino capisce l'importanza di questa cosa per il bar della sua famiglia, ma suo padre no.

Dino: Faranno il film qui, papà, saremo conosciuti ovunque!
Papà: No, è fuori questione.
Dino: Ma perché? Come opportunità è la fine del mondo! Sei pazzo!
Papà: Stai davvero oltrepassando il limite, Dino.

P

PAID PEANUTS

(pagato noccioline)
Si potrebbe rendere con l'espressione "quattro soldi" o "due lire", ma non esiste una vera frase sostituibile a questo *idiom*.

Se si è pagati in noccioline, vuol dire che si è pagati pochissimo.

Tony: I like my job, but they pay peanuts where I work, so it's difficult to pay for the house. I need an extra job. Mi piace il mio impiego, ma pagano pochissimo dove lavoro, quindi è difficile pagare la casa. Ho bisogno di un lavoro extra.

PLAY YOUR CARDS RIGHT

(gioca bene/giusto le tue carte)
Equivale all'italiano: giocare bene le (proprie) carte

La vita è un gioco. Non sei d'accordo? Nel lavoro, nell'amore, in tutto quasi. Infatti, mio padre diceva che gli scacchi sono un buon gioco perché è come avere la vita sul legno, e si possono imparare delle strategie e leggere le intenzioni degli avversari. Con le carte è lo stesso, non si possono scegliere le carte che dà la vita ed è importante essere capaci di giocarle bene, e non farle vedere mai a nessuno!

You have a great business idea. If you play your cards right, you could make a killing and then you will be made of money! Hai una grande idea di lavoro. Se giochi bene le tue carte potresti fare una fortuna e poi sarai pieno di soldi.

(A) PENNY FOR YOUR THOUGHTS

(un penny per i tuoi pensieri)
Equivale all'italiano: un soldo per i tuoi pensieri

Quando si è con qualcuno a cui si vuole bene e lo si vede pensieroso, in quei casi si desidererebbe che quella persona condividesse i suoi pensieri. In inglese si dice una cosa molto bella: *A penny for your thoughts*, cioè ci si dimostra disponibili a pagare purché quella persona condivida i suoi pensieri con noi.

Non metto esempi per questa espressione. È già chiara abbastanza, mi sa!

PIGS WILL FLY

(i maiali voleranno)
Equivale all'italiano: gli asini che volano

Questa espressione si usa per dire che una cosa è talmente impossibile in questo mondo che potrà succedere solo il giorno in cui si vedranno i maiali volare, o gli asini, in italia!

John: I think Birmingham City is strong enough to win the Champions League next year. Penso che il Birmingham City sia forte abbastanza da vincere la Champions League il prossimo anno.
Paul: Yes, and pigs will fly! Sì e gli asini volano!

IDIOMS

PLAN B

(piano B)
Equivale all'italiano: piano B/di riserva

Questa espressione è grandiosa! Usatissima, come tutti gli *idioms* che abbiamo visto fino a ora. Se si fa un piano, è sempre meglio averne uno di scorta, giusto? Nel caso in cui il piano originale non funzioni, c'è sempre il piano B, appunto.

Ok, I will try to fix the broken toilet, but plan B is to call the plumber! Ok, cercherò di sistemare il water rotto, ma il piano B è di chiamare l'idraulico!

PLAY WITH FIRE

(giocare con il fuoco)
Equivale all'italiano: giocare col fuoco

Questa espressione fa riferimento a qualcuno che si mette in una situazione pericolosa.

You shouldn't send romantic messages to Lucy via Facebook; you are really playing with fire. Her boyfriend is enormous and very jealous! Non dovresti mandare messaggi romantici a Lucy su Facebook, stai davvero giocando col fuoco. Il suo fidanzato è enorme e molto geloso!

PULL SOMEONE'S LEG

(tirare la gamba di qualcuno)
Equivale all'italiano: prendersi gioco, farsi beffa

Per quanto ho capito io dell'italiano, ci sono due modi "per prendere in giro" qualcuno: uno cattivo, che serve quando qualcuno tradisce la fiducia di un altro; e uno buono, scherzoso. Questo *idiom* rappresenta l'espressione più scherzosa e divertente per prendersi gioco di qualcuno.

Carl: I told Sally that she has passed her exams, but she doesn't believe me! Ho detto a Sally che ha superato i suoi esami, ma non mi crede!
Anna: Of course she doesn't believe you; you are always pulling her leg! I will tell her. È ovvio che non ti crede, la prendi sempre in giro! Glielo dirò io.

IDIOMS

TRADUCIAMO!

WORDS

tired of	stanco di
factory	fabbrica
well	bene
pregnant	incinta

FRIENDS

Bruce è stanco del suo lavoro e Lenny cerca di dare al suo amico dei consigli per cambiare la situazione.

Bruce: Sono stanco del mio lavoro, voglio trovare qualcos'altro.
Lenny: Senti, se giochi bene le tue carte ti trovo un lavoro nella mia fabbrica.
Bruce: Pagano bene?
Lenny: Pagano molto bene.
(Bruce pensa in silenzio)
Lenny: A cosa stai pensando?
Bruce: Mi stai prendendo in giro? Perché, se è così, stai giocando con il fuoco.
Lenny: No, Bruce, posso aiutarti.
Bruce: Grazie.
Lenny: Un giorno potresti diventare un manager importante.
Bruce: Sì, e gli asini voleranno!
Lenny: Ascolta, se non ti prendono nella mia fabbrica c'è un'alternativa... puoi fare la baby sitter… Lucy è incinta!

Q-R

QUICK FIX

(aggiustamento veloce)
Si potrebbe rendere con l'espressione "modo di tamponare" o "tamponare una situazione", ma non esiste una vera frase sostituibile a questo *idiom*.

Sarebbe una soluzione di emergenza, improvvisata, non permanente.

There is no quick fix solution to this problem. We need time. Non c'è una soluzione di emergenza per questo problema. Abbiamo bisogno di tempo.

(AS) QUIET AS A MOUSE

(silenzioso quanto un topo)
Non esiste una vera frase sostituibile a questo *idiom*, che si riferisce a qualcuno che sta in silenzio totale, che non fa rumore.

Mary: Is your new baby letting you sleep? Vi lascia dormire il nuovo nato?
Olive: Oh, yes, we are very lucky, she is as quiet as a mouse. Oh sì, siamo fortunati, è molto silenziosa.

RAINING CATS AND DOGS

(piovendo gatti e cani)
Equivale all'italiano: piove a catinelle, pioggia a catinelle

Anche per questo *idiom*, credo che non ci sia altro da aggiungere.

Can you believe it? We finally had our holiday in Spain and it rained cats and dogs for two weeks! Riesci a crederci? Finalmente abbiamo fatto la nostra vacanza in Spagna e ha piovuto a catinelle per due settimane!

RED TAPE

(nastro rosso)
Non esiste un'espressione simile in italiano, per rendere questo *idiom* che, in breve, sta a significare "iter burocratico"!

Burocrazia: gli italiani sono i maestri dell'universo in questo campo, il popolo italiano è totalmente legato al nastro rosso.

Shelley: My husband had an accident in America and nobody helped him. Mio marito ha avuto un incidente in America e nessuno lo ha aiutato.
Diana: Why not? Perché no?
Shelley: Red tape. Burocrazia.
Diana: Red tape? Burocrazia?
Shelley: Yes, he didn't have insurance. Sì, non aveva l'assicurazione.

ROCK THE BOAT

(dondolare la barca)
Si potrebbe rendere con l'espressione "smuovere le acque" o "rompere l'equilibrio", ma non esiste una vera frase sostituibile a questo *idiom*.

Se qualcuno "dondola la barca" vuol dire che causa dei problemi in una situazione che prima era, comunque e in qualche modo, stabile.

Glen: The boss doesn't pay enough. I want to tell him that I want more money! Il capo non paga abbastanza. Voglio dirgli che voglio più soldi!
Dave: Don't rock the boat, please! The situation is already bad, Glen. Non causare problemi, per favore! La situazione è già brutta, Glen.

RUN OUT OF STEAM

(finire il vapore)
Si potrebbe rendere con l'espressione "si sono scaricate le batterie" o "ha perso lo smalto", ma non esiste una vera frase sostituibile a questo *idiom.*

I vecchi treni andavano a vapore. Se il vapore finiva, il treno rallentava fino a fermarsi del tutto.
In inglese, quando una persona o anche una cosa dopo una botta di energia rallenta, si dice che "ha finito il vapore", ha perso l'energia, la carica iniziale, l'entusiasmo, insomma.

Manchester United started very well, but then ran out of steam in the second half of the season. Il Manchester United ha incominciato molto bene, ma poi ha perso energia nella seconda metà della stagione.

TRADUCIAMO!

WORDS		VERBS	
umbrella	ombrello	to rob	rapinare
reason	motivo		
weapon	arma		
law	legge		
alone	solo/da solo		

GENTLEMAN THIEF

Due malviventi, stanchi di non avere soldi, decidono di rapinare una banca.

Bones: Ok, sei pronto a rapinare la banca con me?
Rocky: Adesso? Sta piovendo a catinelle fuori!
Bones: Ho due ombrelli.
Rocky: Sì, ma non è una soluzione definitiva, Bones! Dove mettiamo gli ombrelli quando dobbiamo entrare? Dobbiamo essere silenziosissimi!
Bones: Devi sempre trovare problemi, eh?
Rocky: Sempre?
Bones: Sì, anche quando eravamo nel gruppo. Trovavi sempre problemi con i miei piani. Il gruppo si è sciolto per quel motivo.
Rocky: No, il gruppo non aveva più voglia, alla fine. Comunque non puoi portare ombrelli nella banca.
Bones: Eh?
Rocky: Un ombrello potrebbe essere usato come un'arma, quindi per la legge non possono essere portati nei posti pubblici… sai com'è la burocrazia per le banche!
Bones: Vado da solo.

S

SALT OF THE EARTH

(il sale della terra)
Si potrebbe rendere con la stessa espressione che, però, in italiano è molto meno usata; al suo posto si preferiscono frasi come "una pietra preziosa" o "un tesoro", che non sono esttamente sostituibili a questo *idiom*.

Quando di qualcuno si dice che è "il sale della terra", vuol dire che è onesto, puro, semplice e che ha un buon cuore. Una bella persona, insomma. È un enorme complimento per noi inglesi.

I really miss my father. He always gave me important advice and help. He was the salt of the earth. Mi manca davvero mio padre. Mi dava sempre consigli importanti e aiuto. Era una bella persona.

SELL LIKE HOT CAKES

(vendono come torte calde)
Equivale all'italiano: va via come il pane, va a ruba

Quando una cosa vende benissimo.

Danny: Yesterday, I got married for the tenth time! Ieri mi sono sposato per la decima volta!
Bob: If you wrote a book about your life, it would sell like hot cakes! Se scrivessi un libro sulla tua vita, andrebbe a ruba!

SECOND NATURE

(seconda natura)
Si potrebbe rendere con la stessa espressione che, però, in italiano è molto meno usata; al suo posto si preferiscono frasi come "fa parte di me/te", che non sono esattamente sostituibili a questo *idiom*.

Se qualcosa fa parte del tuo carattere, vuol dire che è anche nella tua natura essere così. Se fai qualcosa che è tuo "secondo natura", vuol dire che quello che fai fa parte del tuo carattere.

Teaching English is second nature to John. He has been teaching for many years. Insegnare l'inglese è connaturato in John. Insegna da molti anni.

Prima di passare al prossimo idiom, c'è una minilezione da fare su *either* + *or* e *neither* + *nor*:

either + *or* si usa quando c'è una scelta tra due cose;
neither + *nor* vuol dire «nessuno dei due».

Un uomo va in un bar che vende solo caffè e latte.

Man: A juice, please. Un succo, per favore.
Barman: We don't sell juices. You can have either coffee or milk. Non vendiamo succhi. Può avere o caffé o latte.
Man: Neither coffee nor milk, I will go to a different bar. Né caffè, né latte. Andrò in un altro bar.

SEE RED

(vedere rosso)
Equivale all'italiano: non vederci più dalla rabbia

Significa che si è estremamente arrabbiati.

When I see people on the news who hurt children, I see red and have to turn off the tv. Quando vedo sul TG delle persone che fanno del male ai bambini, non ci vedo più dalla rabbia e devo spegnere la televisione.

IDIOMS

SEEING IS BELIEVING

(vedere è credere)
Equivale all'italiano: vedere per credere, se non lo vedo non ci credo

Questa espressione si usa quando uno ha dei dubbi sull'esistenza di qualcosa e non ci crede finché non lo vede con i suoi occhi.

I'm going to the pub, later, because Tony says his new girlfriend is a supermodel. Is that possible? Well, seeing is believing! Andrò al pub più tardi perché Tony dice che la sua nuova ragazza è una super modella. È possibile? Bene, vedere per credere!

SELL YOUR SOUL

(vendersi l'anima)
Equivale all'italiano: vendere l'anima al diavolo

Quest'espressione si usa per riferirsi a qualcuno che ha cambiato drasticamente e improvvisamente idea in merito a qualcosa.

Benny: Hey, John... I saw your brother today with the Scotland football shirt on. Did he sell his soul to the devil? Ehi, John... Ho visto tuo fratello oggi con su la maglietta della Scozia. Ha venduto l'anima al diavolo?
John: Yes. Sì.

SET IN STONE

(fissa nella pietra)
Equivale all'italiano: è legge

Nella Bibbia, Dio ha dato a Mosè delle tavole di pietra su cui erano scritti i Dieci Comandamenti: sulla pietra, in quanto regole che non potevano essere cambiate. In inglese, se una norma di legge relativa al lavoro o anche domestica è fissa nella pietra, significa che è una regola che non si può cambiare. È così e basta!

Listen, the guest list isn't set in stone. You can add a person if you want! Ascolta, la lista degli ospiti non è legge. Puoi aggiungere una persona se vuoi!

SHORT AND SWEET

(corto e dolce)
Equivale all'italiano: breve ma intenso

Questa espressione si usa per descrivere un'esperienza che, pur essendo breve, è stata piacevole.

I had three days holiday, so we went to the coast for the weekend. It was short and sweet. I relaxed with a book. Avevo tre giorni di vacanza, così siamo andati sulla costa per il fine settimana. È stato breve, ma intenso e piacevole. Mi sono rilassato con un libro.

SOFT SPOT (have a)

(avere un punto morbido)
Equivale all'italiano: avere un debole (per)

Questo *idiom* fa riferimento ai punti deboli che ciascuno ha, quelle cose a cui non si riesce a dire di no e a cui non si sa resistere.

Terry: Why is your wife so big? Perché tua moglie è così grossa?
John: She has a soft spot for cakes. Ha un debole per le torte.
Terry: Does she have a soft spot for you, too? Ha un debole anche per te?
John: No, just for cakes. No, solo per le torte.

SWEETEN THE PILL

(addolcire la pillola)
Equivale all'italiano: addolcire la pillola, indorare la pillola

Hai una brutta cosa da dire a qualcuno? Puoi trovare qualche consolazione per limitare il dolore? Riesci a dire qualcosa, qualsiasi cosa che ammorbidisca il colpo? Hai un po' di zucchero da mettere sulla pillola amara che deve ingoiare il bambino?

He lost his job, but his boss sweetened the pill. He is giving him a few hours work in the evenings, until he finds something else. Ha perso il lavoro, ma il suo capo ha addolcito la pillola. Gli sta dando qualche ora di lavoro la sera fino a quando non trova qualcos'altro.

SWIM AGAINST THE TIDE

(nuotare contro la marea)
Equivale all'italiano: andare controcorrente

Uno che dice o fa l'opposto della maggior parte della gente, nuota contro la marea, o controcorrente. Spesso questo richiede molto coraggio.

When the fashion was mini-skirts, Harriet wore long skirts. When the fashion was long hair, she cut her hair short. She was never a sheep and always swam against the tide.
Quando andavano di moda le minigonne, Harriet indossava gonne lunghe. Quando andavano di moda i capelli lunghi, lei si è tagliata i capelli corti. Non è mai stata una pecora e andava sempre controcorrente.

TRADUCIAMO!

WORDS		VERBS	
mind	mente	to give	dare
thing	cosa	to write	scrivere
ridiculous	ridicolo		
against	contro		
dummy	scemo		

ABOUT MADNESS

Theo e Brian sono due intellettuali dell'Università di Quarto Oggiaro, e stanno discutendo.

Theo: Penso che Freud avesse una grande mente.
Brian: Era pazzo.
Theo: Ah, sì? Se lui era pazzo, io darei l'anima per essere pazzo. Pensa quando uscivano i suoi libri. Andavano totalmente contro quello che scrivevano gli altri, ma andavano via come il pane.
Brian: Theo, so che hai un debole per Sigmund, ma ha detto tante cose ridicole.
Theo: Brian, non tutto quello che ha scritto erano regole, erano solo idee.
Brian: Era pazzo.
Theo: No! Era onesto, vero.
Brian: Perché hai questo debole per Freud?
Theo: Non ho un debole per lui, sciocco!
Brian: Vedi? Dico una cosa su Freud e dai i numeri.
Theo: Ma io so che per te è normale fare arrabbiare la gente, ma ora ti dico qualcosa per addolcire la pillola, ti dico che non sei solo tu. Faccio in modo che il mio discorso sia breve ma produttivo. Ok, pronto?
Brian: Sì.
Theo: Sei uno scemo.
Brian: Ah, sì?
Theo: Sì, vedere per credere! E io ti vedo, e sei uno scemo.

IDIOMS

T

TAKE IT OR LEAVE IT

(prendilo o lascialo)
Equivale all'italiano: prendere o lasciare

La gente non ha sempre voglia di trattare o discutere sulle cose. Se qualcuno ti dice *take it or leave it* vuol dire che non ha nessuna intenzione di trattare: o accetti la sua offerta o niente, prendere o lasciare!

Egyptian farmer (Contadino egiziano): I will give you one camel for your wife. Take it or leave it. Ti darò uno dei miei cammelli per tua moglie. Prendere o lasciare.
John: I'll take it! Concettina, darling! Please go with this nice man. Ci sto! Concettina, cara! Per favore, vai con quest'uomo gentile.
Egyptian farmer (Contadino egiziano): Hey, crazy Englishman! You forgot to take your camel! Ehi, pazzo inglese! Hai dimenticato di prendere il tuo cammello!

Sappi che sto scherzando, non scambierei mai la mia amata Concettina per un cammello, ma per chi mi hai preso, eh? Anche perché non saprei dove metterlo, un cammello. Ecco, se avessi un giardino più grande, magari...

TAKE SOMEBODY FOR A RIDE

(portare qualcuno in giro)
Equivale all'italiano: prendere per i fondelli

Abbiamo già parlato dei due modi di "prendere in giro", uno più scherzoso e l'altro più cattivo; questo *idiom* si riferisce al secondo modo per scherzare su qualcuno.

A lot of these salesmen take you for a ride. They bend the truth so much that you don't really know what you are buying. Molti di questi venditori ti prendono per i fondelli. Dicono talmente tante mezze verità, che davvero non sai quello che stai comprando.

TALK SHOP

(parlare del negozio)
Non esiste un'espressione simile in italiano, per rendere questo *idiom* che, in breve, sta a rappresentare chi parla sempre di lavoro.

Quello che questa espressione vuole indicare, mi sembra un po' un vizio di tutti i milanesi che, quando escono dal lavoro, non riescono a staccare la spina e continuano a parlare sempre di lavoro...
Shop simbolizza il lavoro, non solo un negozio, ma qualsiasi ambiente di lavoro.

I have a friend from Naples. I have known him for twenty years, but I don't know what he does, because he never talks shop. Ho un amico di Napoli. Lo conosco da vent'anni, ma non so che cosa faccia perché non parla mai di lavoro.

THERE WASN'T A SOUL

(non c'era un'anima)
Equivale all'italiano: non c'era un'anima viva

Esattamente come in italiano, questo *idiom* si riferisce a situazioni in cui non c'era nessuno.

We are playing really badly, in fact, on Saturday there wasn't a soul at the game. Not even the referee came! Stiamo giocando veramente male, infatti sabato non c'era un'anima viva alla partita. Non è venuto nemmeno l'arbitro!

THINK AGAIN

(ripensare)
Equivale all'italiano: ripensarci

Se una persona ti dice *think again*, o ti vuole consigliare di cambiare idea su una cosa o te lo sta ordinando con un sottile imperativo. Come dire "non penso proprio, meglio che ci ripensi, perché non accetto quello che vuoi tu!".

John: Tonight, I am going to the pub. Questa sera andrò al pub.
Wife (Moglie): Think again, you have to wash the dog. Non penso proprio, devi fare un bagno al cane.

IDIOMS

TRADUCIAMO!

WORDS		VERBS	
true	vero	to meet	conoscere/incontrare
come on!	dai!		
opinion	opinione		

GOSSIP

Anna e Lucy parlano e sparlano dell'amica Amber.

Anna: Hai conosciuto il nuovo ragazzo di Amber?
Lucy: Sì, quello che parlava di lavoro alla festa... dovrebbe ripensarci quella ragazza, lui la prende solo per i fondelli.
Anna: Non è vero, dai!
Lucy: Questa è la mia opinione, prendere o lasciare.
Anna: Sono andata a casa sua ieri e non c'era un'anima viva. Sono andati via?

U

UNDER A PERSON'S THUMB

(sotto il pollice di qualcuno)
Equivale all'italiano: essere succube di qualcuno

Questa espressione si usa per indicare una persona che è completamente dominata da qualcun altro.

Amber is totally under her boyfriend's thumb. When he says "jump", she jumps. Amber è completamente succube del suo fidanzato. Quando lui dice "salta", lei salta.

UP IN THE AIR

(su nell'aria)
Equivale all'italiano: campato per aria

Questa espressione si usa quando succedono tante cose, ma non ci sono ancora certezze. Niente di concreto.

I have a chance to go to America to work, but I have to finish many things here, first, so everything is up in the air. Ho una possibilità di andare in America a lavorare, ma devo terminare molte cose qui prima, quindi tutto è campato per aria.

W-Y

WAITING GAME

(gioco di aspettare)
Equivale all'italiano: temporeggiare

A volte è meglio aspettare senza fare nulla per vedere se ci sono degli sviluppi che possano cambiare le cose. È una tattica.

Hannah: Did Lenny call? Ha chiamato Lenny?
Lisa: No, he's playing the waiting game. He wants to see if I will go crazy without him. No, sta temporeggiando. Vuole vedere se diventerò matta senza di lui.

WALK ON AIR

(camminare sull'aria)
Equivale all'italiano: toccare il cielo con un dito, essere al settimo cielo

Questo *idiom* fa riferimento alla situazione in cui si è talmente felici che si cammina in aria, sollevati da terra.

Jason: Hey, you got the job! How do you feel? Ehi, hai ottenuto il lavoro! Come ti senti?
Lucy: I'm walking on air! Sono al settimo cielo!

WEAR MANY HATS

(indossare tanti cappelli)
Anche in italiano esiste il modo di dire "indossare tanti cappelli", ma è molto meno diffuso rispetto allo stesso *idiom* inglese.

Quest'espressione si usa per descrivere qualcuno che fa vari lavori.

The school caretaker has to wear many hats. He has to be a plumber, a gardener and a security guard. Il custode della scuola deve fare molte cose. Deve fare l'idraulico, il giardiniere e la guardia di sicurezza.

YOU CAN'T TEACH AN OLD DOG NEW TRICKS

(non puoi insegnare nuovi trucchi a un vecchio cane)
Non esiste un'espressione uguale in italiano per rendere questo *idiom* che, in breve, significa che è difficile insegnare qualcosa a chi è anziano e ha già delle abitudini molto ben radicate.

Ci sono tanti paragoni fatti tra persone e cani. Alcuni offensivi e altri piu nobili. In inglese, se si dice *you are an old dog* a una signora, questo è molto offensivo. Se invece si dice *you are an old sea dog* a un vecchio marinaio, questa è un'espressione di ammirazione e affetto. Questo *idiom* è detto con affetto.
Con la parola *tricks* si intendono gli ordini; insegnare a un cane a dare la zampa è facile quando è giovane, ma quando è piu vecchio è molto complicato, se non impossibile. Con il tempo, le vecchie abitudini diventano automatiche.

My Grandmother is learning English, but she isn't making much progress. You can't teach an old dog new tricks. Mia nonna sta imparando l'inglese, ma non sta facendo molti progressi. Non puoi insegnare a un vecchio cane nuovi trucchi.

TRADUCIAMO!

WORDS		VERBS	
agitated	agitato	to look	guardare
lawyer	avvocato	to look like/seem	sembrare
way	modo	to think	pensare
angry	arrabbiato	to wait for	aspettare
positive	positivo		
tactic	tattica		

THE BOSS

Frank e Freddy parlano del capo dell'azienda in cui lavorano.

Frank: Il capo è agitato. Sta aspettando una risposta da Roma.
Freddy: Lui è il capo? Ma non è l'avvocato?
Frank: Sì, ma fa tante cose qui, perché è la ditta di suo papà.
Freddy: Perché non chiama lui Roma?
Frank: Perché temporeggia. È il suo modo di fare e non puoi pretendere di cambiarlo, ormai.
Freddy: Lui sembra arrabbiato...
Frank: Ora penso che, se Roma chiama oggi con la risposta positiva che si aspetta, lo vedrai molto felice. Ma per ora temporeggia. È la sua tattica.

FINAL PART

SOLUTIONS AND TRANSLATIONS

VOCABULARY

REGULAR VERBS

IRREGULAR VERBS

SOLUTIONS AND TRANSLATIONS

ESERCIZIO n. 1

1. I am thin.
2. We are old and tired.
3. They are drunk.
4. You are generous.
5. She is fat.
6. We are happy.
7. The car is fast.
8. He is generous.
9. I am fat.
10. We are sad.

ESERCIZIO n. 2

1. She is generous because she is drunk.
2. He is tired because he is old.
3. They are fast because they are young.
4. We are slow because we are fat and drunk.
5. I am nice, but he is young and handsome.
6. She is beautiful, but she is not elegant.
7. We are fat, but we are fast.
8. You are thin and young, but you are slow.
9. They are honest and generous.
10. We are handsome and nice, but we are not elegant.

ESERCIZIO n. 3

1. We are with you.
2. Are you with him?
3. He and she are with me.
4. Are he and she with me?
5. You are with them.
6. You are not with her.
7. I am not with them.
8. Are you with me?
9. Aren't you with him?
10. We are not with you.

ESERCIZIO n. 4

1. We have a small garden.
2. I have a fat dog.
3. She has an ugly brother.
4. They have a thin mother.
5. He has a beautiful wife.
6. He has a beautiful, but sad sister.
7. Have you a boyfriend?
8. I am young, but I have a big car.
9. I am not beautiful, but I have a handsome boyfriend.
10. She has two brothers and a sister.

ESERCIZIO n. 5

1. He has got a fast red car.
2. I have a big white house.
3. They have a slow black dog.
4. He has a black eye.
5. She has an orange hat.
6. We have a brown bike.
7. Have you got a black and white television?
8. Have you got a grey cat?
9. Have you got a black pen?
10. I have a green apple.
11. I haven't got time.
12. She hasn't got money for me.
13. We haven't got a beautiful house.
14. We haven't got a beautiful car.
15. You haven't got time for me!

GRAMMAR - STEP 1

ESERCIZIO n. 6

1. My father is under the car in the garage.
2. My grandmother is in the bedroom with her book.
3. The black cat is in the cellar because it is cool.
4. The bedroom is near the bathroom.
5. My brother is in the living room with his friend, but without the dog.
6. My sister is in the garden.
7. My mother is in the kitchen.
8. My grandfather is in bed and the cat is under the bed.
9. My cousin is in the car in the garage.
10. My parents are in the cellar.

ESERCIZIO n. 7

1. is
2. Is
3. Are
4. Has
5. has
6. is
7. Is
8. Have
9. is
10. have/am
11. is
12. are
13. have
14. has
15. are
16. is
17. are/are
18. has
19. are
20. are/have

ESERCIZIO n. 8

1. She has two big ugly dogs.
2. He hasn't got a black bike.
3. Have you got four euros? I have no money.
4. No, I haven't got four euros because I haven't got a job.
5. He has two big, red eyes because he is tired.
6. We have forty chickens in our garden.
7. Have you got a big, white chicken?
8. They haven't got a big, white chicken but they have a nice grey rabbit.
9. They have seven small (o little) children because they haven't got a tv.
10. You haven't got two fast legs because you are old and drunk.

ESERCIZIO n. 9

1. I go to my house in my yellow car.
2. My wife and her mother go shopping with my money!
3. I am in the garden with my dog and my cat, which are old and tired.
4. Sara has my red car because her green bike is broken.
5. They are in their car with my brother and his friend.
6. My book is on the table; your book (o yours) is in the bedroom.
7. His father is old and thin; mine is fat.
8. Our parents are old; their parents (o theirs) are young.
9. Her bag is big and new, but yours is old and dirty.
10. Her mother is English; their mother (o theirs) is American.

ESERCIZIO n. 10

1. I am my mother's son.
2. He is Concettina's husband.
3. The cooks' hat is white.
4. Peru's mountains are beautiful.
5. My grandfather's newspaper is on the table.
6. Tomorrow's newspaper.
7. I have my brother's radio.
8. He has my father's car.
9. The workers' canteen is open.
10. I am my readers' guide.

ESERCIZIO n. 11

1. My father is under the yellow car in the garage with my sister.
2. I am in front of a drunk and stupid person in the mirror.
3. Beside the bed there is a black book on the table.
4. In front of my house there is a house with a pool and a big car.
5. I am behind you; don't go fast because I am on a bike.
6. Inside my house in the kitchen, under the table there is a mouse.
7. Grandmother is outside the house; she is in the garden reading under a tree.
8. I sleep between my brother and my sister in a small bed and under the bed sleeps my grandfather.
9. They are near Milan, but far from my house.
10. Near here there is a cinema and inside there is my friend among the 100 people inside; he went there to see a film.

ESERCIZIO n. 12

1. for
2. to
3. to
4. for
5. to
6. for
7. to
8. for
9. to
10. to

ESERCIZIO n. 13

1. Those sweets are yours.
2. These cups are big.
3. That man is nice.
4. This bar is ugly.
5. That bar is beautiful.
6. Those men are honest.
7. These children are fast.
8. This coffee is mine.
9. These cars are slow.
10. That girl is with that man with the green jacket; that one with the blue eyes is with this girl here.

ESERCIZIO n. 14

1. Who is the woman with the red skirt and green eyes?
2. Who is that mad man in the road?
3. Who are you to ask me who I am?
4. Who are those children in the pub?
5. Who commands in this house?
6. Who are these men in black?
7. Who is the tall girl?
8. Who is fat and stupid?!
9. Who knows who those old men are in my garage?
10. Who are you to ask me who I am?

ESERCIZIO n. 15

1. What is a "tamarro"?
2. What are these green things on my plate?
3. What do you eat in London?
4. What?
5. What are we?
6. What are you?
7. What is that?
8. What have you got?
9. What have I got in my bag?
10. What has he got that I haven't got?

ESERCIZIO n. 16

1. Where is the cinema?
2. Where are my beautiful, black shoes?
3. Where is the train station?
4. Where is my money?
5. Where does he play?
6. Where are you?
7. Where am I?
8. Where is it?
9. Where is the shop?
10. Where do I go?

ESERCIZIO n. 17

1. How are the children?
2. How can I cook without a kitchen?
3. How can you resist with him?
4. How do I look with this red hat?
5. How do you know my name?
6. How do you like your pasta?
7. How can I know?
8. How are the children where you work?
9. How are you?
10. How am I? Beautiful or ugly?

ESERCIZIO n. 18

1. Are there two fat girls at the bar?
2. There are no men at the bar today because there is the football match.
3. That girl isn't there this evening.
4. There are those sweets in the kitchen.
5. There is no money for the holiday.
6. There is no hope with that team.
7. There are two horses in the stable.
8. There are two Indian boys in my class.
9. There is time!
10. There are two red cats on the roof of my house.

GRAMMAR - STEP 2

ESERCIZIO n. 19

1. much
2. many
3. a lot of
4. a lot of
5. much
6. many
7. much
8. a lot of
9. much
10. many

ESERCIZIO n. 20

1. There is not enough work to do.
2. There are not enough people on the bus.
3. There is not enough panic about the crisis!
4. We have not enough rabbits in the garden.
5. There is not enough interest in my sister!

ESERCIZIO n. 21

1. Do
2. Is
3. Do
4. do
5. are
6. do
7. is
8. does
9. do
10. isn't
11. have
12. do
13. is
14. do
15. is
16. am
17. are
18. do
19. do
20. does
21. is
22. do
23. does
24. am
25. do/are

ESERCIZIO n. 22

1. I usually swim with my brother.
2. She never sleeps.
3. I often walk.
4. I never eat pasta.
5. They usually drink white wine.
6. We always go to the cinema on Sundays.
7. My mother always does the shopping on Mondays.
8. Giorgio rarely goes to the doctor.
9. I won't answer you because you are stupid.
10. Gianna works in a restaurant.
11. I often write emails.
12. I always speak with my boss.
13. I usually answer the telephone.
14. Every week I send orders to clients.
15. I call the clients when there are problems.
16. I work in customer service.
17. I work in the reception.
18. I don't call the clients.
19. I don't understand when my boss speaks to me on the telephone.
20. I sometimes take part in the meetings.

ESERCIZIO n. 23

J: Hi love, where are you?
C: In front of the tv; I'm watching a film.

C: Where are you? I am waiting for you!
J: Why are you waiting for me, my love?
C: I haven't got any money for the hairdresser.

J: Hi love, do you miss me?
C: Yes, I miss you, but who are you?
J: I am getting angry!
C: Aaah, it's you!

J: Love, what are you doing?
C: I am crying.
J: Don't cry! I'm coming home!
C: That is why I am crying.

J: Are you at home?
C: Yes, I am making a cake with a lot of love.
J: For who?

C: What are you watching on the tv?
J: I don't know; I'm not hearing it.
C: Why aren't you hearing it?
J: Because you are talking to me!

ESERCIZIO n. 24

B: When will you send the material?
E: I am sending it, now.

B: Are you in the office?
E: Yes, I am turning on the pc.

B: Are you in the office?
E: Yes, but I'm turning off the pc, now.

B: Is Rossi there?
E: No, he's eating in the canteen.

B: And what is he eating?
E: I don't know what Rossi is eating!!

B: What are you doing?
E: I am talking with Mr. Smith; do you know him?

B: What time will the delivery arrive?
E: I am looking into it, now.

B: I am waiting.
E: Ok, they are delivering it, now.

B: Is Franco finishing the project?
E: No, but I am helping him.

B: What is he doing, now?
E: He is waiting for me.

ESERCIZIO n. 25

1.
Mother: What is Timmy doing?
Father: He is trying to find his ball.
Mother: Is he looking under the bed? Because the ball is there.

2.
Boss: What are you doing?
Secretary: I am calling the client.
Boss: Isn't he answering?
Secretary: No, but I am waiting.
Boss: I am going.
Secretary: Bye!

3.
Karl: What is happening?
Lisa: The dog is eating, my mother is cooking, my father is cleaning his motorbike and I am talking to you.

4.
Sales Manager: What are you doing?
Lucy: I am sending an email, Tom is sleeping on his desk, Giovanni is drinking a coffee and Umberto is reading the newspaper.
Sales Manager: Ah, so all is normal!

GRAMMAR - STEP 2

ESERCIZIO n. 26

1. These days, I am painting.
2. I am reading a book.
3. My wife is going to Yoga often these days.
4. I'm not going to the restaurant because I'm dieting.
5. I am studying English.
6. Where are you going? I am going to the doctor; I am ill.
7. We are studying; we aren't playing!!
8. Are you doing the French translation?
9. Hey! Hello, where are you going?
10. We are going to George Michael's concert.
11. I am working on the Star project.
12. I'm making/doing a conference call.
13. We are trying to sell to Russia.
14. Are you trying out new software?
15. I'm not going to work at seven a.m.
16. S/he is booking the hotel for the Boss.
17. I am covering for my colleague who is at home.
18. Are they buying our products?
19. We are not opening a new office.
20. We are closing the office.

ESERCIZIO n. 27

Shop keeper: We are losing money with this crisis.
Assistant: I have an idea; let's sell for less.
Shop keeper: No!
Assistant: But everybody is selling for less now, and they are working!

ESERCIZIO n. 28

1. work
2. is sleeping
3. is raining
4. singing/is talking
5. play
6. is writing
7. is working/cooks
8. swim
9. takes
10. eats
11. making
12. comes
13. gives
14. are giving
15. works
16. running
17. is falling
18. love
19. am studying
20. is walking

ESERCIZIO n. 29

1. too much
2. too many
3. too much
4. too much
5. too much
6. too many
7. too much
8. too much
9. too many
10. too many

ESERCIZIO n. 30

1. On Sunday morning, I am painting the kitchen.
2. This evening, I am seeing my mother.
3. Tonight, I am leaving for London.
4. This evening, I am sleeping at my friend's house.
5. Tomorrow, I am leaving my girlfriend.
6. I am taking a shower.
7. This afternoon, I am doing my homework with Alex.
8. Tomorrow morning, I am washing the car.
9. On Wednesday, I am buying a cat.
10. On Saturday, I am buying Christmas presents.

ESERCIZIO n. 31

1. This evening, I am leaving the office at 8 p.m.
2. We are having a meeting at 4 p.m.
3. Tomorrow, we are meeting all our London colleagues.
4. The new Boss is arriving at 12.
5. Are we moving to a new office on Tuesday?
6. This afternoon, the Boss is making a moving speech.
7. Monday morning, they are paying us.
8. At 2 p.m., I am sending the fax.
9. Are you calling the supplier after lunch?
10. I am not going to the office with them.

ESERCIZIO n. 32

K: What are you doing, this evening?
R: I am watching a film with Mary.
K: Mary?
R: Yes, I am taking her to the cinema.
K: I will come with you! (deciso ora)
R: Are you crazy? They are showing a violent film; you are sensitive.
K: Ok thanks, Rocco; you are kind to protect me!

W: This evening, we are celebrating my Birthday!
S: Who is coming?
W: Everybody is coming?
S: Are they bringing presents?
W: I hope so!

ESERCIZIO n. 33

B: I need the X file.
P: I will send it to you, now.

J: Gianni, will you help me lift the sofa?
G: I will try!/I'll try!

B: Where is Mr. Jones?
P: I will ask Marta./I'll ask Marta.

C: I will return at 3 a.m.
J: I will not open the door after twelve!

B: Will you book me a table at the "Gambero Storto" for this evening?
P: Of course! I will call immediately!

J: Will you kiss me while I sleep?
C: No! I won't.
J: Good!

B: Is the flight booked?
P: Now I will check.

C: I am going to Bingo.
J: I will stay here.

T: Don't eat the cake. It's for Sunday!
A: I won't.

T: Now I will book the hotel.
A: Ok, now I will tell my mother.

ESERCIZIO n. 34

1. Milan will lose on Sunday.
2. She will leave you for this.
3. Take Julie to the cinema and she will love you.
4. John will not (won't) come with us.
5. Suzy will hate you for this.
6. The email will arrive on Monday.
7. My colleagues will be happy that they will be giving us more money now.
8. The package will arrive today.
9. I think that Mr. Baker will receive you soon (o shortly).
10. You will get a promotion for that project.
11. The London Boss will speak during the conference call.
12. Your idea will be liked.
13. They will hate your idea.
14. They will cut expenses this year.
15. The clients will be happy with the discount.

ESERCIZIO n. 35

B: On Saturday my husband is taking me shopping on Saturday.
C: I'm going to find a husband like yours!
S: I will give you mine, if you want him!

S: Tomorrow evening, I am eating with my sister at her house. Do you want to come, Concetta?
C: Yes! Now, I will call my husband.
B: Will she make "tiramisù"?

ESERCIZIO n. 36

1. Yesterday evening, I cooked, ate, cleaned the house, then went to bed.
2. Today, I worked, watched a film, took my son to school, then slept.
3. This morning, I bought the milk, went home, and then returned to bed.
4. Yesterday, we finished the project, then went to celebrate.
5. I wrote a letter, then slept for 3 hours.

ESERCIZIO n. 37

On Monday, I saw a handsome man.
I asked him to go out with me.
We went to the lake, and then ate.
While we were eating, he asked me to kiss him, but my mouth was full of bread.
When my mouth was empty, he was kissing another.
"You are a playboy!", I shouted.
"But she is my sister", he said.
I saw in the mirror that my face was red.
While we were finishing eating the bill arrived.
He paid for everything and afterwards we went to the bar and got a bottle of wine.
While we were drinking, he asked me for a kiss, but my mouth was full of wine.
When my mouth was empty, he was kissing another.
"Is she your sister too?", I asked.
"No, I'm a playboy", he said.
I went out, took a taxi and went home.
When I arrived home, I saw some flowers on the table with a message.
The message was "I love you".
While I was smiling because of the message, my neighbor entered.
"Suzy!", she said, "you are in my house! Did you drink wine again?".

ESERCIZIO n. 38

1. While I was cleaning, Simon called me.
2. I was talking, when she started to cry.
3. While I was watching the game, I fell.
4. He was running, when he broke his leg.
5. While s/he was asking me a question, I forgot her/his name.
6. I was sorting out the bedroom, when I found a pound!
7. I was undressing, when your wife arrived!
8. While we were playing, we heard a scream.
9. I was falling asleep, when s/he gave me a kick.

ESERCIZIO n. 39

1. presente: I am aiming my pistol.
   passato: I was aiming my pistol.
   futuro: I will be aiming my pistol.
2. presente: I allow people in my house.
   passato: I allowed people in my house.
   futuro: I will allow people in my house.
3. presente: I avoid stupid people.
   passato: I avoided stupid people.
   futuro: I will avoid stupid people.
4. presente: I am begging her to go out with me.
   passato: I was begging her to go out with me.
   futuro: I will be begging her to go out with me.
5. presente: I behave very well, when she is with me.
   passato: I behaved very well, when she was with me.
   futuro: I will behave very well, when she is with me.
6. presente: He is boiling eggs for breakfast.
   passato: He was boiling eggs for breakfast.
   futuro: He will be boiling eggs for breakfast.
7. presente: She is counting her money to see if she can buy a new dress.
   passato: She was counting her money to see if she could buy a new dress.
   futuro: She will be counting her money to see if she will be able to buy a new dress.
8. presente: I complain to the father, when the child behaves badly at school.
   passato: I complained to the father, when the child behaved badly at school.
   futuro: I will complain to the father, when the child will behave badly at school.
9. presente: I am cleaning my garage.
   passato: I was cleaning my garage.
   futuro: I will be cleaning my garage.
10. presente: I am concentrating on my work.
    passato: I was concentrating on my work.
    futuro: I will be concentrating on my work.
11. presente: The postman delivers letters to my house, sometimes.
    passato: The postman delivered letters to my house, sometimes.
    futuro: The postman will deliver letters to my house, sometimes.
12. presente: I dislike everything he says.
    passato: I disliked everything he said.
    futuro: I will dislike everything he will say.

13. presente: I am describing the party to Simon.
    passato: I was describing the party to Simon.
    futuro: I will be describing the party to Simon.
14. presente: She develops projects for big companies.
    passato: She developed projects for big companies.
    futuro: She will develop projects for big companies.
15. presente: I don't decide what to do in my house.
    passato: I didn't decide what to do in my house.
    futuro: I won't decide what to do in my house.
16. presente: She isn't forcing her son to study.
    passato: She wasn't forcing her son to study.
    futuro: She will not be forcing her son to study.
17. presente: They are improving conditions, finally.
    passato: They were improving conditions, finally.
    futuro: They will be improving conditions, finally.
18. presente: I am learning Russian.
    passato: I was learning Russian.
    futuro: I will be learning Russian.
19. presente: They live in a big house.
    passato: They lived in a big house.
    futuro: They will live in a big house.
20. presente: We are launching the new product in January.
    passato: We were launching the new product in January.
    futuro: We will be launching the new product in January.
21. presente: I am watching tv and opening my mail, while Tina is cleaning the room.
    passato: I was watching tv and opening my mail, while Tina was cleaning the room.
    futuro: I will be watching tv and opening my mail, while Tina will be cleaning the room.
22. presente: They shout, scream and complain about everything.
    passato: They shouted, screamed and complained about everything.
    futuro: They will shout, scream and complain about everything.
23. presente: The police arrest, the lawyers accuse and the judge sentences.
    passato: The police arrested, the lawyers accused and the judge sentenced.
    futuro: The police will arrest, the lawyers will accuse and the judge will sentence.

24. presente: I park the car, press the button, then pull out the ticket.
    passato: I parked the car, pressed the button, then pulled out the ticket.
    futuro: I will park the car, press the button, then pull out the ticket.
25. presente: I regret that I refuse to remove the offensive poster.
    passato: I regretted that I refused to remove the offensive poster.
    futuro: I will regret that I will refuse to remove the offensive poster.

ESERCIZIO n. 40

1. Before going out, clean the bathroom and kitchen.
2. I went to school without having done my homework.
3. Why don't you speak/talk instead of crying?
4. Stop repeating always the same words.
5. Instead of playing tennis, why don't you study?
6. We are used to listening to your/his/her nonsense.
7. They are tired of repeating always the same words.
8. My mother is fond of music.
9. We are afraid of making a bad impression.
10. I'll start painting the bathroom, then I'll finish cleaning the kitchen.

GRAMMAR - **STEP 3**

ESERCIZIO n. 41

1. The sun is above the mountain.
2. I walked against the wind.
3. I slept among the trees.
4. Behind the mountain, there is a river.
5. About 6 o'clock, we went away.
6. The temperature in the forest was 5 below zero.
7. Jane was beside (oppure next to) me.
8. Between the two mountains, there was a beautiful pub.
9. Despite the cold, we swam in the river.
10. During our walk, I fell.
11. It was beautiful, except for the rain.
12. I ran like the wind.
13. There was a WC in front of the pub.
14. Unlike Mark, I found the WC without any problems.
15. After the pub we slept under a tree until dawn.

ESERCIZIO n. 42

1. in
2. on
3. in
4. at
5. in
6. in/on
7. at
8. on
9. On
10. on/at
11. at/at
12. in/at
13. in/on
14. in
15. at/at
16. on
17. in/at/in
18. in/on
19. in
20. at

ESERCIZIO n. 43

Aboard the plane, I asked for a drink.
The hostess poured hot coffee into my cup, while the plane was going against the wind.
Through the window, I saw a bird among the clouds and when I looked down, I saw boats on the sea.
Suddenly, I smelled whiskey and when I looked around, I saw that I was sitting in between two Scots.
During the flight, I spoke with an American lady near me.
She put her coffee onto the little table and listened to my funny jokes.

ESERCIZIO n. 44

Yesterday morning at 10.15, I was in a bar in the centre of Bologna.
In front of me, there was a lady sitting on the table, who was pouring wine into a glass.
When there was no more wine, she fell onto the floor (oppure ground).
On the wall, there was a photo of a bird that was flying through the clouds.
Outside, I saw a child, who was waiting for his Mom in front of a shop.
While I was helping the woman, her boyfriend arrived.
At eleven, I went to the Hotel.
I put my hands into my pocket and I got the keys for my room.
Inside the room, there was a letter from my wife.
"Dear ex-husband, today I was shopping with Maria and we saw you molesting a woman in a bar.
Tomorrow, I will help you find a new house!"

ESERCIZIO n. 45

1. Tom: If I find a job (oppure work), I will buy a car.
   Tim: If I had known yesterday, I would have sold you mine.
   Tum: If I could drive, I would buy a beautiful, fast car.

2. Sara: If I have the money, I will go to New York this summer.
   Giulia: If I had the time, I would come with you.
   Lisa: If I had had the time and the money, I would have gone to New York last year.

3. Concetta: If you come with me, I will be happy.
   Emma: If you had asked me before, I would have said yes.
   Carmen: If you had asked me, I would have come.

4. FC: If you play like on Saturday again, we will lose.
   P: I will play well; you will see.
   FC: I'm sorry; I wanted to say, if you played today, you would not play well.
   P: Why? Am I not playing?
   FC: No!

ESERCIZIO n. 46

I was walking with Carlo, when we saw a bar.
The bar was old and ugly, but I said, "that bar could be a gold mine, look at how many offices there are in the area. If I had money, I would buy that bar and I would get rich!".
Carlo, unlike me, has got a lot of money, so at lunchtime, he went to the bar and he asked the owner, "Would you sell this bar?".
The owner answered "I would sell it but I have to ask my wife; call me at 6 p.m."
Afterwards in the office Carlo said, "If he sells me that bar, I'll get rich".
At 6 p.m. Carlo called the owner, but the owner said, "I'm sorry, but my wife doesn't want to sell".
One month later the council of Milan decided to open a new exhibition centre next to (or beside) that bar.
Carlo was sad. "If he had sold me that bar, I would have gotten rich", he said.

ESERCIZIO n. 47

1. If everybody is going to the cinema, I will stay at home.
2. You have something in your eye.
3. I want to buy something for you.
4. Somebody ate my ice cream!
5. Nobody wants to come with me!
6. I have nothing to hide!
7. I would give you everything, but I have nothing!
8. Every day, I hope you arrive.
9. Everytime I go there I come back tired.
10. Sometimes s/he calls me.
11. Everything I do, I do for you.
12. Everybody needs somebody to love.
13. Nobody understands me.
14. I need somebody, sometimes.
15. If you eat something, you'll feel better.

ESERCIZIO n. 48

1. John is a tall, young, handsome, white man.
2. John's wife is short, old, fat, ugly woman.
3. He had a long, brown, wooden leg.
4. She had a short, old, nice, glass table.
5. They were in a new, fast, blue, metal car.
6. I have a new, soft, white, cotton t-shirt.
7. She wears modern, pink, plastic glasses.
8. She had big, beautiful brown eyes.
9. He was a tall, old, thin boy.
10. She is a young, nice, polite girl.

ESERCIZIO n. 49

1. He is as fast as a leopard.
2. He is as fat as a pig.
3. I am as big as an elephant.
4. She is as slow as a snail.
5. She is as busy as a bee.
6. I am as dangerous as a lion.
7. He eats as much as a horse.
8. He is as blind as a bat.
9. She is even lighter than a feather.
10. A lion eats even more than a camel.

ESERCIZIO n. 50

1. as
2. like
3. As
4. as
5. like
6. as/as
7. like
8. as/as
9. like
10. as

ESERCIZIO n. 51

1. hotter
2. deepest
3. livelier
4. sadder
5. ugliest
6. smallest
7. most unpleasant
8. more destructive
9. softest
10. nessuna di queste, INGANNATO! *Heat* non è un aggettivo, ma un sostantivo!

ESERCIZIO n. 52

Dear Mr. Smith,
On Monday, a fat, slow, white dog arrived.
On Tuesday, a fatter and slower dog than the first arrived.
On Wednesday, the fattest and slowest dog of all arrived.
On Thursday, a thin, slow, stupid, black dog arrived.
On Friday, a stupider dog than that of Thursday and fatter than that of Wednesday arrived.
On Saturday, the worst dog in the world arrived. A dog called 'Lucky' with a wooden leg and a broken glass eye.

I want my money back!

Mr. Jones

ESERCIZIO n. 53

Yesterday evening at 7:30, I was in a taxi with my wife.
I was sitting (or sat) behind the driver and I was looking at the photos of the new house, while my wife listened to the radio.
The driver spoke with (or to) us, but I couldn't hear (did not hear) what he was saying. From behind, I saw that the driver had long black hair and big ears.
Suddenly, I heard a scream and I touched my wife's arm.
I wanted to see what had happened, so I told the taxi driver to stop.
I went towards the house, but my wife didn't want to come with me.
When I was outside of the house, I couldn't see anything, so I went into the garden to see better.
Through the window, I couldn't see anything because it was all dark so I decided to go behind the house. I entered through the back door.
Inside the house, I heard someone whisper. I wanted to run away, but I was too curious.
After 5 minutes, I heard somebody shout "away! away from here!"
I wanted to die.
Slowly I walked into the living room and I saw everything.
It was a television, turned on at maximum volume, with an old lady, who slept (or was sleeping) in front of it.

GRAMMAR - **STEP 4**

ESERCIZIO n. 54

1. J: My love, you are tired. How come?
   W: Because I have been cleaning all day.
   J: I know, I have been watching you all day.
   W: You have been watching me all day? Why didn't you help me?
   J: Because I didn't want to disturb you!
2. J: Since when have they been building that house?
   L:They have been working for two years.
   J: Has it been raining until now?
   L: No, the problem is that there are only two builders!

ESERCIZIO n. 55

1. yet
2. again
3. still
4. still
5. again
6. again
7. still
8. yet
9. yet
10. again
11. still
12. still
13. yet
14. again

ESERCIZIO n. 56

1. Permesso
2. Sapere
3. Permesso
4. Riuscire
5. Permesso
6. Sapere/riuscire
7. Sapere
8. Sapere/Riuscire
9. Sapere
10. Riuscire

ESERCIZIO n. 57

1. I can't help you, but maybe James can.
2. Can you come with us?
3. I can't listen to this music!
4. But, can you dance?
5. I can't talk to you; my wife is jealous even though she envies you because of your husband.
6. I will be able to pay you in 50 years.
7. I could speak Chinese when I was a child because we lived in China.
8. She will be able to take you to school, when she has a car.
9. Can we talk (or speak) tomorrow?
10. I can because it is mine!

ESERCIZIO n. 58

1. She will be there; you could meet her to speak (with her).
2. If you don't feel well, you could see a doctor.
3. I'm sorry, I could have been with you.
4. Give Cinzia a kiss; she could leave tomorrow.
5. Could you buy me a book? Then tomorrow, I will bring you the money.
6. If I find time this summer, I could come to London.
7. You could have called me.
8. I could have eaten with you.
9. If I hadn't seen you, I couldn't have given you the money.
10. If I hadn't studied, I couldn't have gone to University.

ESERCIZIO n. 59

1. If I could, I would go away with you.
2. I would do it, if I could.
3. Would you do it, if you could?
4. If we could, we would buy you a car.
5. If he could, he would marry Lucy.
6. If I had money, I would buy a house.
7. If we could, we would go to London.
8. If I could come, I would be happy.
9. If I had known you were there, I could have bought you a beer and I would have.
10. If I had known you were at home, I would have come to your home.

ESERCIZIO n. 60

G: Do you think I should change woman?
M: You should be happy, no other woman would take you.
G: You shouldn't say that; you are my friend!
M: What should I say? It's true!

ESERCIZIO n. 61

1. You should stay at home this evening; it might rain.
2. You should have called the office; they might have found your mobile.
3. I might stay at home and watch the film; it should be good.
4. Should I forgive her? It might be better.
5. They shouldn't cause problems; they might regret it.

ESERCIZIO n. 62

1. I have to get the kids (or children) from school.
2. I must smoke less!
3. I have to get a license, if I want to drive here.
4. You have to pay taxes.
5. You must help me more!

ESERCIZIO n. 63

If I can go to visit Franco in hospital, today, I will go.
I would have gone, yesterday, but I worked.
I could ask Tommy to come with me.
I would go alone, but I haven't got a car.
I must go, today, and I should take a present (or gift).
Something Franco will like.
Flowers? An apple? A blonde?
I should ask advice from his mom.
The doctor said that he has to stay in hospital for two weeks.
I couldn't stay in a hospital; I would get (or go) crazy.
I might be crazy, already.
Wouldn't it be better to go tomorrow?
I wouldn't want to go there, now; he might be sleeping.
As long as I don't go for nothing.
Should I stay, or should I go?
Would Franco be offended, if I didn't go?
I wouldn't want him to be offended.
I must go, yes! At the end of the day, it was me who pushed him down the stairs.
But if I had known that he would break his leg, I would not have done it!
I'm not going.

GRAMMAR - **STEP 5**

ESERCIZIO n. 64

1. C: This evening, I am having a party, are you coming?
   L: Yes, but first I have to get my son from the school, take him to his grandmother, then get a bottle of wine to bring to the party.
2. C: This evening I am having a party, are you coming?
   T: No, sorry, I have to get shampoo from the supermarket, wash my hair, and then take my husband to the theatre.

ESERCIZIO n. 65

1. Let's see what's on at the cinema, this evening.
2. Let's play football!
3. Let's ask Susan where they are going, this evening.
4. Let's sleep a little (or a bit).
5. Let's listen to a little music.

ESERCIZIO n. 66

Anne: The crisis accounts for one million Euros less in profit this year.
Boss: But we were aiming for fifty million more! So, we have to cut back on staff by 30%.
Anne: Yes, but we must also beef up the advertising budget, if we want to build up a better relationship with our clients.
Boss: We can't spend more; if we do we will close down and I won't back down this time!
Anne: Oh no, something has cropped up and I have to answer for it! I have to run!

ESERCIZIO n. 67

Andy: It's a bad day.
Jake: Why?
A: I didn't go to my wife's birthday party and I must sort things out because she's angry.
J: Why didn't you go?
A: Because the car ran out of petrol and by the time I arrived (or got there) the party had already finished.
J: Couldn't she wait?
A: No, I called her and said "can you put off the party for two hours. I'm arriving!".
J: Did you point out that the car had stopped?
A: Yes, but she just (or only) said "no, I will bring forward ... our divorce!". I wanted to make up for it, but nothing doing.
J: So, you have to sort out a lawyer, now.
A: I can't, I have run out of money!

ENGLISH IN USE
GOING ABROAD

DIALOGO TRA UN TURISTA ITALIANO E UN INGLESE

IT: Excuse me! Where is Buckingham Palace, please?
E: From here?
IT: Yes, from here.
E: Ok, go straight on, then take the second road on your right, go straight on until you see a traffic light, at the traffic light turn left then go straight until you get to a roundabout. From there take the first left, then ask again.
IT: Perfect, thanks.

I BELLISSIMI UOMINI DI BIRMINGHAM (DIARIO DI ALICE)

At six in the morning, we got ready and we called a taxi.
There was a lot of traffic on the road and it took us twenty minutes to get to the train station.
We got our tickets and the train arrived 10 minutes later.
The train stopped at seven stations before it arrived at the central station.
From there, we took the bus to the airport.
It took us three minutes to get on the bus with all our luggage (or baggage).
After thirty five minutes, we got off the bus in front of the airport.
The check-in took fifteen minutes.
Our plane landed in London at 11 o'clock (A.M.).
In London, we took the underground to get to the hotel.
At the reception, I spoke: «Good morning, is there a double room, please?»
«Certainly. How long will you be staying?»
«Just for tonight, thank you.»
«Ok, we have a room with a shower for one hundred pounds per night.»
«Ok, that's fine, thanks.»
The next day, we took a train to the destination of my heart, Birmingham.
The city of Birmingham is in the centre of England and is famous for its men who are all really handsome and intelligent… and for its fantastic football team.
After the paradise of Birmingham, we took a train to the coast. Next destination: Ireland.
On the coast, we took a ferry to Ireland.
The sea was calm and beautiful.
At the port, we got off the ferry and we went around all day.
That evening, we returned to Italy and I slept on the plane, dreaming about the really handsome men of Birmingham.

SITUATIONS AND WORDS
REAL LIFE

GROCERY SHOPPING

Since they started showing Dr. House in the afternoon, I have to do the shopping.
I took the shopping list and went to the supermarket.
While I was taking the trolley, I looked at it. Ok, first thing salad, then vegetables. I couldn't find the fruit, so I asked another man. He laughed.
When I found the fruit, I took two apples and two bananas.
Then I took meat, beef, sausage and fish.
Then, the only thing that interested me. A cake.
There was no more food on the list.
Now I had to find detergent and soap. No problem.
When the trolley was full, I queued at the till.
In Italy they don't love to queue. They really suffer. It is torture for them.
For me, it is the shopping that is the torture. I am happy when I am in the queue because it has finished.

A DAY OUT

At 7 o'clock in the morning, the postman arrived with three letters. They were all for my wife. At 7.30 I went to get the bread from the Bakers (or Baker's).
I like the smell of bread in the morning.
After, I went to get the newspaper but when I entered into the shop, the shop assistant wasn't there.
I took a newspaper and was leaving, when I saw a policeman.
In that moment, I started to daydream.
I was in court (or in the court room), my lawyer was showing the stolen newspaper to the judge and I was between two policemen.
Then my accountant spoke, "Maybe you think it is stupid to steal a newspaper that costs only a pound, but it's understandable ... because he has run out of money! And why hasn't he got any money? Because he needs a job and why hasn't he got a job?"
"Because he's a thief!" shouted the judge.
I decided to pay for the newspaper.
At one in the afternoon, I had an interview for a new job, so I went to the hairdressers.
Yes! It takes two hours to sort out my hair.
While I was going to the hairdressers, I saw some builders on a building site and I

asked them what they were building.
"A vets", said a builder.
"And what do you do?" I asked.
"I am a plumber" he said "I sort out the water system".
After twenty minutes, my tooth hurt (or I had a bad tooth), so I went to the Dentist for a quote. He told me the sum and the pain passed immediately.
After the hairdressers, it was lunchtime and I went to the pub for a quick (or fast) beer, then to the restaurant.
The waiter brought me a plate of pasta and complimented me on my hair.
After, I paid my compliments to the chef and went to my interview.
While I was entering into the building where I had my interview, an sms arrived. It was my accountant. "If they don't take you on, you are in trouble".
At the reception, I gave my name and the secretary of the boss came to get (or receive) me.
In the bosses' office, I introduced myself and he complimented me on my hair.
I was talking to the boss when I heard a woman shout "fire!".
The boss called the fire man and I, trying to be a hero, escaped.
While I was running down the stairs, I fell.
In hospital, the nurse brought me a newspaper. She was very kind.
Incredibly, I was on the front page!
"Coward breaks a leg escaping from a building in flames!"
The doctor said I had to remain (or stay) there for four days.
After, the cleaning lady arrived.
"You are a loser", she said.
"There was fire!" I answered.
"Not because you escaped!" she said. "Because you couldn't put the Butchers (or get the Butchers) in your stupid little story (or tale)", she said.

A WEEKEND IN GREAT BRITAIN

The weather in Great Britain is really crazy!
We arrived in London and it was very cloudy and chilly.
There was no famous London fog.
Only thirty minutes later (or after) it was raining and we were without an umbrella!
But it wasn't a problem because, five minutes later, the sun was in the sky.
Two hours later, we were in Manchester and it was snowy.

The day after, we went to Scotland and there it was very (or really) cold.
We slept in the mountains and that night there was a snow storm.
The day after, it was very (or really) beautiful outside. All the trees were covered in (or with) snow and it was warm.
After lunch, an incredible wind arrived and we saw the trees were green, again.
We saw all four seasons, in two days!

NEAR MY HEART

In England, I live in the countryside (or in the country).
Near my house, there is a stream where I wash in the morning.
If you follow the stream, you will arrive at a river. The river flows through a forest and arrives at the sea.
I like to go to the sea (or seaside). I like to walk on the shore with my wife.
The waves make so much noise, I can't hear her voice.
It's really beautiful.
If you look up from the beach, you can see the old castle on the hill.
Near the beach, there is a small village, where I buy milk and cheese.
Behind the village, there are woods, where I pick blackberries.
When I was a child, I loved to watch (or look at) the sea. So big, so vast.
In Milan, I live in the suburbs, but I work in the city centre.
In front of my office, there is the town hall.
From my window, I can see only cars and chaos, but at least near my house there is a park.
In Milan it is difficult to find a parking lot for the car, so I go to work by tram.
Milan is an important city in Italy, but the capital is Rome.
Rome is an historical city because it is there that Liverpool won the Champion's cup.
I love Italy, but I always say to my friends, who live in Milan "go to the countryside sometimes, without your pc, without your cell phone and live a little with your soul. Just for a weekend".
But they never have time.

SITUATIONS AND WORDS
IDIOMS

PINO, LINO AND GINO (THE LETHAL PLAN)

L: We have to kill Gino; he's a pain in the neck.
P: But isn't that a little drastic?
L: He did it on purpose; he asked for trouble.
P: And how are we going to kill him? I'm all ears.
L: Very easy. While he's sleeping, I will suffocate him.
P: But it's dangerous, everybody knows him.
L: They knew him, he was famous, but many years ago. He was a flash in the pan.
P: Eh?
L: Nothing.
P: When his mom finds out, all hell will break loose!
L: So?
P: His mom helped us: she's our cash cow!
L: That woman is a bad egg; let's kill her, too!
P: Don't touch Gino's mom; she is the apple of my eye!
L: Shut up!
P: Thank goodness the idioms have finished… otherwise you would have killed me too!

THE ACCIDENT

Joe: Why did you hit a tree?
Simon: I don't know.
Joe: Gnnnnnff!
Simon: What did he say?
Terry: It's beyond me…wait, oh yes…he's biting his tongue.
(Terry looks under the bonnet.)
Terry: How much did you pay for this car?
Simon: Fifty euros.
Terry: Ok, I'll give you the benefit of the doubt.
Simon: Guys, maybe I bent the truth with you.
Joe: What?
Simon: I can't drive.
Joe: We saw that! You are an imbecile, not only ugly, but also stupid.
Simon: Wait! That is below the belt! I wanted to come with you because, if I stayed home, I would have had to wash the dog, so I was between the devil and the deep blue sea.

Terry: I get it (capire il concetto).
Simon: I saved a lot of money to buy this car and now I'm back to square one.
Joe: Anyway, you're an imbecile.
Terry: Stop being a pain in the neck, Joe!

FALLING IN LOVE

Billy: I want to tell her that I love her and that I want to take her to America with me.
Steve: Are you crazy? If your mom finds out, she will kill you.
Billy: And who will tell her?
Steve: Me, if you don't cough up 100 euros.
Billy: You shut up! Anyway, she is the best, the cream of the crop, so it's worth it.
Steve: There will be a mess.
Billy: Come what may, I love her and you can't make an omelette without breaking a few eggs.
Steve: You are really ridiculous, do you know that?
Billy: Steve, listen...
Steve: I'm all ears.
Billy: We have to clear the air you and me. I'm sorry I let you down last year.
Steve: I think you have to take a crash course in life, my friend!

THE LYING GAME

Jonny: What happened?
Freddy: I'm in the doghouse.
Jonny: Why?
Freddy: Because I promised my mother I'd sort out my bedroom, then I didn't do it.
Jonny: Won't she let you come to the cinema on Saturday?
Freddy: I don't know; the die is cast.
Jonny: Tell her you didn't sort out your bedroom because Paul called you and he kept you on the telephone for an hour.
Freddy: But then Paul will be in the doghouse with his mom.
Jonny: So? It's dog eat dog. Come on! You can't miss the film. I'm dying to see it. Lilly will be there, too, so I have to be dressed to kill.
Freddy: Wow, Lilly? The down to earth girl at school?
Jonny: This is, without doubt, the worst tale (or story) John ever wrote.
Freddy: I know, he should speak to a professional.

TIME TO PAY

Jim: What happened?
Ken: To have that job, I bent the truth. Anyway, everything was difficult and I couldn't find my feet. Then I caused a disaster and the boss called me. I went into his office to face the music. I tried to convince him that I would learn the job well, but it was like flogging a dead horse. He said I was full of hot air.
So, I offered to work for less money, but that didn't go down well.
Jim: But, you are incredibly stupid!
Ken: Come on, Jim, don't go bananas!
Jim: Listen to me, if you don't pay the rent, I have to find somebody who can, get the message?
Ken: Yes, I got it.

CONVERSATION NEAR THE LAKE

Toby: Gerry? Gerry?!!
Gerry: Huh? What?
Toby: Sorry, but you had your head in the clouds. What were you thinking about?
Gerry: I was thinking about when I will be a famous actor. I had an audition, today.
Toby: How did it go?
Gerry: I don't know, one of the actors was hand in glove with the director and he had a beautiful suit. If I wasn't so hard up, I would buy one, too.
Toby: Why don't you work with Mr. Jennings, again?
Gerry: Because after that affair with his girlfriend, he doesn't want to see me, anymore.
Toby: You had an affair with his girlfriend?!
Gerry: Yes, but my heart was in the right place!
Toby: What?
Gerry: She wasn't good for him, in some way, I did him a favour.
Toby: Why don't you explain this to him?
Gerry: I can't, it's a hot potato with him.
Toby: Go there with your heart on your sleeve and you will see!

THE PRICE OF THE SAND

Dino: How many shares did you buy?
Pino: 200! I will be rich!
Dino: Are you sure?
Pino: Very sure. It's in the bag!
Dino: But why did you buy them?
Pino: In a nutshell, they sell sand to the Arabs for next to nothing. Surely, they will sell a lot! I won't see the money immediately, but in the long run, you'll see!
Dino: But the Arabs already have a lot of sand, Kino!
Kino: I know, but he's happy. Sometimes ignorance is bliss.
Dino: No, I have to say something to Pino.
Kino: Listen! He's happy, if it isn't broke don't fix it!

LOOKING FOR A JOB

Fede: Why did they sack you?
Beppe: I sent the wrong files to the wrong people.
Fede: Why?
Beppe: I was confused, I was still learning the ropes!
Fede: Why didn't you lick the Bosses' boots? As a last resort?
Beppe: No!
Fede: Ok, but look on the bright side, you'll have more time for the play-station.
Beppe: I need money!
Fede: Maybe there is a job at the baker's.
Beppe: Really? thank goodness! There is light at the end of the tunnel!
Fede: Yes, but Rocco works there too.
Beppe: Rocco? But I broke his car. He doesn't speak (or talk) to me.
Fede: It would be better to let sleeping dogs lie.
Beppe: Eh?
Fede: Rocco's car, that you broke.
Beppe: When?
Fede: The lights are on, but nobody is at home, today, eh?
Beppe: Eh?
Fede: Listen, you could be a mechanic! That way, you work and you could sort out Rocco's car and kill two birds with one stone!

FROM RAGS TO RICHES

Bill: Look at Thomas! He's made of money.
Bob: I know, he made a killing on Wall Street.
Bill: I can't afford a scooter and he arrives in a Mercedes!
Thomas: Hi guys! I told you to invest on Wall Street…you missed the boat.
Bill: I'm going to Wall Street! I have to make up for lost time. Are you coming, Bob?
Bob: I don't know, I have mixed feelings ...On the one hand, I like the idea of getting rich, but on the other hand I don't want to change.
Bill: You are a loser! And you will die here with all the other losers!
Bob: Don't make a mountain out of a mole hill, please. You go, I'll stay here with your girlfriend.
Bill: Why? What kind of relationship have you got with my girlfriend? There is more than meets the eye?
Bob: Don't say stupid things… we are just friends, very close friends and sometimes we kiss near the lake, at night.
Bill: Ah, ok.

ON HOLIDAY

Wife: Look! Spain for only 800 euros for two, five star hotel! Spain costs next to nothing now.
John: We can't.
Wife: Why not? We have 5000 euros in the bank!
John: That is our nest egg!
Wife: Come on!
John: No, not for all the tea in China.
Wife: Please…
John: Nothing doing.
Wife: Then I will go alone.
John: Perfect!

THE FILM

Dino: They will make the film here dad, we will be on the map!
Father: No, it's out of the question.
Dino: But why? As an opportunity, it's out of this world! You're crazy!
Father: You are really out of order, Dino.

FRIENDS

Bruce: I am tired of my job. I want to find something else.
Lenny: Listen, if you play your cards right, I'll find you a job in my factory.
Bruce: Do they pay well?
Lenny: They pay very well.
Lenny: A penny for your thoughts.
Bruce: Are you pulling my leg? Because if you are, you are playing with fire.
Lenny: No, Bruce, I can help you.
Bruce: Thank you.
Lenny: One day, you could become (or get to be) an important manager.
Bruce: Yes, and pigs will fly.
Lenny: Listen, if they don't take you on at my factory there is Plan B. You can be a babysitter… Lucy is pregnant!

GENTLEMAN THIEF

Bones: Ok, are you ready to rob the bank with me?
Rocky: Now? It's raining cats and dogs outside!
Bones: I have two umbrellas.
Rocky: Yes, but that's a quick fix, Bones! Where will we put the umbrellas when we have to enter? We have to be as quiet as a mouse!
Bones: You always have to rock the boat, eh?
Rocky: Always?
Bones: Yes, even when we were in the group. You always found problems with my plans. The group ended for that reason.
Rocky: No, the group ran out of steam in the end. Anyway, you can't take umbrellas into the bank.
Bones: Eh?
Rocky: An umbrella could be used as a weapon, so by law they can't be taken into public places… you know how the red tape is for banks.
Bones: I'm going alone.

ABOUT MADNESS

Theo: I think that Freud had a great mind.
Brian: He was crazy.
Theo: Oh yes? If he was crazy, then I would sell my soul to be crazy. Think about when his books came out. They (or he) totally swam against the tide, but they sold like hot cakes.
Brian: Theo, I know you have a soft spot for Sigmund, but he said a lot of ridiculous things.
Theo: Brian, it wasn't all set in stone; they were just ideas.
Brian: He was crazy.
Theo: No! He was the salt of the earth.
Brian: Why have you got a soft spot for Freud?
Theo: I haven't got a soft spot for him, you dummy!
Brian: See? I say something against Freud and you see red!
Theo: I know that for you it is second nature to get people angry, but now I'll tell you something and to sweeten the pill, I will tell you that it's not only (or just) you. I'll make it short and sweet, ready?
Brian: Yes.
Theo: You are a dummy.
Brian: Oh yes?
Theo: Yes, and seeing is believing and I can see you, and you're a dummy.

GOSSIP

Anna: Have you met Amber's new boyfriend?
Lucy: Yes, the guy who talked shop at the party… she should think again that girl, he is taking her for a ride.
Anna: It's not true, come on!
Lucy: That's my opinion, take it or leave it.
Anna: I went to her house, yesterday, and there wasn't a soul. Have they gone away?

THE BOSS

Frank: The boss is agitated. He's waiting for a call from Rome.
Freddy: Is he the boss? Isn't he the lawyer?
Frank: Yes, he wears many hats here because it's his father's company.

Freddy: Why doesn't he call Rome?
Frank: Because he's playing the waiting game. It's his way and you can't teach an old dog new tricks.
Freddy: He seems angry...
Frank: I think that, if Rome calls today with a positive answer, you'll see him very happy. But for now he is playing the waiting game.

VOCABULARY

A
aboard a bordo
about circa/riguardo a
above sopra (senza contatto)
across attraverso/da una parte all'altra
actor attore
address indirizzo
advice consiglio
affair storia (in senso intimo)
after dopo
afternoon pomeriggio
against contro
agitated agitato
ago fa (in senso temporale)
air aria
airport aeroporto
alone solo/da solo
already già
always sempre
among tra (fra più di 2 cose)
angry arrabbiato
apple mela
apple pie torta di mele
April aprile
area zona
arm braccio
around attorno/intorno
as long as basta che
at least almeno
attic solaio
August agosto
aunt zia
autumn autunno
awful orribile

B
back schiena
back door la porta sul retro
bad cattivo
bad day brutta giornata
bad impression brutta figura
bag borsa, sacchetto
ball palla
banana banana
bank banca
bank account conto in banca
bat pipistrello
bathroom bagno
beach spiaggia
beautiful bello
bed letto
bedroom camera da letto
bee ape
beef manzo
before prima
behind dietro
belly pancia
below sotto
beside accanto a
between tra (fra 2 cose)
beyond oltre
big grande/grosso
bike bicicletta
bikini bikini
bill conto
bird uccello
birthday compleanno
black nero
blackberry mora
blind cieco
blouse camicetta
blue blu
boat barca
bonnet cofano
book libro
boss capo

bottom sedere, fondo
boyfriend fidanzato/ragazzo
bra reggiseno
bread pane
breakfast prima colazione
breasts seno
bridge ponte
brother fratello
brown marrone
builders muratori
bus autobus
busy preso/impegnato
buttocks chiappe
by vicino, entro (temporale)
by the time per ora che

C

cake torta
camel cammello
canteen caffetteria in ufficio
capital capitale
captain capitano
car automobile/macchina
car park parcheggio
cardigan cardigan
carrot carota
cash contanti
cash point bancomat
cashier cassiera
castle castello
cat gatto
cathedral cattedrale
cellar cantina
centre centro
changing room spogliatoio
check-in check-in
cheek guancia
cheese formaggio
cheesecake torta al formaggio
chemist's farmacia
cheque/check assegno
chest petto
chicken pollo
child (plurale children) bambino
chilly frescolino
chin mento
chips patatine
chocolate cake torta di cioccolato
church chiesa
city città
city centre centro città
clean pulito
client cliente
cliff scogliera
cloth stoffa
clothes vestiti/abiti
cloud nuvola
cloudy nuvoloso
coast costa
coat cappotto
coffee caffè
coin moneta
cold freddo
collaboration collaborazione
colleague collega
come on! dai!
compliment complimento
confused confuso
cook cuoco
cool fresco
cotton cotone
could be potrebbe essere
countryside campagna
court tribunale
cousin cugino
coward codardo

credit card carta di credito
crew personale di bordo
crisis crisi
cup tazza
customer cliente
customer service servizio clienti

D
dad papà
damp umido
dangerous pericoloso
dark buio
daughter figlia
dawn alba
day (all) giorno (tutto il)
dead morto
December dicembre
deep profondo
delicious delizioso
delivery consegna
desk scrivania
despite nonostante
dessert dolce (il)
destination destinazione
detergent detergente
difficult difficile
dinner cena
director regista
disaster disastro
discount sconto
doctor medico
dog cane
door porta
doubt dubbio
down giù
drastic drastico
dress vestito
driver guidatore
drunk ubricaco
dummy scemo
during durante

E
ear orecchio
eight otto
eighteen diciotto
eighty ottanta
elegant elegante
elephant elefante
eleven undici
employee dipendente
enormous enorme
equipment attrezzatura
essential essenziale
evening sera
every ogni
everybody tutti (persone)
everything tutto
everywhere ovunque
except tranne/eccetto
exhibition centre fiera
expenses spese
eye occhio

F
face faccia
factory fabbrica
famous famoso
fantastic fantastico
far lontano
fast veloce
fat grasso
father padre
favour favore
fax fax
feather piuma

February febbraio
ferry traghetto
fifteen quindici
fifty cinquanta
finance finanza
finger dito della mano
fire fuoco
first primo/a
fish pesce
five cinque
flames fiamme
flight volo
fog nebbia
foggy nebbioso
food cibo
foot piede
for per
for less a meno
forest foresta
four quattro
fourteen quattordici
forty quaranta
freezing freddissimo/gelo
Friday venerdì
friend amico
from da
fruit frutta
full pieno
funny divertente
furniture mobili

G

garage garage
garden giardino
generous generoso
genitals genitali
gift regalo
glass bicchiere di vetro
gold mine miniera d'oro
good buono
good smell profumo
grandchild nipote (di nonni)
grandfather nonno
grandmother nonna
grapefruit pompelmo
grateful grato
green verde
grey grigio
ground terra
guide guida

H

hairdresser parrucchiera
hand mano
handsome bello
happy felice/contento
hat cappello
head testa
health salute
hero eroe
high alto
high volume volume alto
hill collina
historic storica/o
holiday vacanza
home casa (in senso affettivo)
homework compito da fare a casa
honest onesto/sincero
hope speranza
horse cavallo
hospital ospedale
hot caldissimo
hotel albergo
house casa (in senso fisico)
hundred cento
husband marito

VOCABULARY

I
ice cream **gelato**
idea **idea**
imbecile **imbecille**
immediately **subito**
impolite **scortese**
in **in/dentro/a**
in a loud voice **a voce alta**
in front of **davanti**
information **informazione**
inside **dentro/all'interno**
instead of **invece di**
intelligence **intelligenza**
interview **colloquio**
invoice **fattura**
island **isola**
it is worth it **vale la pena**

J
jacket **giacca**
January **gennaio**
jealous **gelosa**
jeans **jeans**
job **lavoro**
joke **barzelletta**
journey **viaggio**
juice **succo**
July **luglio**
jumper **maglione**
June **giugno**
jungle **giungla**
just **solo**
justice **giustizia**

K
keys **chiavi**
kick **calcio**
kind **gentile**
kitchen **cucina**
knee **ginocchio**
knickers **mutandine**

L
lake **lago**
land **terra**
landing **atterraggio**
last year **lo scorso anno**
law **legge**
lawyer **avvocato**
leg **gamba**
leopard **leopardo**
less **meno/in meno**
letter **lettera**
lift **ascensore**
light **leggero**
light blue **azzurro**
like **come/simile a**
lingerie **biancheria intima**
lion **leone**
living room **soggiorno**
long **lungo**
loser **perdente**
low **basso**
lucky **fortunato**
luggage **bagaglio/i**
lunch **pranzo**

M
mad **pazzo**
man **uomo**
March **marzo**
marvellous **meraviglioso**
match **partita, fiammifero**
material **materiale**
May **maggio**
maybe **forse/magari**
meeting **riunione/incontro**

melon melone
mess macello/casino
metal metallo
midday mezzogiorno
midnight mezzanotte
milk latte
mind mente
mirror specchio
mom mamma
Monday lunedì
money soldi
morning mattino
mother madre
motorbike motocicletta
motorway autostrada
mountain montagna
mouse topo
mouth bocca
museum museo
music musica

N

name nome
narrow stretto
nature natura
near vicino
neck collo
neighbour vicino/a di casa
nephew nipote (di zii - maschile)
never mai
new nuovo/notizia
newspaper giornale
nice buono/carino/simpatico
niece nipote (di zii - femminile)
night notte
nine nove
nineteen diciannove
ninety novanta
nobody nessuno (persone)
noise rumore
nonsense sciocchezze
noon mezzogiorno
nose naso
nothing niente
November novembre

O

October ottobre
odour odore
of di
off via da
offended offeso
office ufficio
often spesso
old vecchio
on su/sopra (con contatto)
one uno
only solo
open aperto
opinion opinione
opposite di fronte a
orange arancione, arancio
order ordine
out (of) fuori
outside fuori/al di fuori di
owner proprietario

P

package pacco
pain dolore
palm palmo
parents genitori
park parco
parking lot parcheggio
passenger passeggero
peace pace
pear pera

peas piselli
pen penna
pepper pepe
perfect perfetto
photo foto
pig maiale
pineapple ananas
pink rosa
plane aereo
plastic plastica
playboy marpione
pleasant piacevole
plus più/in aggiunta
pocket tasca
pointless inutile
police station stazione di polizia
polite cortese
pollution inquinamento
pool piscina
poor povero
pork carne di maiale
port porto del mare, liquore
positive positivo
potato patata
power potere
pregnant incinta
present regalo
private parts parti private
problem problema
product prodotto
profit profitto
progress progresso
project progetto
promise promessa
promotion promozione
pudding budino
purple viola
purse portafoglio per signore

Q
question domanda
queue fila
quote preventivo, citazione

R
rabbit coniglio
railway station stazione dei treni
rain pioggia
rainy piovoso
rarely raramente
reader lettore
ready pronto
reason motivo
reception reception
red rosso
regarding che riguarda/riguardante
relationship rapporto
relatives parenti
rent affitto
restaurant ristorante
rich ricco
ridiculous ridicolo
ristorante restaurant
river fiume
road strada
roof tetto
room stanza
roundabout rotonda
route rotta

S
sad triste
safe sicuro
safely con sicurezza
salad insalata
salt sale
same stesso

VOCABULARY

sand sabbia
Saturday sabato
sausage salsiccia
school scuola
scooter motorino
scorpion scorpione
Scots scozzesi
scream urlo
sea mare
seaside spiaggia del mare
second secondo
secret segreto
sensitive sensibile
September settembre
serious serio
seven sette
seventeen diciassette
seventy settanta
shallow superficiale/poco profondo
share azione
shelf scaffale
ship nave
shirt camicia
shop negozio
shop assitant commessa/o
shopping list lista della spesa
shore riva
short corto/basso (per le persone)
shut up! stai zitto!
since da allora/poiché/dato che/da quando
sister sorella
six sei
sixteen sedici
sixty sessanta
skirt gonna
slow lento
small piccolo
snail lumaca
snow neve
snowy nevoso
so quindi
so much così tanto
soap sapone
socks calze
sofa divano
somebody qualcuno (persone)
something qualcosa
sometimes a volte/ogni tanto
son figlio
soon presto
sorry mi dispiace
soul anima
speech discorso
spring primavera
square piazza
stable stalla
stairs scale
steel acciaio
stolen rubato
storm tempesta
stormy tempestoso
story storia
strawberry fragola
stream ruscello
street strada/via
suburbs periferia
suddenly improvvisamente
suit completo (vestito)
sum cifra
summer estate
sun sole
Sunday domenica
sunny soleggiato
supermarket supermercato
supplier fornitore

sure sicuro
swimming pool piscina
system impianto

T
table tavolo
tactic tattica
tale storiella
tall alto (per persone)
tea tè
team squadra
tear lacrima
telephone telefono
television televisione
temperature temperatura
ten dieci
than di/che/di quanto
thank goodness meno male
that quello/che (congiunzione)
the only thing l'unica cosa
there lì
these questi
thief ladro
thin magro
thing cosa
thirteen tredici
thirty trenta
this questo
those quelli
three tre
throat gola
through attraverso
thumb pollice
thunder tuono
Thursday giovedì
tie cravatta
tights collant
till cassa
time tempo
tired (of) stanco (di)
to a
toe dito del piede
toilette WC
torture tortura
towards verso
tower torre
town hall comune
toy giocattolo
traffic traffico
traffic lights semaforo
train treno
train station stazione del treno
translation traduzione
transport trasporto
tree albero
trifle zuppa inglese
trip viaggio corto
trolley carrello
trouble (in) nei guai
trousers pantaloni
true vero
t-shirt maglietta
Tuesday martedì
turned off spento
turned on acceso
TV televisione
twelve dodici
twenty venti
two due

U
ugly brutto
uncle zio
under sotto
underground/tube metropolitana
underpants mutande

VOCABULARY

understandable capibile
ungrateful ingrato
unlike a differenza di
unlucky sfortunato
until fino a/finché
up su
usually di solito

V
valley valle
vampire vampiro
vast vasto
vegetables verdure
village villaggio/paesino
violent violento

W
walk camminata
wall muro
wallet portafoglio per uomini
wardrobe mistress costumista
warm caldo
water acqua
watermelon anguria
waves onde
way modo, via
weapon arma
wedding matrimonio
Wednesday mercoledì
well bene
white bianco
wide largo
wife moglie
wind vento
window finestrino
windy ventoso
wine vino
winter inverno
with con
within entro/all'interno
without senza
wonderful meraviglioso
wooden di legno
wood bosco
work lavoro
wrong sbagliato

Y
yellow giallo
young giovane

REGULAR **VERBS**

infinitive	past simple	past participle	significato
to accept	accepted	accepted	accettare
to add	added	added	aggiungere
to admire	admired	admired	ammirare
to admit	admitted	admitted	ammettere
to allow	allowed	allowed	permettere
to advise	advised	advised	consigliare
to afford	afforded	afforded	permettersi
to agree	agreed	agreed	essere d'accordo
to analyse	analysed	analysed	analizzare
to announce	announced	announced	annunciare
to annoy	annoyed	annoyed	infastidire
to answer	answered	answered	rispondere
to applaud	applauded	applauded	applaudire
to appreciate	appreciated	appreciated	apprezzare
to approve	approved	approved	approvare
to argue	argued	argued	litigare
to arrest	arrested	arrested	arrestare
to arrive	arrived	arrived	arrivare
to ask	asked	asked	chiedere
to attach	attached	attached	attaccare/fissare
to attack	attacked	attacked	attaccare/assalire
to attend	attended	attended	assistere/seguire
to attract	attracted	attracted	attrarre
to avoid	avoided	avoided	evitare
to bake	baked	baked	cuocere al forno
to behave	behaved	behaved	comportarsi
to belong	belonged	belonged	appartenere
to bless	blessed	blessed	benedire
to boil	boiled	boiled	bollire
to bomb	bombed	bombed	bombardare
to book	booked	booked	prenotare
to bore	bored	bored	annoiare
to borrow	borrowed	borrowed	prendere in prestito
to bounce	bounced	bounced	rimbalzare
to breathe	breathed	breathed	respirare
to burn	burned	burned	bruciare
to bury	buried	buried	seppellire

REGULAR **VERBS**

to call	called	called	chiamare
to care	cared	cared	prendersi cura di/tenere a
to cause	caused	caused	causare
to challenge	challenged	challenged	sfidare
to change	changed	changed	cambiare
to charge	charged	charged	caricare/addebitare
to chase	chased	chased	inseguire/rincorrere
to cheat	cheated	cheated	ingannare/tradire
to check	checked	checked	controllare
to chew	chewed	chewed	masticare
to claim	claimed	claimed	reclamare
to clean	cleaned	cleaned	pulire
to clear	cleared	cleared	chiarire/spazzar via
to close	closed	closed	chiudere
to collect	collected	collected	ritirare
to command	commanded	commanded	comandare
to communicate	communicated	communicated	comunicare
to compare	compared	compared	paragonare
to compete	competed	competed	competere
to complain	complained	complained	lamentarsi
to complete	completed	completed	completare
to concentrate	concentrated	concentrated	concentrare/concentrarsi
to confess	confessed	confessed	confessare
to confuse	confused	confused	confondere
to connect	connected	connected	connettere
to consider	considered	considered	considerare
to contain	contained	contained	contenere
to continue	continued	continued	continuare
to copy	copied	copied	copiare
to correct	corrected	corrected	correggere
to count	counted	counted	contare
to cover	covered	covered	coprire
to crash	crashed	crashed	schiantarsi/precipitare
to cross	crossed	crossed	attraversare
to cry	cried	cried	piangere
to damage	damaged	damaged	danneggiare
to dance	danced	danced	ballare
to dare	dared	dared	osare
to decide	decided	decided	decidere
to delay	delayed	delayed	ritardare

REGULAR **VERBS**

to deliver	delivered	delivered	consegnare
to describe	described	described	descrivere
to deserve	deserved	deserved	meritare
to destroy	destroyed	destroyed	distruggere
to develop	developed	developed	sviluppare
to discover	discovered	discovered	scoprire
to dislike	disliked	disliked	non piacere
to divide	divided	divided	dividere
to double	doubled	doubled	doppiare, raddoppiare
to doubt	doubted	doubted	dubitare
to dress	dressed	dressed	vestire
to earn	earned	earned	guadagnare
to embarrass	embarrassed	embarrassed	imbarazzare
to employ	employed	employed	assumere, impiegare
to enjoy	enjoyed	enjoyed	godere
to enter	entered	entered	entrare/accedere
to excite	excited	excited	eccitare
to excuse	excused	excused	scusare
to expand	expanded	expanded	espandere
to explain	explained	explained	spiegare
to expect	expected	expected	aspettarsi
to fail	failed	failed	fallire
to fear	feared	feared	temere
to fill	filled	filled	riempire
to fix	fixed	fixed	fissare, aggiustare
to fold	folded	folded	piegare
to follow	followed	followed	seguire
to glue	glued	glued	incollare
to guarantee	guaranteed	guaranteed	garantire
to guess	guessed	guessed	indovinare
to guide	guided	guided	guidare, condurre
to happen	happened	happened	accadere/succedere
to hate	hated	hated	odiare
to heat	heated	heated	scaldare
to help	helped	helped	aiutare
to hope	hoped	hoped	sperare
to hug	hugged	hugged	abbracciare

REGULAR **VERBS**

to hunt	hunted	hunted	cacciare
to ignore	ignored	ignored	trascurare
to imagine	imagined	imagined	immaginare
to improve	improved	improved	migliorare
to include	included	included	includere
to increase	increased	increased	aumentare
to influence	influenced	influenced	influenzare
to inform	informed	informed	informare
to intend	intended	intended	intendere, proporsi
to interfere	interfered	interfered	interferire
to interrupt	interrupted	interrupted	interrompere
to introduce	introduced	introduced	introdurre/presentare
to invite	invited	invited	invitare
to irritate	irritated	irritated	irritare
to join	joined	joined	unire (a)
to joke	joked	joked	scherzare
to judge	judged	judged	giudicare
to jump	jumped	jumped	saltare
to kick	kicked	kicked	calciare
to kill	killed	killed	uccidere
to kiss	kissed	kissed	baciare
to knock	knocked	knocked	bussare
to land	landed	landed	atterrare
to last	lasted	lasted	durare
to laugh	laughed	laughed	ridere
to launch	launched	launched	lanciare
to learn	learned	learned	imparare
to lie	lied	lied	sdraiare, mentire
to like	liked	liked	piacere
to listen	listened	listened	ascoltare
to live	lived	lived	vivere
to load	loaded	loaded	caricare
to lock	locked	locked	chiudere a chiave
to look	looked	looked	guardare
to love	loved	loved	amare
to manage	managed	managed	gestire

REGULAR **VERBS**

to marry	married	married	sposare
to match	matched	matched	abbinare
to miss	missed	missed	perdere/mancare (a)
to mix	mixed	mixed	mescolare
to move	moved	moved	spostare, commuovere
to multiply	multiplied	multiplied	moltiplicare
to need	needed	needed	avere bisogno di
to notice	noticed	noticed	notare
to observe	observed	observed	osservare
to offend	offended	offended	offendere
to offer	offered	offered	offrire
to open	opened	opened	aprire
to order	ordered	ordered	ordinare
to own	owned	owned	possedere
to paint	painted	painted	dipingere
to park	parked	parked	parcheggiare
to pass	passed	passed	passare, transitare
to pick	picked	picked	sciegliere, raccogliere
to plan	planned	planned	pianificare
to play	played	played	giocare
to please	pleased	pleased	accontentare
to pour	poured	poured	versare
to practise	practised	practised	esercitare
to pray	prayed	prayed	pregare
to prefer	preferred	preferred	preferire
to prepare	prepared	prepared	preparare
to present	presented	presented	presentare
to press	pressed	pressed	premere
to pretend	pretended	pretended	fingere, pretendere
to print	printed	printed	stampare
to produce	produced	produced	produrre
to promise	promised	promised	promettere
to protect	protected	protected	proteggere
to provide	provided	provided	fornire/provvedere
to pull	pulled	pulled	tirare
to punish	punished	punished	punire
to push	pushed	pushed	spingere

REGULAR **VERBS**

to queue	queued	queued	fare la fila
to reach	reached	reached	aggiungere
to receive	received	received	ricevere
to recognise	recognised	recognised	riconoscere
to reduce	reduced	reduced	ridurre
to refuse	refused	refused	rifiutare
to regret	regretted	regretted	pentire
to relax	relaxed	relaxed	rilassare
to remember	remembered	remembered	ricordare
to remove	removed	removed	rimuovere/togliere
to repeat	repeated	repeated	ripetere
to request	requested	requested	richiedere
to return	returned	returned	ritornare
to risk	risked	risked	rischiare
to rob	robbed	robbed	rapinare
to satisfy	satisfied	satisfied	soddisfare
to save	saved	saved	risparmiare/salvare
to scream	screamed	screamed	urlare
to search	searched	searched	cercare
to separate	separated	separated	separare
to serve	served	served	servire
to share	shared	shared	condividere
to sign	signed	signed	firmare
to smell	smelled	smelled	odorare/sentire (col naso)
to smile	smiled	smiled	sorridere
to smoke	smoked	smoked	fumare
to spell	spelled	spelled	fare lo spelling
to spill	spilled	spilled	rovesciare
to spoil	spoiled	spoiled	rovinare, viziare
to start	started	started	cominciare
to stay	stayed	stayed	stare/rimanere
to stop	stopped	stopped	fermare
to suffer	suffered	suffered	soffrire
to suggest	suggested	suggested	suggerire
to suit	suited	suited	adattare
to support	supported	supported	sostenere
to suppose	supposed	supposed	supporre
to surprise	surprised	surprised	sorprendere
to surround	surrounded	surrounded	circondare

REGULAR **VERBS**

to switch	switched	switched	scambiare
to talk	talked	talked	parlare
to taste	tasted	tasted	gustare/assaggiare
to tempt	tempted	tempted	tentare (tentazione)
to test	tested	tested	provare/testare
to thank	thanked	thanked	ringraziare
to tie	tied	tied	legare
to touch	touched	touched	toccare
to travel	travelled	travelled	viaggiare
to treat	treated	treated	trattare
to trust	trusted	trusted	fidare
to try	tried	tried	provare
to turn	turned	turned	girare
to type	typed	typed	battere a macchina
to undress	undressed	undressed	spogliare
to unite	united	united	unire
to unlock	unlocked	unlocked	sbloccare
to use	used	used	usare
to vanish	vanished	vanished	sparire
to visit	visited	visited	andare a trovare/visitare
to wait	waited	waited	aspettare
to walk	walked	walked	camminare
to want	wanted	wanted	volere
to warn	warned	warned	avvisare di un pericolo
to wash	washed	washed	lavare
to waste	wasted	wasted	sciupare/sprecare
to welcome	welcomed	welcomed	accogliere
to wish	wished	wished	desiderare, sperare
to work	worked	worked	lavorare
to worry	worried	worried	preoccupare
to yawn	yawned	yawned	sbadigliare

IRREGULAR **VERBS**

infinitive	past simple	past participle	significato
to be	was, were	been	essere
to beat	beat	beaten	battere
to become	became	become	diventare
to begin	began	begun	cominciare
to bend	bent	bent	piegare
to bet	bet	bet	scommettere
to bite	bit	bitten	mordere
to blow	blew	blown	soffiare
to break	broke	broken	rompere
to bring	brought	brought	portare
to build	built	built	costruire
to burn	burnt (burned)	burnt (burned)	bruciare
to buy	bought	bought	comprare
to catch	caught	caught	afferrare
to choose	chose	chosen	scegliere
to come	came	come	venire
to cost	cost	cost	costare
to cut	cut	cut	tagliare
to dig	dug	dug	scavare
to do	did	done	fare
to draw	drew	drawn	disegnare
to drive	drove	driven	guidare
to drink	drank	drunk	bere
to eat	ate	eaten	mangiare
to fall	fell	fallen	cadere
to feel	felt	felt	sentire/provare
to fight	fought	fought	combattere
to find	found	found	trovare
to fly	flew	flown	volare
to forget	forgot	forgotten	dimenticare
to forgive	forgave	forgiven	perdonare
to freeze	froze	frozen	congelare
to get	got	got	ottenere
to give	gave	given	dare

IRREGULAR **VERBS**

to go	went	gone	andare
to grow	grew	grown	crescere
to hang	hung	hung	appendere
to have	had	had	avere
to hear	heard	heard	sentire
to hide	hid	hidden	nascondere
to hit	hit	hit	colpire
to hold	held	held	trattenere, tenere in mano
to hurt	hurt	hurt	fare male
to keep	kept	kept	tenere
to know	knew	known	conoscere
to lay	laid	laid	posare
to lead	led	led	condurre
to leave	left	left	lasciare
to lend	lent	lent	prestare
to let	let	let	lasciare
to lose	lost	lost	perdere
to make	made	made	fare
to mean	meant	meant	intendere
to meet	met	met	incontrare
to pay	paid	paid	pagare
to put	put	put	mettere
to read	read	read	leggere
to ride	rode	ridden	cavalcare
to ring	rang	rung	suonare
to rise	rose	risen	sorgere
to run	ran	run	correre
to say	said	said	dire
to see	saw	seen	vedere
to sell	sold	sold	vendere
to send	sent	sent	mandare
to show	showed	shown	mostrare
to shut	shut	shut	chiudere
to sing	sang	sung	cantare

IRREGULAR **VERBS**

to sit	sat	sat	sedere
to sleep	slept	slept	dormire
to speak	spoke	spoken	parlare
to spend	spent	spent	spendere
to stand	stood	stood	stare in piedi
to swim	swam	swum	nuotare
to take	took	taken	portare
to teach	taught	taught	insegnare
to tear	tore	torn	strappare
to tell	told	told	dire
to think	thought	thought	pensare
to throw	threw	thrown	gettare
to understand	understood	understood	capire, intendere
to wake	woke	woken	svegliare
to wear	wore	worn	indossare
to win	won	won	vincere
to write	wrote	written	scrivere

INDEX

FINAL PART

block **notes**